W9-CUR-922

# STREETS OF NEW YORK

## L'HISTOIRE DU ROCK DANS LA BIG APPLE

PHILIPPE BROSSAT

# STREETS OF NEW YORK

## L'HISTOIRE DU ROCK DANS LA BIG APPLE

LE MOT ET LE RESTE
2019

*à Agathe, Jack, Baptiste et Jean*

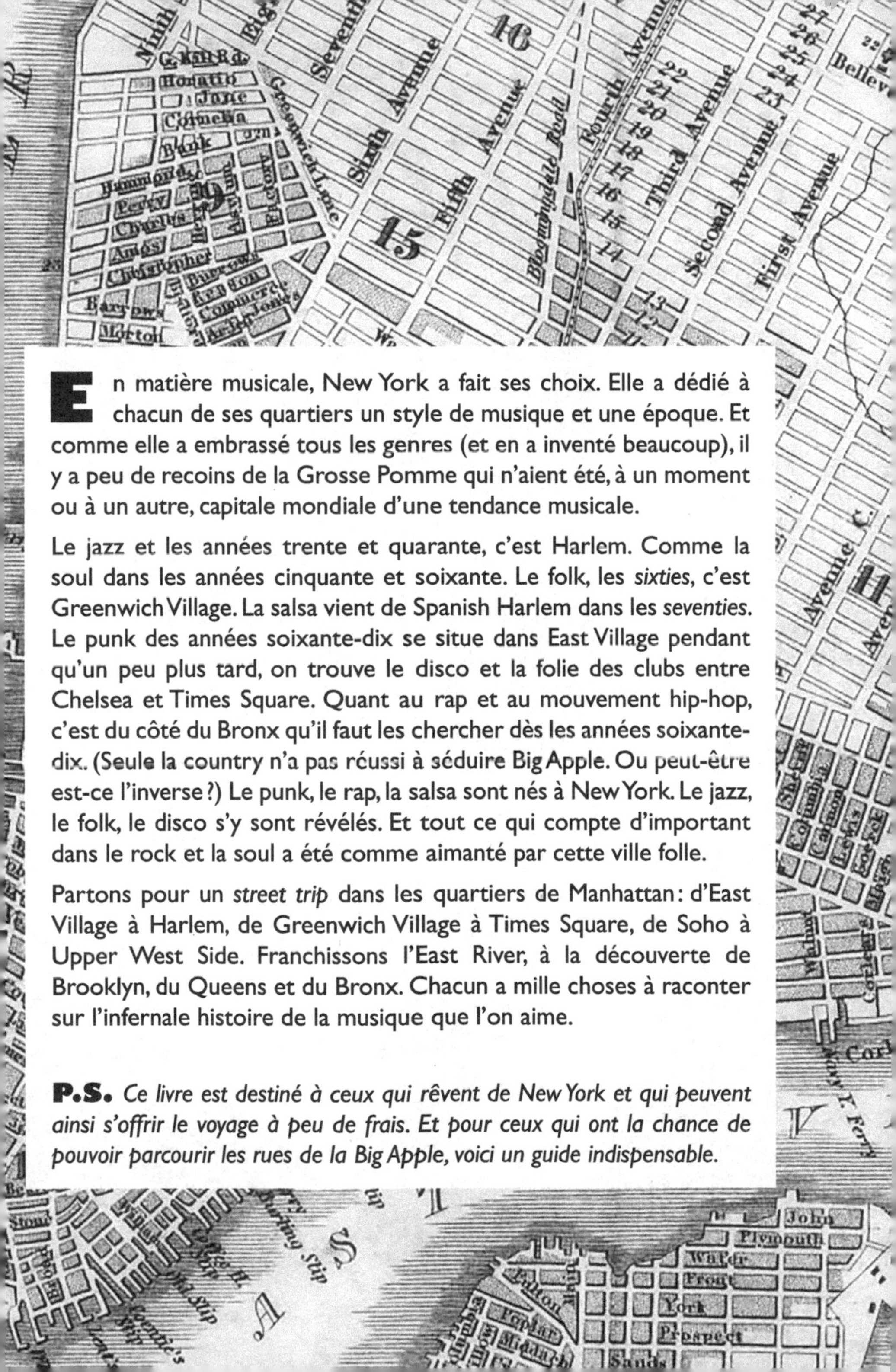


**E**n matière musicale, New York a fait ses choix. Elle a dédié à chacun de ses quartiers un style de musique et une époque. Et comme elle a embrassé tous les genres (et en a inventé beaucoup), il y a peu de recoins de la Grosse Pomme qui n'aient été, à un moment ou à un autre, capitale mondiale d'une tendance musicale.

Le jazz et les années trente et quarante, c'est Harlem. Comme la soul dans les années cinquante et soixante. Le folk, les *sixties*, c'est Greenwich Village. La salsa vient de Spanish Harlem dans les *seventies*. Le punk des années soixante-dix se situe dans East Village pendant qu'un peu plus tard, on trouve le disco et la folie des clubs entre Chelsea et Times Square. Quant au rap et au mouvement hip-hop, c'est du côté du Bronx qu'il faut les chercher dès les années soixante-dix. (Seule la country n'a pas réussi à séduire Big Apple. Ou peut-être est-ce l'inverse ?) Le punk, le rap, la salsa sont nés à New York. Le jazz, le folk, le disco s'y sont révélés. Et tout ce qui compte d'important dans le rock et la soul a été comme aimanté par cette ville folle.

Partons pour un *street trip* dans les quartiers de Manhattan : d'East Village à Harlem, de Greenwich Village à Times Square, de Soho à Upper West Side. Franchissons l'East River, à la découverte de Brooklyn, du Queens et du Bronx. Chacun a mille choses à raconter sur l'infernale histoire de la musique que l'on aime.

**P.S.** *Ce livre est destiné à ceux qui rêvent de New York et qui peuvent ainsi s'offrir le voyage à peu de frais. Et pour ceux qui ont la chance de pouvoir parcourir les rues de la Big Apple, voici un guide indispensable.*

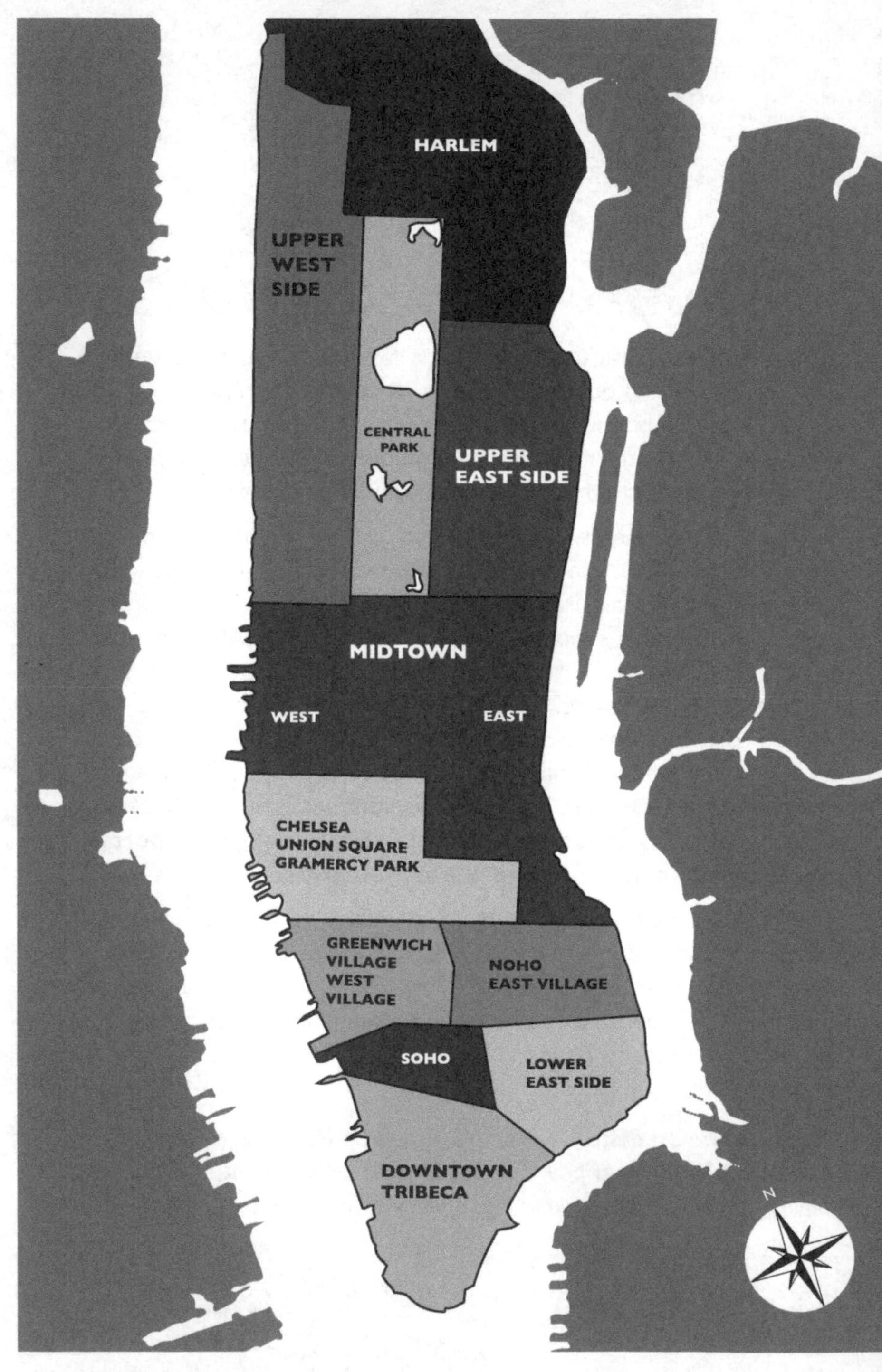
HARLEM
UPPER WEST SIDE
CENTRAL PARK
UPPER EAST SIDE
MIDTOWN
WEST
EAST
CHELSEA
UNION SQUARE
GRAMERCY PARK
GREENWICH VILLAGE
WEST VILLAGE
NOHO
EAST VILLAGE
SOHO
LOWER EAST SIDE
DOWNTOWN
TRIBECA
N

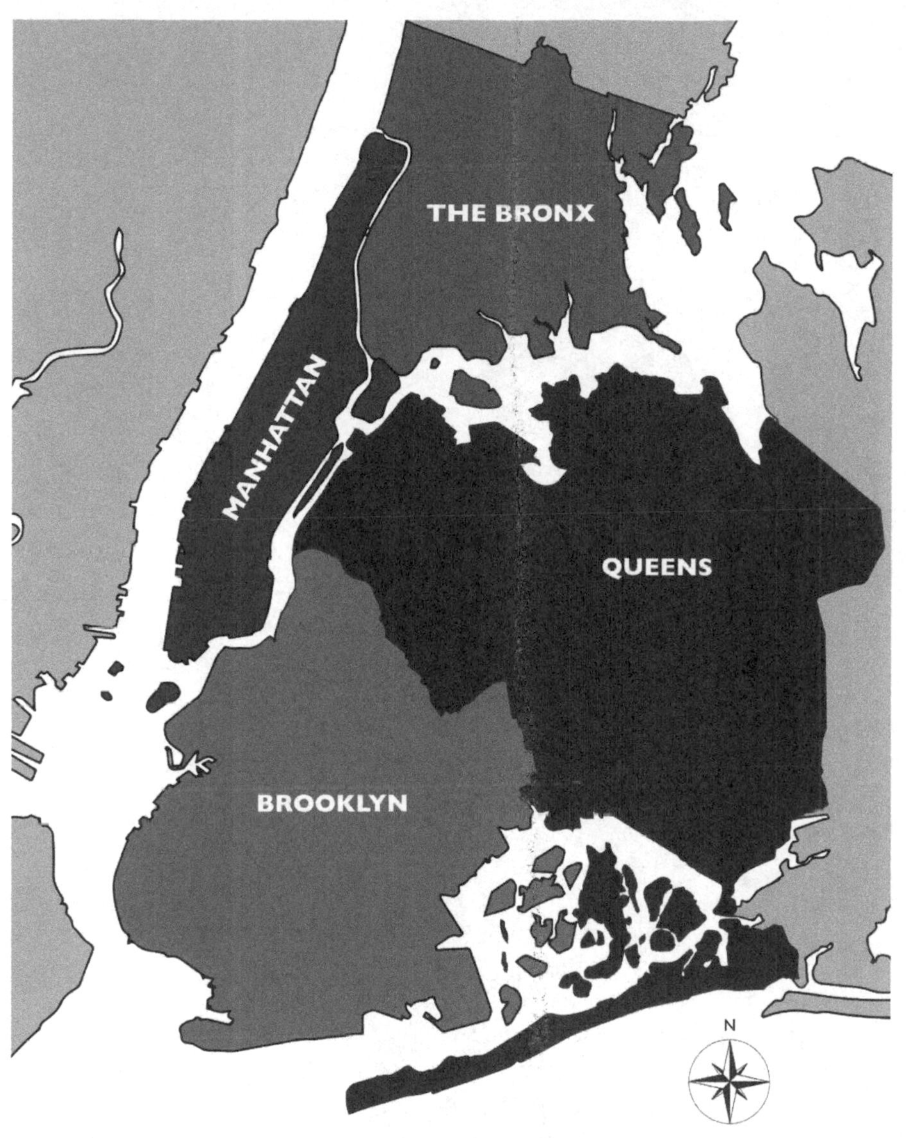


# • DÉCOUPAGE PAR QUARTIER •

W Broadway
ROADWAY
AMBERS ST
ONE WAY
NYC

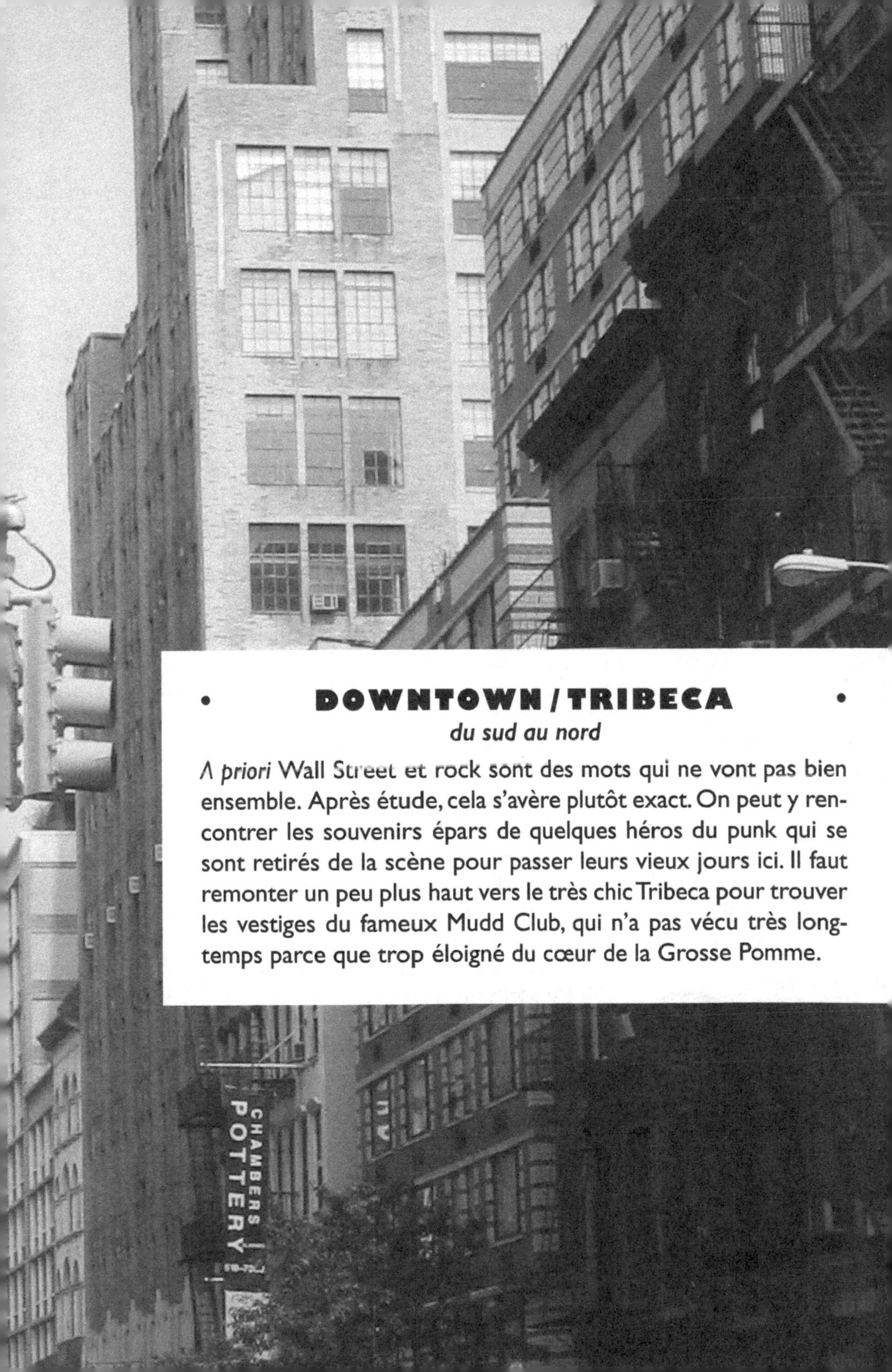


## DOWNTOWN / TRIBECA

*du sud au nord*

*A priori* Wall Street et rock sont des mots qui ne vont pas bien ensemble. Après étude, cela s'avère plutôt exact. On peut y rencontrer les souvenirs épars de quelques héros du punk qui se sont retirés de la scène pour passer leurs vieux jours ici. Il faut remonter un peu plus haut vers le très chic Tribeca pour trouver les vestiges du fameux Mudd Club, qui n'a pas vécu très longtemps parce que trop éloigné du cœur de la Grosse Pomme.

## 180 GREENWICH STREET / WORLD TRADE CENTER

Depeche Mode au sommet

En 1990, Michel Drucker et son producteur Mathias Ledoux ont la glorieuse idée de filmer Depeche Mode au sommet d'une des tours du World Trade Center alors les plus hautes de New York. Le groupe anglais interprétant « Enjoy The Silence » nous offre d'impressionnantes contre-plongées sur les édifices qui ont disparu ainsi qu'un point de vue sur la ville embrumée. Depuis la tragédie du 11 Septembre, ces images constituent un rare et émouvant témoignage. L'enregistrement est diffusé lors de l'émission française Champs-Élysées du 24 mars 1990. Aujourd'hui, à l'exact emplacement de chacune des deux tours se trouve un bassin dont les bordures recensent les noms des milliers de victimes des attentats de New York, du Pentagone et de Pennsylvanie. Tout proche, un poignant musée mémorial a ouvert en 2014 et une nouvelle tour One World Trade Center a été construite. Elle est, à nouveau, la plus haute de la ville.

## BATTERY PARK CITY / LIBERTY STREET – No Nukes!

En mars 1979, on n'est pas passé loin d'une véritable catastrophe quand le réacteur nucléaire de la centrale de Three Mile Island en Pennsylvanie a commencé de fondre. Les jours suivants, une fusion du cœur de la centrale étant encore possible, le monde entier a retenu sa respiration. Quelques semaines plus tard des activistes et des artistes dont Jackson Browne, Graham Nash et Bonnie Raitt décident de fonder MUSE (Musicians United For Safe Energy) mouvement destiné à lutter contre la multiplication des centrales nucléaires. Ils organisent dans la foulée une série de concerts au Madison Square Garden dès septembre. Pour pouvoir accueillir un public plus large, ils décident de rajouter une date dans Battery Park City à l'extrême sud de Manhattan, sur les bords de l'Hudson. Le 23 septembre 1979, près de 200 000 personnes, souvent en famille, rassemblées sur la pelouse applaudissent Ralph Nader, Jane Fonda et son mari Tom Hayden virulents militants. Mais aussi Bruce Springsteen, James Taylor et Carly Simon, Crosby, Stills, Nash & Young, Tom Petty, les Doobie Brothers, Ry Cooder et beaucoup d'autres. L'année suivante le triple album *No Nukes* témoigne d'une partie des prestations du Madison Square Garden et sept ans plus tard se produit en Europe la catastrophe de Tchernobyl. Aujourd'hui Battery Park est complètement transformé. On a gagné sur la rivière et construit immeubles et marinas.

NO NUKES
under the sun

Battery Park City

**HANOVER SQUARE** – Alan Vega au Financial District

Sans doute l'ombrageux chanteur de Suicide voulait-il prendre de la distance avec sa vie tumultueuse du Lower East Side. Sans doute souhaitait-il se relâcher un peu après tous les excès qui ont marqué la vie du groupe qu'il avait créé avec Martin Rev, sans doute ressentait-il le besoin de reposer un corps tant de fois endolori sur scène. Toujours est-il que l'âge avançant, Alan Vega a opté pour ce coin de Downtown dénommé Financial District et qui voisine avec Wall Street. Sur Hanover Square, une minuscule place en triangle, havre de paix au sein de cette ville si excitée, il recevait parfois quelques journalistes qui voulaient bien se rappeler de lui. Il s'était d'abord installé pas très loin, sur Fulton Street, avec sa femme Elizabeth Lamere et son fils Dante, avant de finir ses jours ici. Alan Vega a vécu jusqu'à soixante-dix-huit ans, ce qui, en soi, est un exploit.

**29 JOHN STREET** – Un Ramone à Wall Street

Marky Ramone (Marc Steven Bell) est le dernier membre des Ramones encore vivant. En fait, au sein du groupe, il tenait la batterie par intermittence quand Tommy Ramone était porté pâle. Dès qu'il a gagné un peu d'argent, il a rejoint Wall Street à cette adresse. Ses voisins étaient furieux quand il passait à fond de watts *Electric Ladyland*.

## 112 CHAMBERS STREET

### Yoko Ono explose à New York

La Japonaise Yoko Ono n'a pas toujours été le double de John Lennon ou la cible favorite de fans qui la rendent responsable, à tort, de la dissolution des Beatles. Au début des années soixante, alors que sa famille s'est établie aux USA, elle fait partie de l'avant-garde de l'art contemporain à New York. Elle s'installe à cette adresse en 1961 et, avec le compositeur minimaliste La Monte Young, ouvre une galerie qui attire bientôt les *beautiful people* comme Peggy Guggenheim, Marcel Duchamp, Jasper Johns. Elle présente des expositions mêlant la sculpture, la danse, la musique. La danseuse postmoderne Trisha Brown qui vient d'arriver de Californie, fait sa première improvisation ici. Yoko se met également en scène dans des performances dont elle a le secret. Bientôt ses œuvres sont exposées dans d'autres galeries de la ville. En septembre 1966, elle s'installe à Londres. La suite de l'histoire est bien connue.

## 121 CHAMBERS STREET

### LOWER MANHATTAN OCEAN CLUB / Un sacré bœuf

Au milieu des années soixante-dix, Mickey Ruskin, le créateur du Max's Kansas City ouvre un nouveau club Downtown. Trop éloigné du centre de Manhattan, il a une courte durée de vie. Patti Smith a le temps d'y jouer en août 1976 (mais où n'a-t-elle pas joué dans cette ville ?). On remarque David Bowie et Iggy Pop dans le public et même Nancy Spungen qui zone. Un soir de juillet 1976, l'ex-Velvet John Cale fait un sacré bœuf avec Lou Reed, David Byrne, Patti Smith, Allen Lanier et Mick Ronson sur « Waiting For The Man ». Et puis, en 1976, le jeune groupe Talking Heads joue en trio puis, à nouveau, le 9 février 1977 avec l'apport de Jerry Harrison.

### 105 HUDSON STREET

ARTISTS SPACE / Brian Eno découvre la ville

L'Anglais Brian Eno arrive à New York le 23 avril 1978 précédé d'une brillante réputation. Ancien synthé de Roxy Music, auteur de plusieurs disques avec son compère ex-King Crimson Robert Fripp et de musiques d'ambiance façon musique d'aéroport comme il les a définies lui-même, il est devenu un producteur recherché surtout depuis ses réalisations berlinoises auprès de David Bowie. Venant finaliser le deuxième album de Talking Heads, il passe faire un tour au festival de rock qui se tient en mai à Artists Place, un lieu dédié à tous les arts nouveaux. Eno est fasciné par la scène rock new-yorkaise de l'époque et enregistre plusieurs groupes jouant ces jours-là dont James Chance et DNA (à ne pas confondre avec son homonyme anglais). S'ensuit une compilation *No New York* considérée comme la pierre fondatrice de la mouvance no wave. Prévu pour durer trois mois, le séjour de Brian Eno à New York s'éternisera jusqu'en décembre.



### 145 HUDSON STREET

Chris Martin & Gwyneth Paltrow

Cet immeuble plutôt cossu de Tribeca a abrité les amours du chanteur de Coldplay, Chris Martin, et de sa femme l'actrice, Gwyneth Paltrow, avant leur séparation. En haut des seize étages, sur le toit, on trouve un magnifique penthouse tout en verre.

### 345 HUDSON STREET

1010 WINS RADIO / Le triomphe du transistor

Longtemps basée 114 East 58th Street, 1010 WINS a été la grande radio rock'n'roll new-yorkaise des *fifties* et du début des *sixties*. L'époque des transistors. Alan Freed, a qui l'on doit, dit-on, l'invention du mot « rock'n'roll » fut l'un de ses DJ stars dans les années cinquante avant qu'une sombre histoire de pot-de-vin ne le rattrape. Mais l'immense DJ de cette radio, s'appelle Murray the K. De sa voix tonitruante, dès 1957 il a imposé le rock puis a promu la British Invasion. Il a eu l'exclusivité des coulisses de la première tournée des Beatles à New York en 1964. Il restera d'ailleurs proche du groupe même après l'arrêt de son émission, concurrencée par d'autres radios et par l'arrivée de la FM. 1010 WINS diffuse toujours. Elle est maintenant axée sur les news.

## 77 WHITE STREET

### THE MUDD CLUB/Pas les gros, que les blondes

« *This ain't no party, this ain't no disco, this ain't no fooling around this ain't no mudd club, or CBGB* ». Talking Heads a rendu « hommage » à l'un des clubs phare de la scène new-yorkaise des années punk dans « Life Before Wartime » (Ils n'y ont joué pourtant qu'une seule fois). Comme les Ramones dans « The Return Of Jackie And Judy » avec leur lyrisme habituel: « *They went down to the Mudd Club and they both got drunk oh-yeah* ». Quant à Frank Zappa, il en a fait carrément un titre « Mudd Club »: « *Hey, the people here are really tearin' it up* ». Ouvert en 1978, le Mudd Club, se voulait, comme pas mal d'autres, un antidote au clinquant Studio 54. Mais il était loin de n'être que cela. Steve Mass, son créateur, l'avait positionné au carrefour des nouvelles tendances artistiques de la ville, dont le punk, bien sûr. Mais pas seulement. Ce fut l'endroit où la scène graffiti put acquérir une forte visibilité. Keith Haring étant l'initiateur de plusieurs manifestations en février et avril 1981 dont la fondatrice Beyond Words qui réunit la crème de la discipline au quatrième étage. Keith Haring, Jean-Michel Basquiat et surtout, l'incursion dans le monde de l'art de la scène hip-hop du Bronx représentée par Futura 2000, Fab 5 Freddy et d'autres. Dès lors les rois de la nuit new-yorkaise firent du Mudd une nouvelle étape privilégiée de leurs virées sans fin. Warhol (*who else?*), Bowie, Lou Reed, Burroughs, Gregory Corso, Debbie Harry, Richard Hell, Klaus Nomi, Nico, Johnny Thunders, il n'en manquait aucun. Caractéristique cocasse, les critères d'admission changeaient chaque soir: « pas les gros » ou alors « que les blondes » etc. le Mudd Club a fermé en 1983.

## 195 HOUSTON STREET/DESBROSSES STREET

### Beyoncé et Jay-Z se marient

Beyoncé et Jay-Z aiment tellement leur loft de Tribeca (le couple possède une terrasse privée sur le toit) qu'ils y ont organisé leur soirée de mariage en 2008. (Hum, le loft doit être VRAIMENT grand). Une sérieuse agitation dans ce quartier plutôt calme, avec moult paparazzis, certains tentant même d'escalader l'immeuble. L'entrée officielle est sur Hudson Street mais, sachez-le, l'entrée privée se situe au début de Desbrosses Street.

永昌
公司
Universal Optical Inc.
字華
計樓
亮人生
美容中心
8731
M9

## LOWER EAST SIDE

***d'ouest en est depuis Bowery***

Lower East Side est le quartier symbolisant le mieux le grand melting-pot issu des vagues d'immigration des XIXe et XXe siècle. Des Allemands aux Italiens, des Chinois aux Bengalis, des juifs aux bouddhistes, ils ont tous marqué le quartier de leurs empreintes. Longtemps, le lieu fut mal famé, la mafia ayant laissé des traces sanglantes (*Il était une fois en Amérique* de Sergio Leone se déroule ici). Pendant des années, les loyers étant particulièrement bas, les jeunes groupes de rock sans le sou y ont trouvé refuge, une véritable piste aux étoiles : Velvet Underground, Talking Heads, Blondie, New York Dolls, Beastie Boys, Sonic Youth sont nés dans ces rues. Aujourd'hui la gentrification fait son œuvre (Chinatown et Little Italy sont réduits à la portion congrue), même si elle apparaît moins visible que chez son voisin East Village.

**222 BOWERY / PRINCE STREET**
William Burroughs

« Un palais d'inspiration italienne pour les mendiants ». C'est ainsi que l'un de ses propriétaires actuels, l'artiste John Giorno décrit cet élégant bâtiment. Cette ancienne YMCA a servi de refuge à Fernand Léger fuyant l'occupation nazie en 1940. Puis à Mark Rothko à la fin des *fifties*. À partir des années soixante, ce lieu attire beaucoup d'artistes aimantés par les loyers particulièrement bas et peu effarouchés par la réputation du quartier. William Burroughs, l'un des pères de la beat generation, s'y installe en 1974 à son retour de Paris. Avec ironie, il surnomme son appartement The Bunker. Lou Reed, Patti Smith, Andy Warhol fréquentent les lieux. En 1981, l'écrivain quitte les lieux une propriété de Lawrence au Kansas où il meurt seize ans plus tard à quatre-vingt-trois ans.

**59 CHRYSTIE STREET** – Beastie Boys remercient British Airways

Si les Beastie Boys, avant la gloire, s'installent ici dans un appartement, c'est grâce à British Airways qui a eu l'imprudence d'utiliser le titre « Beastie Revolution » dans une publicité sans leur permission. Le lieu est néanmoins particulièrement pourri mais ils peuvent jouer nuit et jour sans trop gêner les voisins. Ils citent l'adresse en intro de « B-Boy Bouillabaisse » dernier titre de l'album *Paul's Boutique* en 1989. L'immeuble existe toujours dans ce qu'il reste de Chinatown.

**105 CHRYSTIE STREET** – Debbie s'installe à New York

Venue du New Jersey voisin, Debbie Harry, future Blondie, a vécu ici à l'époque de la vache enragée au début des *seventies*. Elle chante dans différents groupes et gagne sa vie comme serveuse au Max's Kansas City et au Playboy Club. Chris Stein la rejoint bientôt et le couple accueille quelques amis de passage dans un appartement pourtant minuscule.

**119 CHRYSTIE STREET** – New York Dolls Rent Parties

Avant toute gloire, Johnny Thunders zone dans cet immeuble avec sa *girl friend* Janice Cafasso. Là, avec Sylvain Sylvain et Billy Murcia ils organisent des rent parties afin de payer la location. Pour 2 $, on peut prendre part à une fête organisée par ces trois futurs New York Dolls. Une sacrée chance !

**195 CHRYSTIE STREET** – Talking Heads dans le froid

Novembre 1974 : deux étudiants en art de la Rhode Island School of Design, David Byrne et Chris Frantz, emménagent dans un vrai loft à cette adresse. Neuvième étage. 300 $ par mois. Ils viennent de former Talking Heads avec la petite copine de Frantz, la bassiste Tina Weymouth qui s'installe avec eux. Le jour, ils travaillent pour gagner leur vie. Byrne est ouvreur au cinéma Murray Hill et Frantz est livreur. Weymouth est vendeuse chez Henri Bendel 57th Street, au rayon chaussures. La nuit, ils composent et répètent. L'immeuble n'héberge que des bureaux : l'avantage c'est qu'ils peuvent faire tout le bruit qu'ils veulent la nuit venue. L'inconvénient, c'est que le chauffage est coupé à 17 heures ! Bientôt, le 5 juin 1975, ils joueront leur premier concert au CBGB, en ouvrant pour les Ramones devant une quinzaine de spectateurs. Première de leurs soixante-dix prestations dans le club du Bowery. Aujourd'hui, le quartier est nickel et l'immeuble plutôt select. Est-ce un hasard ? Le label de world music Luaka Bop (Brésil, Cuba, etc.) créé par David Byrne, est basé à cette adresse…

**84 ELRIDGE STREET / GRAND STREET** – Love story

Nous sommes au début des années quatre-vingt et Kim Gordon vit, seule, dans un appartement à cette adresse. Un beau soir, elle invite Thurston Moore un guitariste qu'une amie, Miranda, lui a présenté. Il découvre son appartement. Presque vide, pas de meuble, un matelas par terre et une guitare. Une super guitare. Ils en jouent une bonne partie de la soirée. Avant d'échanger un premier baiser. Ici logiquement, en fond sonore, nous devrions avoir une belle envolée de violons. Dans notre histoire d'amour, c'est plutôt le rock alternatif de Sonic Youth que l'on entend. Car elle marque non seulement le début d'une longue idylle mais aussi la création d'un des groupes majeurs du rock US des trente années suivantes. Premier concert

au Club 57, le 8 mai 1981 avec les deux autres membres Lee Ranaldo et Richard Edson. Ultra respecté par les critiques, adulé par son public, le groupe indie ne survit pas au divorce de Kim et Thurston. Dernier concert à São Paulo en novembre 2011.

**56 LUDLOW STREET / GRAND STREET** – La Naissance du Velvet

Cet immeuble très fatigué, qui semble avoir survécu aux pires époques du Lower East Side, a vu naître les premiers classiques du Velvet Undergound. Au début des années soixante, il accueille les musiciens sans le sou. Parmi eux, un violoniste gallois, John Cale. 25 $ par mois pour un appartement crasseux au cinquième étage disposant d'une seule chambre avec obligation de poser un matelas contre la fenêtre pour éviter les courants d'air. Lorsque Cale rencontre Lou Reed en 1964, ils commencent à jouer et écrire ensemble dans cet appartement. Lou Reed venant chaque week-end et restant souvent à coucher quand il n'a pas envie de faire le trajet depuis la maison de ses parents à Long Island. Bientôt Sterling Morrison vient les rejoindre. La plupart des chansons du premier album du groupe The Velvet Underground & Nico naissent ici. John Cale les définissant comme un mélange de « Erik Satie, John Cage, Phil Spector, Hank Williams et Bob Dylan ». Les premières démos de « I'm Waiting For The Man » ou « Venus In Furs » enregistrées sur un magnéto Wollensak sont maladroites, limite inaudibles, mais, curieusement, le son du Velvet est déjà là. Aujourd'hui, toujours habité par des artistes, l'immeuble est usé, mais il tient le coup. Tout comme son voisin du 52 Ludlow Street. C'est sur son perron que la toute première photo du groupe a été prise par Donald Greenhaus.

**99 RIVINGTON STREET / LUDLOW STREET** – Paul's Boutique

*Paul's Boutique* est le titre du deuxième album des Beastie Boys réalisé en 1989. À cette époque la boutique en question existait vraiment à l'angle de Rivington et de Ludlow Street. Elle figurait même sur la

56 Ludlow Street
La naissance du Velvet

couverture de l'album. Voici quelques années, Paul's Boutique a été remplacée par un fast-food.



**176 STANTON STREET / CLINTON STREET** – Lady Gaga s'installe

Pas toujours facile de prendre son indépendance. Quitter la confortable maison des parents pour vivre dans ce trou à rat du Lower East Side. En 2005, la chambre de Lady Gaga est vraiment minuscule mais c'est le prix à payer pour réaliser ses rêves. Tel un moine (n'exagérons quand même pas) elle reste enfermée toute la journée à composer et jouer sa musique, à enregistrer des démos. Elle ne sort que pour se produire dans quelques clubs qui veulent bien d'elle. Une étoile va bientôt naître.

**95 STANTON STREET / ORCHARD STREET**

ARLENE'S GROCERY Last Goodbye pour Jeff Buckley

Le 9 février 1997, Jeff Buckley donne son dernier concert new-yorkais dans cette salle. La dernière chanson : « The Last Goodbye ». Il ne rejoue plus que deux fois, à Memphis, où il se noie dans la Wolf River le 29 mai 1997. Arlene's Grocery existe toujours.

# SOHO

*du sud au nord*

Soho, concentré de SOuth of HOuston Street, indique clairement sa position sur le plan de Manhattan. Le quartier se caractérise par son architecture marquée par les fameux cast-iron buildings, ces bâtiments avec façades et structures en fonte qui hébergeaient des usines depuis l'époque de la révolution industrielle jusqu'au milieu du XX^e^ siècle. Au fil du temps, les usines sont parties, laissant de vastes lofts à bas prix que les artistes de tous bords se sont vite appropriés. Il n'est donc pas étonnant d'y trouver la trace d'un bon nombre de studios d'enregistrement et de galeries d'art. C'est aujourd'hui un quartier policé aux loyers très élevés où les plus prestigieuses enseignes de mode se bousculent.

## 241 CENTRE STREET

### CHUNG KING HOUSE OF METAL STUDIOS / Les racines du rap

On a du mal à le croire, mais voici l'emplacement d'un des studios les plus importants de l'histoire du rap. John King l'a ouvert au-dessus d'un restaurant en plein Chinatown aidé de Steve Ett, un ingénieur talentueux, à la fin des *seventies*. Tout petit studio avec seulement deux pièces, un ingénieur et un producteur. Bien loin des standards actuels. L'arrivée de Russell Simmons et Rick Rubin qui viennent de créer le label DefJam est déterminante. Ils amènent avec eux une flopée de futurs rois du hip-hop : Run-DMC, Beastie Boys, LL Cool J et Public Enemy. Du coup quelques grands classiques sont conçus dans ce studio miteux : *Licensed To Ill* des Beastie Boys, *Fear To A Black Planet* de Public Enemy ou encore *Radio* de LL Cool J. John King finira par déménager tout ce beau monde dans un studio bien plus luxueux, au milieu des *nineties*.

## 176 MULBERRY STREET

### MULBERRY STREET BAR / Le repaire de Frank Sinatra

Pas grand-chose a changé dans ce bar depuis l'époque où il s'appelait Mare Chiaro. Lorsque Sinatra était un habitué. C'est sans doute l'une des raisons qui ont poussé Coppola, dans *Le Parrain 3* (Andy Garcia et Sofia Coppola boivent un *drink*), Mike Newell pour *Donnie Brasco* (Johnny Depp et Al Pacino), Adrian Lyne pour *9 Semaines ½* à l'utiliser comme décor. Les producteurs des *Soprano* ne s'y sont pas trompés non plus : c'est le lieu idéal pour situer l'Averna Social Club, l'un des QG de la famille Lupertazzi.

## 96 GRAND STREET / GREENE STREET

Mort d'un Voidoid

C'est principalement en tant que guitariste des Voidoids de Richard Hell, que Robert Quine a acquis sa solide réputation. On lui doit les ondulants solos de « Blank Generation ». À la dissolution du groupe il collabore sur scène ou en studio avec Lou Reed, Lloyd Cole, Tom Waits et Brian Eno. Il s'est donné la mort ici en 2004, quelque temps après le décès de sa femme.

## 311 WEST BROADWAY / GRAND STREET

SOHO MEWS / Le pied-à-terre de Justin Timberlake

Le chanteur / acteur est devenu propriétaire d'un penthouse à 6,5 millions de $ dans cet immeuble en 2010.

## 29 GREENE STREET / GRAND STREET

BLUE ROCK STUDIOS / George et Joe Jackson

Ce petit studio, aujourd'hui fermé, a produit quelques puissants singles de Dylan au début des années soixante-dix. Notamment « George Jackson », écrit en hommage au militant des Black Panthers tué dans la prison de San Quentin dans des circonstances plutôt opaques. Bob Dylan, enregistre cet hommage trois mois après le meurtre. Plutôt satisfait de la discrétion de l'endroit, il revient quelque temps plus tard mettre en boîte le sautillant « Watching The River Flow » avec un Leon Russell au sommet de son piano. En 1982, le britannique Joe Jackson enregistre ici son album hommage au jazz *Night And Day* avec le fameux hit « Steppin' Out ».

## 85 VARICK STREET / WATTS STREET

STEINWAY & SONS / L'atelier d'Heinrich

Heinrich Steinweg et ses trois fils ont émigré d'Allemagne en mars 1849 pour s'installer à New York. Leur premier piano (série 843) sort en 1853

Sudden Mania to become Pianists created upon hearing STEINWAY's Pianos at the Paris Exposition.

de l'atelier situé à cette adresse. Le succès est tel, que Steinway (Steinweg américanisé) et ses fils doivent déménager dans un local plus grand au 82 Walker Street. C'est le début de leur réussite. Dès 1860, la production passe à 1 800 pianos par an. En 1880, une nouvelle usine s'ouvre à Hambourg. Aujourd'hui, si la tradition Steinway & Sons reste une référence pour les pianistes du monde entier son quartier d'origine a bien changé.

## 59 WOOSTER STREET / BROOME STREET

THE KITCHEN / L'avant-garde

Dans les années soixante-dix et quatre-vingt, The Kitchen est véritablement l'épicentre de l'avant-garde artistique new-yorkaise. Laurie Anderson et David Byrne s'y révèlent à l'époque où Arthur Russell est le directeur musical. Celui-ci offre aussi à Jonathan Richman & The Modern Lovers l'une de leurs premières scènes ici. Robert Mapplethorpe organise sa première exposition photo et les Beastie Boys l'un de leurs premiers concerts le 12 décembre 83. Dans le club, on croise Steve Reich, Philip Glass, Brian Eno, Cindy Sherman, Lucinda Childs ou encore Peter Greenaway. Plutôt stylé. Plus tard, ce sera un haut lieu de l'expérimentation vidéo et multimédia. The Kitchen existe toujours au 512 W 19th Street même si ce n'est plus vraiment de la nouvelle cuisine.

## 10 CROSBY STREET / HOWARD STREET

Paul Simon toujours un peu fou

À l'époque, en 1975, Edie Baskin sort avec Paul Simon. Elle est alors la photographe officielle du show Saturday Night Live sur NBC et on la rencontre régulièrement sur les plateaux de tournage de films. La photo de la pochette de l'album *Still Crazy After All These Years*, c'est elle. Paul Simon est juché sur l'escalier de secours du 10 Crosby Street, sans doute au troisième étage. Pour rappel, l'album est, lui aussi, monté très haut dans les charts mondiaux regorgeant de tubes

59 Woodster Street
The Kitchen

aussi définitifs que « 50 Ways To Leave Your Lover » ou « My Little Town ».

### 30 CROSBY STREET / GRANT STREET

Le nid d'Alicia Keys

Trois ans après l'avoir acheté à Lenny Kravitz, Alicia Keys a revendu ce gigantesque appartement et sa terrasse arborée pour 15 millions de $ en 2013. La chanteuse s'est installée dans le New Jersey dans l'ancienne demeure d'Eddie Murphy à côté de son propre studio d'enregistrement.

### 49 CROSBY STREET / SPRING STREET

THE MAGIC SHOP / La naissance de Lazarus

Une porte anonyme quelquefois taguée, un simple bouton de sonnette sans nom, il était difficile de croire qu'au sous-sol de cette adresse se tenait un studio d'enregistrement. Si Lou Reed (*Magic And Loss*), les Ramones (*Mondo Bizarro*), Sonic Youth (*Dirty*), Sheryl Crow (« Tomorrow Never Dies ») ou encore Suzanne Vega ont fréquenté le lieu, c'est David Bowie qui l'a rendu célèbre. En total secret, il a enregistré ses deux derniers albums au Magic Shop. *The Next Day* et *Black Star* sorti le jour de son anniversaire soit deux jours avant sa mort le 10 janvier 2016. Le vieux complice Tony Visconti produit et Kevin Killen est l'ingénieur. Pour cet album que Bowie sait testament, il est entouré de brillants musiciens de jazz, notamment du saxophoniste

Tony McCaslin et du guitariste Ben Monder. Les loyers de Soho devenant délirants, le gérant des lieux Steve Rosenthal a été contraint de couper le son en 2016 malgré l'aide financière de l'ex-Nirvana Dave Grohl.

### 101 CROSBY STREET / PRINCE STREET

Basquiat héberge Madonna

Au quatrième étage de cet immeuble, Jean-Michel Basquiat s'installe dans un loft en janvier 1982, juste avant la gloire. Il y héberge Madonna durant leur supposée courte liaison de 1982. Encore récemment, pour 500 $ la nuit, Airbnb proposait à la location cet appartement de 200 m². Mais sans les tableaux au mur.

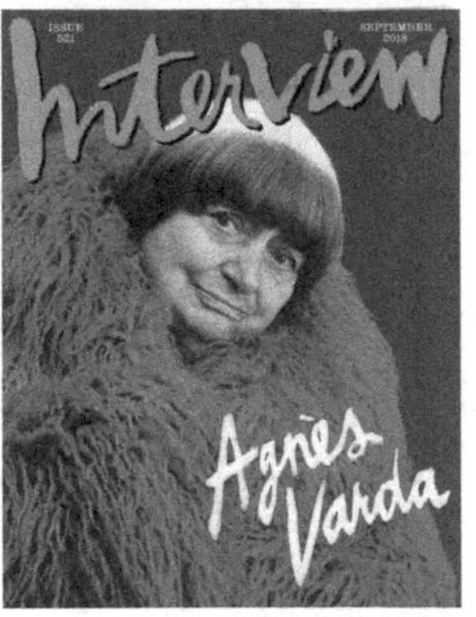


### 110 GREEN STREET

INTERVIEW MAGAZINE / Agnès Varda est toujours là

Septembre 2018 marque la renaissance du magazine *Interview*, crée par Andy Warhol et John Wilcock en 1969. Après plusieurs accidents de parcours, le nouveau numéro affiche Agnès Varda en couverture. Juste hommage à celle qui était également au recto du tout premier numéro en novembre 1969. La rédaction est aujourd'hui hébergée au deuxième étage de cet immeuble.

### 112 GREENE STREET / PRINCE STREET

GREENE ST. RECORDING / L'Abbey Road du rap

Parmi les studios mythiques de l'histoire du rap, toutes côtes confondues, Greene Street fait partie du gratin. Tout en haut. Ici, de 1983 à 2001, se sont succédé tous les pionniers du genre, bâtissant carrément les fondements du hip-hop. Trois reussite sont nés au Greene Street : « The Break » de Kurtis Blow, « It's Like That » de Run-DMC et « Fight The Power » de Public Enemy. Tout comme le très acclamé double album de Sonic Youth, *Daydream Nation*, en 1988. À partir de 1996, le studio s'étant équipé du matériel le plus pointu (Console AMEK APC 1 000), LL Cool J, De La Soul, A Tribe Called Quest, Ice Cube, Black Eyed Peas, Beastie Boys et même les Marseillais de IAM (*L'École du micro d'argent*) occupent le studio. Il ferme ses portes en 2001. Pour la petite histoire : c'est le vaisseau

amiral new-yorkais de la styliste Stella McCartney (oui, oui, la fille de…) qui occupe maintenant la place.

## PRINCE STREET / BROADWAY

PRINCE STREET STATION

Quelques jours après le décès de Prince, le 21 avril 2016, certains New-Yorkais ont voulu rendre hommage au créateur de *Purple Rain*. La station de métro de Prince Street est apparue comme le choix parfait. À l'extérieur, l'un des numéros de ligne est remplacé par le *love symbol* et le « St. » de Prince St. est remplacé par les initiales R.I.P. sur les quais de la station.

## 156 PRINCE STREET / WEST BROADWAY

Lennon se radicalise

Le militant radical Abbie Hoffman rencontre John Lennon, alors au climax de sa période révolutionnaire, et Yoko Ono, dans le loft de Jerry Rubin, à cette adresse, en 1972. Hoffman, créateur du mouvement Yippie (Youth International Party), a été de toutes les batailles des années soixante et soixante-dix, notamment contre la guerre du Vietnam. Dans l'histoire du rock, Abbie Hoffman est resté célèbre pour avoir interrompu le set des Who à Woodstock demandant la libération de John Sinclair : « *I think it's a pile of shit... while John Sinclair rots in prison* ». Peter Townshend avait moyennement apprécié : « *fuck off my fucking stage* ». Ce jour-là, Lennon est passablement ivre et bourré de cocaïne (sans doute pour oublier la réélection de Richard Nixon). Il porte un béret guévarien, le petit livre rouge de Mao et une bouteille de tequila. Yoko est affublée de son fameux large chapeau noir et d'une surprenante étoile de shérif. Le FBI s'intéresse déjà sérieusement aux fréquentations du couple.

### 170 VARICK STREET / PRINCE STREET

CHUNG KING STUDIOS / L'âge adulte

Les studios Chung King dirigés par John King ont connu plusieurs adresses. La première, en plein Chinatown, 241 Center Street au-dessus d'un restaurant a accueilli le gratin des pionniers du rap. Mais les locaux étaient minuscules. La deuxième sur Varick Street à partir du milieu des années quatre-vingt-dix, correspond à l'âge adulte de Chung King. Super équipés, ses quatre studios, (Blue-Red-Green-Gold) ont attiré quelques belles références : Depeche Mode, Kanye West, Moby, Maxwell, Lil' Wayne... Son déménagement au 36 W 37th Street en 2010 précède de peu sa fermeture définitive en 2015.

### 142 MERCER STREET

Billy Joel : *An Innocent Man*

Sur la couverture de son hit album *An Innocent Man*, sorti en août 1983, Billy Joel est photographié assis sur les marches d'escalier de cet immeuble. (Au verso, ses musiciens posent au même endroit). Le bâtiment, en fonte avec colonnes, est typique des fameux *cast iron* de Soho qui hébergeaient autrefois des usines et entrepôts avant de devenir à la fin du XXe siècle des lofts branchés hors de prix. Le choix du lieu du shooting peut s'expliquer par sa proximité avec le studio du photographe Gilles Larrain basé au 95 Grand Street. Toujours est-il que *An Innocent Man* avec son tube « Uptown Girl », a fait un énorme carton avec sept millions d'exemplaires vendus uniquement aux USA.

### 52 PRINCE STREET / MULBERRY STREET

McNALLY JACKSON BOOKS / La librairie de David Bowie

C'est l'une des plus délicieuses librairies que l'on puisse connaître. Sarah McNally l'a ouverte en 2004 avec son mari. La recette est simple : 55 000 livres dont beaucoup en langue étrangère, wifi gratuit à volonté, bar et chaises longues pour glander dans un décor cosy tout en bois. En voisin, le londonien David Bowie venait régulièrement faire une razzia.

### 461 BROOME STREET / GREENE STREET

RUDY'S MUSIC SOHO / La guitare de Mark Knopfler

Rudy Pensa est arrivé à New York depuis son Argentine natale en 1976. Il ouvre sa boutique d'instruments de musiques à côté du mythique Manny's sur 48th Street W au cœur de Music Row. Différence de taille avec son glorieux voisin : Rudy Pensa conçoit lui-même ses guitares. C'est une passion qu'il a attrapée dès son plus jeune âge. Sa première création, la Pensa R Custom sort en 1982. La gloire arrive peu après grâce à un client devenu son ami, Mark Knopfler, leader et guitare fine lame de Dire Straits. Ensemble ils conçoivent la Pensa MK qui devient une référence. Chassé de Midtown par les promoteurs, Rudy a trouvé refuge ici, au cœur de Soho. On peut toujours s'y rendre.

### 133-135 GREENEE STREET

PROJECT OF LIVING ARTISTS / Alan Vega a squatté ici

Boruch Alan Bermowitz ne s'appelle pas encore Alan Vega quand il zone et dort souvent dans cette galerie d'art ouverte en 1971. Il est alors un artiste plasticien spécialisé dans les sculptures de lumière et commence à se faire une petite réputation. Il s'occupe de Project Of Living Artists, un concept de happenings un peu désordonnés. On y croise les New York Dolls et Television balbutiants. Bermowitz y rencontre le dénommé Martin Rev (claviers) avec qui il forme le groupe Suicide et prend le pseudo de Alan Vega. Marty Thau, qui fut le premier manager des New York Dolls, les prend sous son aile en 1977 et leur fait enregistrer, en quatre jours, leur premier album. Musique electro punk plutôt minimaliste, pas facile d'accès, mais qui marque fortement les esprits. Rick Ocasek leader des Cars, grand admirateur, produit leurs deux albums suivants (et le single « Dream Baby Dream ») qui les consacrent comme un groupe culte adulé par les *rock critics*, notamment en France. Alan Vega est mort le 16 juillet 2016 à New York.



### 262 MOTT STREET

Moby enregistre *Play*

Richard Melville Hall traîne le surnom Moby depuis son enfance sans doute en référence à *Moby Dick*. Il grandit à Harlem, son père se fait rapidement la malle et sa mère habite dans un squat avec une flopée de paumés. Dès l'adolescence, il joue dans des groupes tendance hardcore. On le retrouve plus tard, DJ et remixer, commençant à sortir ses propres productions. En 1991, son titre « Go » fait un malheur dans les clubs anglais (n° 10 dans les charts) l'encourageant à poursuivre dans cette voie. Il s'installe alors dans un penthouse à cette adresse et construit un home studio au sous-

sol où il passe de nombreux mois à peaufiner ce qui sera son plus gros succès, *Play*. Après quelques échecs commerciaux, il touche en effet le jackpot avec cet album nourri de multiples samples issus de tous les styles de musique. Dix millions d'exemplaires vendus, n° 1 en UK, en France, etc. sauf aux USA où, si l'accueil des critiques est excellent (élu album de l'année par *Village Voice*) il ne dépasse pas la 38e place des charts. Au sous-sol de l'immeuble, Cat Power a enregistré ses deux premiers albums.

## 285 LAFAYETTE STREET

### La dernière demeure de Bowie

David Bowie, le nomade (Londres, Los Angeles, Montreux, Berlin...), se plaisait à rappeler qu'il n'avait jamais vécu dans un endroit aussi longtemps qu'à New York. En 1999, quittant son appartement d'Essex House sur Central Park, il achète, sur plan, deux penthouses dans cet immeuble entièrement rénové pour 4 millions de $. Il y reste avec sa femme Iman et sa fille Lexi jusqu'à sa disparition, le 10 janvier 2016. C'est ici que les New-Yorkais ont choisi de lui rendre un dernier hommage en se réunissant en silence devant la porte d'entrée ou déposant fleurs et bougies. (Courtney Love, la veuve du Nirvana, Kurt Cobain habite également à cette adresse). Étrangement, on pouvait parfois croiser le fantomatique Thin White Duke au hasard de son quartier : au Bottega Falai, 267 Lafayette Street pour un sandwich au prosciutto, chez Olive's, 120 Prince Street, dans la célèbre épicerie Dean & Luca 560 Broadway, dans l'adorable librairie McNally Jackson Bookstore, 52 Prince Street ou bien encore chez Strand.

## 292 LAFAYETTE STREET

POP SHOP / La boutique de Keith Haring

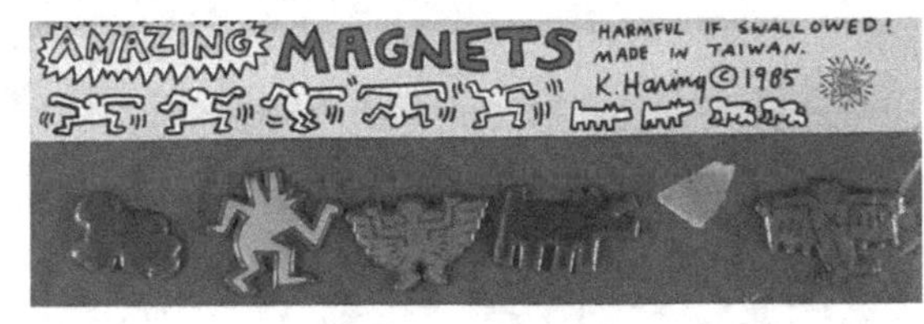


Keith Haring ouvre sa propre boutique en 1986. Objectif: rendre son univers accessible au plus grand nombre. Ce Pop Shop, entièrement habillé de murals signés de l'artiste, est assez impressionnant. On peut acheter vêtements, objets divers aux couleurs de son œuvre et s'immerger ainsi, pour quelques minutes et quelques dollars, dans l'univers de l'artiste. Pas mal de parties se tiennent ici, notamment avec Madonna, amie intime. Keith Haring est mort le 16 février 1990, mais le magasin lui a survécu jusqu'en septembre 2005.

## 204 VARICK STREET

SOB'S

Sob's signifie Sound Of Brazil, mais ce sont toutes les musiques du monde que l'on peut écouter dans ce club éclectique, toujours en activité. De la salsa (Astrud Gilberto, Eddie Palmeri, Celia Cruz), de la soul (Erykah Badu, John Legend), du hip-hop (Kanye West, De La Soul, Drake, Usher). Que du bon!

## 84 KING STREET / HUDSON STREET

### PARADISE GARAGE

**Larry Levan au centre du dancefloor**

Paradise Garage tient une place centrale dans l'histoire mondiale du clubbing. Directement inspiré du Loft de David Mancuso : sur invitation, pas d'alcool et une sono exceptionnelle (ici la meilleure de New York). L'âme du Paradise Garage, c'est avant tout son iconique DJ Larry Levan qui règne en maître absolu sur la programmation musicale. Et en particulier sur ce que l'on va bientôt surnommer garage house, proche de la house music née à Chicago, mais en moins radicale, plus portée vers le disco et la soul. De 1978 à 1987, le Garage (surnommé pas très finement Gay-rage) a marqué la folle épopée de la dance music et Larry Levan a inspiré des générations de DJ. En septembre 1987, le club ferme définitivement ses portes après une gigantesque fête, un peu triste, de deux jours et deux nuits. Aujourd'hui, le bâtiment du Garage existe toujours ressemblant toujours… à un garage. Larry Levan est mort à trente-huit ans en 1992.

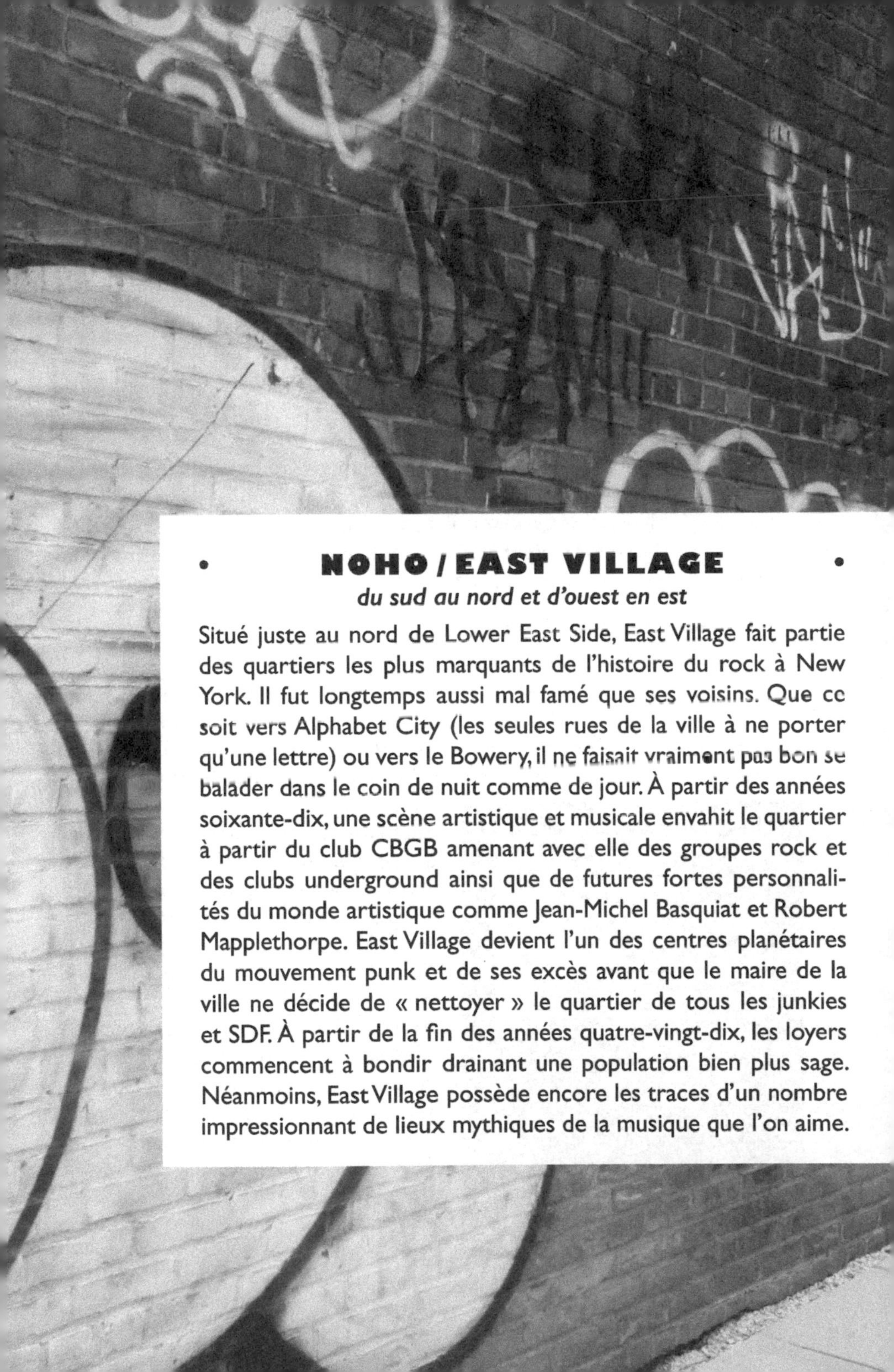

# NOHO / EAST VILLAGE

*du sud au nord et d'ouest en est*

Situé juste au nord de Lower East Side, East Village fait partie des quartiers les plus marquants de l'histoire du rock à New York. Il fut longtemps aussi mal famé que ses voisins. Que ce soit vers Alphabet City (les seules rues de la ville à ne porter qu'une lettre) ou vers le Bowery, il ne faisait vraiment pas bon se balader dans le coin de nuit comme de jour. À partir des années soixante-dix, une scène artistique et musicale envahit le quartier à partir du club CBGB amenant avec elle des groupes rock et des clubs underground ainsi que de futures fortes personnalités du monde artistique comme Jean-Michel Basquiat et Robert Mapplethorpe. East Village devient l'un des centres planétaires du mouvement punk et de ses excès avant que le maire de la ville ne décide de « nettoyer » le quartier de tous les junkies et SDF. À partir de la fin des années quatre-vingt-dix, les loyers commencent à bondir drainant une population bien plus sage. Néanmoins, East Village possède encore les traces d'un nombre impressionnant de lieux mythiques de la musique que l'on aime.

### 278 ELIZABETH STREET – DEF JAM RECORDS / Le décollage

On connaît l'histoire : le légendaire label de hip-hop Def Jam est né dans la chambre d'étudiant de Rick Rubin à Weinstein Hall. Aux premiers signes de succès (LL Cool J avec « I Need A Beat ») et grâce à un accord de distribution avec CBS, Rubin et Russell Simmons installent leurs bureaux ici fin 1985. Beastie Boys, Public Enemy, Redman, Warren G, Kanye West, Nas, Rihanna et même Justin Bieber feront partie de l'écurie Def Jam qui sera dirigée, un temps, par Jay-Z.

### 244 E HOUSTON STREET

THE SPIRAL / Une première pour les Strokes

Nikolai Fraiture, le bassiste des Strokes se rappelle, avec horreur, leur premier concert. C'était le 14 septembre 1999 au Spiral Lounge : « il y avait à peu près cinq personnes. C'était un endroit merdique ». The Spiral était en effet un bar peu réjouissant : il y avait une sculpture en forme de guitare à l'entrée. Les murs étaient gris. Les tables et les chaises peintes en noir. La seule lumière provenait de chandeliers. Bref, il n'existe plus.



### 24 BOND STREET / 2nd STREET E

GENE FRANKEL THEATER / Le studio de Robert Mapplethorpe

Ce petit immeuble a de belles histoires à raconter. La maman de Robert De Niro, Virginia Admiral fut un temps sa propriétaire. On le sait peu, mais après la seconde guerre mondiale, elle était une artiste peintre respectée, proche de Peggy Guggenheim. Plus tard, cette forte personnalité militera ardemment contre la guerre du Vietnam. Ici, elle hébergea deux personnalités qui ont marqué leur époque. Au premier étage, un immense loft a abrité le saxophoniste ténor Sam Rivers et sa femme Bea. Pas n'importe qui ce Sam Rivers. Figure marquante du bebop, proche du Miles Davis d'avant Wayne Shorter, signé chez Blue Note puis acteur de premier plan de la scène free jazz, il dote les lieux d'un studio de répétition et d'enregistrement nommé Rivbea Studio. 24 Bond Street devenant ainsi la plaque tournante du free jazz des années soixante-dix, voyant défiler le gratin des musiciens qui jamment

24 Bond Street
Gene Frankel Theater

jusqu'au petit matin. Rivers organise bientôt un festival de jazz dans différentes salles de la ville New York Musicians Jazz Festival et ouvre son propre club Ali's Alley. Au même moment, ce bâtiment entre vraiment dans l'histoire de la pop culture le jour où Robert Mapplethorpe vient installer son studio au dernier étage. Sam Wagstaff, son pygmalion, lui ayant avancé les 15 000 $. C'est une époque parfaitement décrite par Patti Smith dans son autobiographie *Just Kids*. D'ailleurs deux clichés légendaires de la chanteuse sont capturés ici. Posant sur l'un des escaliers de secours extérieurs de la façade. Et à l'intérieur du loft, nue, agrippée à un radiateur. Un peu plus tard, Mapplethorpe déménage dans un studio plus grand dans Greenwich Village mais garde le 24 Bond Street comme chambre noire. Le bâtiment est totalement et typiquement resté dans son jus. Il héberge The Gene Frankel Theater et les statues dorées qui ornent le deuxième étage, *Dreams Of Hyperion*, signées Bruce Williams datent de 2010.

**BOWERY / 2nd STREET E** – JOEY RAMONE PLACE

Le leader des Ramones, qui a longtemps hanté ce quartier, fut honoré par la municipalité de la ville qui a baptisé ce petit bout de Bowery : Joey Ramone Place. Pourtant fixée à une hauteur dissuasive, la plaque commémorative est la plus volée de la ville. Officiel.

**6 E 2nd STREET** – Le repaire des Ramones

Parmi les repaires new-yorkais dans lesquels les Ramones ont zoné, voici sans doute le plus marquant. Ici habitait Arturo Vega. Né au Mexique, à Chihuahua (ça ne s'invente pas). Parti pour la Grosse Pomme à vingt ans, il a forcément atterri dans East Village vivant de petits boulots à droite, à gauche. Dee Dee Ramone, le bassiste du groupe alors balbutiant, passe régulièrement devant l'appartement pour rejoindre celui de sa *girl friend* juste au dessus. La musique qui en sort est vraiment cool. Alors les deux hommes finissent par se rencontrer. Alors Arturo devient l'ami, le confident indispensable au groupe. Alors on le surnomme le 5ᵉ Ramone. Compagnon de l'ombre, il s'occupe des lumières de scène et vend des tee-shirts avant et après les concerts (qui a dit que le groupe a vendu plus de tee-shirts que de disques ?). Dans son loft, on stocke les tee-shirts, on imprime les flyers. Joey Ramone y passe ses jours et ses nuits. Le haut fait de gloire de Vega restant la géniale conception du logo du quatuor piratant le sceau officiel du président des États-Unis. Arturo Vega a attendu d'avoir enterré trois Ramones, avant de quitter la scène à son tour, en 2013.

### 16 E 2nd STREET

ALBERT'S GARDEN / Le mur en brique des Ramones

La photo de couverture du premier album des Ramones est shootée ici même contre l'un des murs en brique d'Albert's Garden. Cliché iconique, pas seulement des Ramones, pas seulement du punk mais aussi de la légende du rock. Maintes fois imité, piraté sous toutes les formes (tee-shirts, mugs, posters, badges...) et plagié, il n'a rapporté que 125 $ à son auteur. À l'origine, la photo est une commande pour *Punk Magazine.* Roberta Bayley raconte avoir passé une bonne partie de la journée à photographier le groupe dans le loft d'Arturo Vega. Voulant varier le décor et s'aérer un peu, elle a trouvé ce *playground* juste en bas de l'immeuble. Roberta Bayley, précieuse photographe de la scène punk, pilier du CBGB (on lui doit d'édifiants reportages, inestimables témoins de l'époque) est vite devenue intime des Ramones, Debbie Harry, Chris Stein et des New York Dolls (la couverture de leur premier album). L'album sort le 23 avril 1976 et n'atteint que la 111e place des charts US. Depuis l'histoire lui a rendu justice.

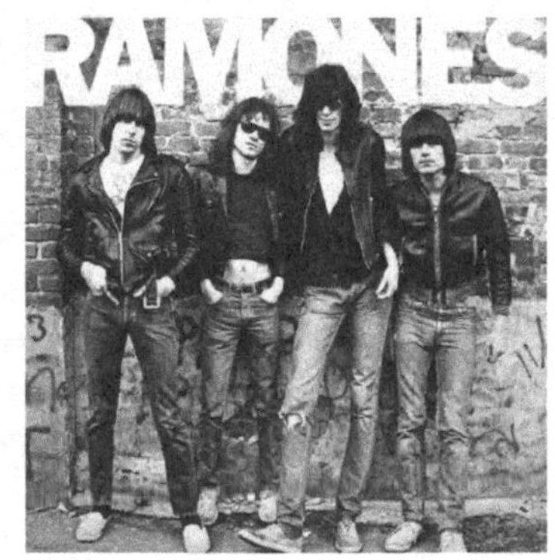


### 235 BOWERY / 2nd STREET E – CBGB / Naissance du punk

À l'origine, en décembre 1973, Hilly Kristal ouvre humblement un bar dédié à la musique country, bluegrass et blues (signification de CBGB) dans le quartier hypra pouilleux du Bowery. Il a été, un temps, manager du Village Vanguard et créateur du Central Park Music Festival. New York, manquant de lieux appropriés, la programmation dérive vite, avec bonheur et succès, vers le rock. Et plus particulièrement l'une de ses branches, le punk. Les Ramones, Talking Heads, Blondie, Patti Smith et Television naissent sur ces planches. Le CBGB devient dès lors le club où chaque artiste punk des années soixante-dix et quatre-vingt doit passer s'il veut être consacré (The Damned sont les premiers Anglais). Il devient un label de punkitude aiguë, mythifié de son vivant. Pourtant le lieu ne paie pas

de mine ! Après avoir franchi le store défraîchi qui, un jour, a dû être blanc, on accède par un petit sas, puis, à gauche on prend les billets. Le bureau de Hilly étant à droite. Plus loin, tout en longueur, on remonte le bar sur la droite et des sièges et tables à gauche. Au fond, tout au fond se tient la vibrante scène. Vendredi 16 août 1974. Premier concert des Ramones au CBGB. Quatre types originaires du Queens, coiffés comme dans une bande dessinée, jeans interminables, perfectos élimés et converse crasseuses aux pieds. La musique est primaire, la technique aux abonnés absents, chaque titre ne dépasse pas les deux minutes. « *One, two, three, four* », c'est un putain de coup de poing que la salle reçoit en plein ventre. Les historiens du rock se déchirent pour décider quand et où est né le punk. Pas mal de signaux montrent qu'il a vu le jour ce soir-là, dans cette improbable tanière. Victime d'un litige avec ses propriétaires, Hilly Kristal ferme son club le 15 octobre 2006, après un dernier concert où Patti Smith officie. La foule est nombreuse, la radio retransmet l'événement en direct. La chanteuse débute par une lecture des paroles de « Piss Factory », bientôt rejointe par les fidèles Lenny Kaye et Richard Lloyd pour une intense version de « My Generation ». Tout à la fin, Patti égrène une liste de défunts qui ont hanté les lieux. Joey, Dee-Dee et Johnny Ramone sont morts. Hilly Kristal aussi. La mythique bâche d'entrée est exposée au Rock'n'Roll Hall Of Fame Museum de Cleveland. Dans un Bowery devenu branché, CBGB est remplacé par un magasin de vêtements qui a l'excellent goût de garder intacts de petits pans de murs dans leur version originale, c'est-à-dire une superposition de flyers bariolés collés aux briques. En remontant 1st Street E et en prenant Estra Place sur la gauche, on trouve l'entrée des artistes du CBGB. Il n'y a plus d'artistes mais la porte existe toujours. C'est devant elle, que les Ramones ont posé

235 Bowery
CBGB en 1978

pour la couverture de leur troisième album *Rocket To Russia* sorti en novembre 1977. Le cliché, pas franchement original, photocopie de la couverture du premier album, est signé Danny Fields. À l'époque, il fait office de manager du groupe. Proche de leur label Sire Records, Fields est un sacré bonhomme. Fidèle du Max's Kansas City à l'époque de Warhol, il s'est installé en Californie dans la seconde moitié des *sixties* pour travailler chez Elektra au service des Doors. Avec un sacré flair, il ira ensuite dénicher à Détroit et signer pour ce label, MC5 et les Stooges ! La légende veut aussi que devant cette même porte Debbie Harry ait surpris Patti Smith et Tom Verlaine en train de s'embrasser. Qui croit les légendes ?

**154 E 2nd STREET** – TRANSPORTERRAUM STUDIO / Is this it?

Gordon Raphael avait déniché les Strokes dans un club de Ludlow Street, leur faisant rapidement graver leur premier EP dans son studio. Au soussol, par miracle bien équipé et décoré de façon plutôt kitch. Devant le bon accueil de *The Modern Age*, Raphael leur fait enregistrer leur premier album *Is This It* ici même. Dès sa sortie, le 30 juillet 2001, c'est un véritable choc. Il transforme les espoirs nés du premier EP. Salué par les critiques, il se vend comme des petits pains en Angleterre, proclamant le grand retour des guitares et installant le groupe comme chef de file d'une nouvelle génération. On le sait moins, les Strokes est un vrai groupe de fils à papa. Julian Casablancas (fils de John Casablancas, le créateur de l'agence de mannequins Elite). Études au lycée français de NY, puis, au fameux institut Le Rosey à côté de Lausanne (Sean Lennon aussi)… où il rencontre l'autre fils à papa du groupe, Albert Hammond Jr (fils du songwritter Albert Hammond Sr).

**266 BOWERY** – Le trou à rat de Blondie

C'est à deux pas du CBGB. Seul atout de ce loft pouilleux sur l'une des avenues les plus pouilleuses du New York des *seventies*. Carrément glauque, mais Debbie Harry et Chris Stein, bientôt rejoints par Gary Valentine, futurs Blondie (sur)vivent ici sur un étage entier. La chambre du couple est au fond. Les uniques toilettes de l'immeuble étant à cet étage, c'est un défilé permanent. Mais vu le loyer, il ne faut pas faire les difficiles.

Une bonne partie du petit monde du CBGB a l'habitude de passer faire un tour après avoir enjambé les poivrots couchés devant la porte. Aussi, la chaleur ambiante remplace l'absence de chauffage. Chris et Debbie qui vivent au premier étage, pendant trois ans, sont persuadés qu'il y a des fantômes. Chris Stein : « Ils frappaient contre les murs, les objets tombaient par terre sans raison ». Sa consommation, à outrance, d'Angel Dust est-elle totalement étrangère au phénomène ?

### 5 GREAT JONES STREET / 3rd STREET

Charles Mingus viré

Nous sommes le 22 novembre 1966. Charles Mingus, musicien au caractère bien trempé et aux idées politiques extrémistes est sur le point d'ouvrir une école de jazz à cette adresse. Mais il n'a pas réglé le loyer. Dans l'excellent documentaire de Thomas Reichman consacré à Charles Mingus, on voit le jazzman, les larmes aux yeux, évacué *manu militari* de son loft du deuxième étage. Il ne peut que constater ses meubles s'entassant sur le trottoir de Great Jones Street.

### 57 GREAT JONES STREET / 3rd STREET

Vie et mort de Jean-Michel Basquiat

Dans ce petit bâtiment de deux étages, vécut et travailla Basquiat jusqu'à sa mort. Le 12 août 1988, à vingt-sept ans, d'une overdose. Ici même. L'artiste paie un loyer de 4 000 $ par mois au propriétaire... Andy Warhol. Celui-ci n'est pas très regardant sur les retards et défauts de paiement. Heureusement, car Basquiat dépense, au bas mot, 1 000 $ de cocaïne par semaine. En haut, l'artiste dispose d'un grand loft dans lequel la plupart de ses œuvres (800 tableaux et 1 500 dessins) sont conçues. Icône de son vivant, l'ancien graffeur à la peinture éclatante de signes et de couleurs connaît une intense gloire posthume qui voit le prix de ses tableaux s'envoler vers les sommets. Une plaque a été apposée sur la façade de la maison.

### 676 BROADWAY / 3rd STREET E

GERMANO STUDIOS / L'héritier du Hit Factory

Troy Germano qui fut CEO du Hit Factory ouvre ici, en 2008, un studio ultramoderne où la crème de la crème de la musique actuelle vient butiner. Beyoncé (pour *Beyoncé 4*), Lady Gaga, Britney Spears, Justin Timberlake, Rihanna, Mary J. Blige, John Mayer, Frank Ocean, Travis Scott, etc. L'entrée est ultra-discrète.

### 1961 BROADWAY / 4th STREET E

TOWER RECORDS / Pour côtoyer Madonna

Parmi les plus glorieux magasins Tower Records du monde (San Francisco, Los Angeles, Londres), celui-ci avait un charme particulier. Peut-être que sa situation, entre West Village et East Village lui conférait cette ambiance plutôt cool, après tout il aurait pu ouvrir dans le clinquant Times Square comme Virgin Megastore. (L'autre magasin étant dans Upper West Side). Sur quatre étages (à son ouverture en 1983, il était le plus grand magasin de disques du pays) on pouvait se procurer non seulement des nouveautés, mais aussi, c'était l'ADN de l'enseigne, toute l'histoire de la musique que l'on aime sur tous les supports. Y compris de vieux singles vinyle quand on ne jurait plus que par les CD. Franchir le porche de Tower Records, c'était s'engager pour un très long moment de trifouillage de bacs. On lisait *Pulse* la newsletter de la maison, une précieuse source d'information. On faisait la queue sur le trottoir pour se procurer des tickets pour des concerts qui risquaient le *sold out* instantané. Et puis on pouvait côtoyer Madonna,

Nirvana, Keith Richards (qui habitait au-dessus !), Iggy Pop, Lou Reed, les Ramones, Kate Bush venus pour des séances de signature ou des showcases. Les New York Dolls ont donné le dernier showcase de l'histoire du Tower Records le 27 juillet 2006. Progressivement tous les magasins de la chaîne, née à Sacramento en 1960, ont fermé, les uns après les autres.

**14 E 4th STREET** – SILK BUILDING/**Stars dans la soie**

Pas mal de rock stars ont squatté les lieux. À commencer par Keith Richards dans les *eighties*. Russell Simmons, le mogul de Def Jam dans les *nineties*. Ou encore Britney Spears et Cher. Les studios Cutting Room (le premier album de Cardi B.) sont hébergés ici.

**15 E 4th STREET** – OTHER MUSIC/**Le dinosaure**

Il était l'un des derniers disquaires indépendants de la ville. Une mine de vinyles. Après une longue et courageuse agonie, Other Music a fini par rendre les armes en 2016. Lui aussi. R.I.P.

**79 E 4th STREET**

NEW YORK THEATRE WORKSHOP/**David Bowie dernière**

Le 9 décembre 2015, David Bowie assiste à la première de *Lazarus* au New York Theatre Workshop. Il a composé cette comédie musicale sur un livret d'Enda Walsh. L'acteur de *Dexter*, Michael C. Hall, tenant le rôle principal. C'est la toute dernière apparition publique de l'artiste anglais. Il n'assiste pas à la *party* donnée après le spectacle. Amaigri, les traits tirés, il ne laisse pourtant rien entrevoir du mal qui va l'emporter un mois plus tard, le 10 janvier 2016.

**82 E 4th STREET**

82 CLUB/WOODY'S/**Une blonde platine**

En fait, 82 Club aurait plutôt sa place dans un guide des adresses queer de la ville. Ce haut lieu du mouvement propose d'invraisemblables revues particulièrement hautes en couleur. Ce n'est pas un hasard si certains artistes de la scène glam rock du début des *seventies*, et pas des moindres, ont hanté les lieux. David Bowie et Lou Reed *of course*. Les New York Dolls évidemment, Television et Suicide, bien sûr. Mais aussi les Stillettos. Formé par Elda Stiletto, le groupe se voulait un girl group après l'heure. Ou mieux, des Supremes punk. Le look était plutôt travaillé, une black, une rousse et une blonde platine. La blonde en question étant Debbie Harry, qui deviendra la Blondie que l'on sait. Plus tard, le lieu s'appellera Woody's et comptera Ronie Wood parmi ses principaux actionnaires. Il fermera au début des années quatre-vingt-dix.

### **232 E 4th STREET** – Madonna s'installe

En 1977, à dix-neuf ans, la jeune Louise Ciccone débarque à New York dévorante d'ambition. Elle loge d'abord chez un ami sur Riverside Drive, au nord de Manhattan, avant de s'installer ici dans un deux-pièces du quatrième étage. À cette époque, le quartier est particulièrement glauque, un effrayant coupe-gorge. Quand son père, Silvio vient jeter un coup d'œil, il est horrifié et presse sa fille de rentrer dans son Michigan natal. L'appartement est minuscule, froid, avec un canapé comme seul mobilier. On se chauffe avec un radiateur d'appoint. C'est une période de vaches maigres, de petits boulots. On se nourrit de pop-corn et de donuts parce que les cafards ne sont pas comestibles. (On peut découvrir des témoignages photo de cette période pré star dans le livre de Richard Corman *Madonna NYC 83*). Dès que Madonna signe avec un label, elle laisse son appartement à son frère pour s'installer à Soho sur Broome Street.

### **66 SECOND AVENUE / 4th STREET E**
ANDERSON THEATRE / CBGB SECOND AVENUE / Le crépuscule des Yardbirds

Les Yardbirds ont vu défiler trois des plus grands guitaristes britanniques de l'histoire : Eric Clapton, Jeff Beck et Jimmy Page. Mais malheureusement, jamais tous ensemble ! Le 30 mars 1968, le quatuor joue dans ce vieux théâtre qui, longtemps, fut dédié aux pièces yiddish. On assiste à l'une des dernières prestations du groupe anglais. Rien ne va plus. Keith Relf, le fondateur en a assez de gérer les ego de ses stars de guitaristes. Notamment, le dernier en date, Jimmy Page, qui n'en fait qu'à sa tête. Ce soir-là, avec Chris Dreja à la basse et Jim McCarty à la batterie, ils offrent une fantastique prestation, que Columbia a la bonne idée d'enregistrer. (*Live Yardbirds Featuring Jimmy Page* paraît en 1971). En particulier, les douze minutes de l'infernale reprise finale du « I'm A Man » de Bo Diddley. Quelques mois plus tard, Jimmy Page s'en va former Led Zeppelin avec un certain succès. Big Brother and the Holding Company ont donné leur tout premier concert new-yorkais ici avec Janis Joplin le 17 février 1968. Le club devient, un temps, une annexe du CBGB sous le nom de CBGB Second Avenue et l'on y verra en 1977, Bruce Springsteen et Patti Smith jouer ensemble et en avant-première « Because The Night ». Le théâtre a fermé ses portes à la fin des années quatre-vingt. Le bâtiment existe toujours.

### 32 COOPER SQUARE

SCRATCH DJ ACADEMY / L'héritage de Jam Master Jay

En 2002, l'un des fondateurs de Run-DMC, Jam Master Jay lance, avec deux associés, Scratch DJ Academy, qui, comme son nom l'indique, est une école dédiée à l'art d'être un DJ accompli. À la mort du rappeur, ses associés continuent à faire vivre l'entité qui connaît aujourd'hui un vrai succès avec des petites sœurs à Los Angeles et Miami.

### 36 COOPER SQUARE / 5th STREET E

THE VILLAGE VOICE / What is this shit?

En 1991, quand l'hebdomadaire *The Village Voice* déménage ici, il est à son apogée. Crée en 1955 au 22 Greenwich Avenue et d'abord distribué dans West Village, sa renommée dépasse vite les frontières du quartier et même de la ville. Chaque semaine, on se régale de cette bible de la contre-culture new-yorkaise au ton impertinent et à l'orientation libérale. On se rue sur ses critiques de disques avant de décider ou non d'investir dans une galette. Le dénommé Robert Christgau qui se proclame le doyen des *rock critics* (il a commencé en 1969) tient une rubrique terrifiante : « Consumer Guide ». En quelques lignes, il se permet de porter au pinacle ou de descendre méchamment les parutions de la semaine avec un minimum d'arguments et un maximum de mauvaise foi. Comme à l'école, les disques sont notés de A+ à E-. Chaque mois de

février, sa liste du best of de l'année écoulée « Pazz & Jop Music Poll » est le juge de paix de ce qu'il est bon d'avoir aimé ou détesté. La prétention et l'intransigeance de Christgau, sa capacité à déboulonner les icônes, (« *What is this shit?* ») lui ont valu quelques célèbres inimitiés dont celles, définitives, de Lou Reed et de Billy Joel. À part ça, les enquêtes de fond du *Village Voice* sont solides, fouillées et fondées. Ses prises de position sont écoutées, il est de tous les combats. Ses éditorialistes sont prestigieux. Trois prix Pulitzer viennent le couronner. Malheureusement, à partir des années quatre-vingt-dix, son tirage connaît une baisse inexorable qui l'oblige à devenir gratuit dès 1996. Une version digitale est heureusement disponible même si la voix du village a largement perdu de sa force. Signe des temps, Robert Christgau est froidement viré en 2006. Ballotté de propriétaires en propriétaires, le journal a déménagé son siège social… à Wall Street pour finalement abandonner sa diffusion papier en 2017.

### 425 LAFAYETTE STREET / 6th STREET EAST

JOE'S PUB / Être ou ne pas être Lady Gaga



Joseph Papp, producteur de théâtre, l'homme qui a inventé Shakespeare in the Park, vénérable référent new-yorkais de l'icône britannique a ouvert ici au milieu des *sixties*, Public Theater, un complexe de salles de spectacle. Plutôt avant-gardiste dans sa programmation. Jugez vous-même : le 17 octobre 1967, Public Theater voit la première de la comédie musicale *Hair* avant qu'elle ne triomphe à Broadway puis dans le monde entier. Véritable phénomène de société, parfaite illustration de cette année de l'amour, *Hair* parle sexe, drogue et objection de conscience dans une époque peu propice à ce genre de dérive. N'empêche, Janis Joplin et

Barbra Streisand adorent. Les chansons du musical font un carton dans les charts. « Aquarius » de Fifth Dimension : n° 1 pendant 6 semaines aux US. « I Ain't Got No – I Got Life » par Nina Simone : n° 2 en Angleterre. Quelque temps plus tard *A Chorus Line* connaît exactement la même trajectoire triomphale. À cette époque, Public Theater propose également une salle de cinéma : Invisible Cinéma. Particularité de cette petite salle (70 places) : les spectateurs ne se voient pas entre eux, ils ne peuvent voir que l'écran. L'un des animateurs est le légendaire cinéaste d'avant-garde Jonas Mekas. Intime de John Lennon, il propose à Yoko Ono d'y projeter ses premiers films dont *Fly*. Une mouche se promenant sur le corps nu d'une jeune femme pendant d'interminables minutes. Peu après la mort de Joseph Papp, on lui rend hommage en créant Joe's Pub au sein même du Public Theater en 1998. Un club plus branché rock que Hamlet. C'est là que la New-Yorkaise Stefani Joanne Angelina Germanotta plus connue sous le pseudo de Lady Gaga (c'est vrai que c'est plus simple) effectue des débuts tonitruants. Dans une interview accordée à Oprah Winfrey, la mère de la chanteuse évoque à quel point sa fille est complètement barrée à cette époque. Elle adore improviser des performances avec sa copine Lady Starlight. Un soir au Joe's Pub, devant ses parents effrayés, vêtue d'un simple bikini « elle a l'idée explosive d'enflammer de la laque pour créer un show lumineux » ! On l'a compris, ici, une étoile est née. Le club devient vite l'un des plus courus de la ville notamment grâce à son excellente acoustique. Bon flair, il accueille certaines des premières prestations des britanniques Amy Winehouse et Adele sur le sol américain. Des artistes aussi divers que Bono, David Byrne, Leonard Cohen, Elvis Costello, Alicia Keys ou encore Pete Townshend foulent également cette scène. Joe's Pub est toujours actif.

### 101 AVENUE A / 7th STREET E

PYRAMID CLUB / Nirvana, Nico et drag-queens

En 1979, en réaction au bling bling du Studio 54, East Village lance des clubs plus discrets et intimistes mais non moins excitants et sulfureux. On vient au Pyramid pour son dance floor et ses concerts rock. Et pas n'importe quel rock : Nirvana fait sa première scène new-yorkaise ici, le 26 avril 1990, 18 mois avant la sortie de *Nevermind*. Comme les Californiens Red Hot Chili Peppers le 19 octobre 1984. Le groupe n'est pas encore dans sa configuration finale et n'a pas atteint le succès. Le club est aussi entré dans la légende pour ses shows de drag-queens, notamment ceux de Lady Bunny et de la légendaire RuPaul, peut-être la plus célèbre d'entre elles. La chanteuse transgenre Anohni, née Antony Hegarty originaire de Chichester en Angleterre trouve refuge à New York en 1990. À son arrivée dans la Grosse Pomme, elle passe sa première soirée au Pyramid. Quelque temps plus tard, elle fonde Antony and the Johnsons. Sa voix étrangement proche de celle de Nina Simone lui permet de connaître rapidement une gloire internationale. On se doute que le lieu est assez riche en croustillantes anecdotes, par exemple, en 1986, la violente bagarre entre Madonna et son mari Sean Penn (un peu imbibé) qui se termine dans la rue. Ou alors, le troublant patronyme du videur: Jimmy Gestapo. Ou encore, Nico qui habite, un temps, au deuxième étage de l'immeuble. Elle qui aime se coucher tôt... Le Pyramid existe toujours, au même endroit. Il programme maintenant des dance parties aux thèmes nostalgiques: *eighties*, *nineties*, disco...

### 105 SECOND AVENUE / 6th STREET E

FILLMORE EAST / *Live!*

Avant de devenir un temple du rock dans une salle accueillant 3 000 personnes, l'immeuble du Fillmore East a abrité un cinéma, puis un théâtre yiddish. Bill Graham, le créateur du Fillmore de San Francisco, l'homme qui a participé au lancement de la scène psychédélique californienne, Grateful Dead, Jefferson Airplane, Big Brother & The Holding Company, rêvait de créer son équivalent sur la côte Est. Ce bâtiment en voie de décrépitude, lui a paru parfait. Le concert d'ouverture, triomphal, le 8 mars 1968, offre un sacré cadeau aux New-Yorkais: Janis Joplin. Dans la foulée, tous les plus grands noms de la scène rock se succèdent, proposant jusqu'à deux shows par soirée les vendredis et samedis, 20 et 23 heures. Les Who, Frank Zappa, Grateful Dead, Jefferson Airplane, Jimi Hendrix, Sly & The Family Stone, les Beach Boys, les Byrds, Crosby, Stills, Nash & Young, Led Zeppelin, The Band. Toute la crème du gratin. C'est au Fillmore que Patti Smith découvre les Doors en même temps qu'une troublante fascination pour Jim Morrison. Son copain Robert Mapplethorpe, alors

ouvreur ici, l'a fait entrer. Témoins inusables (ou presque), certains des plus grands albums live de tous les temps sont gravés ici. Allman Brothers Band (un abonné) a laissé un témoignage inoubliable sur quatre faces infernales (*Live At The Fillmore East*) quelque temps avant la mort de Duane Allman. Comme Humble Pie, le-groupe-qui-ne-se-révèle-vraiment-que-sur-scène, et son *Performance Rockin' The Fillmore.* Joe Cocker et sa bande de chiens fous, embarqués dans la plus délirante des tournées américaines y gravent, *with the help* de quelques amis dont Leon Russell, son double *Mad Dogs And Englishmen.* Le classique de Cream : *Wheels Of Fire*, c'est ici. Celui de Jimi Hendrix : *Band Of Gypsys*, c'est là. Plus surprenant, *The Turning Point* de John Mayall et ses formidables 5'03 de « Room To Move » sont également enregistrés au Fillmore East. En dépit de ce somptueux palmarès et après trois ans de règne sans partage sur la scène new-yorkaise, Bill Graham choisit de fermer la salle le 27 juin 1971 pour laisser la place au club The Saint, inspiré du Loft et du Garage, en plus gay. Aujourd'hui, une banque vous accueillera quand vous irez effectuer l'indispensable pèlerinage ! Bill Graham est mort dans un accident d'hélicoptère, le 25 octobre 1991, en Californie, en revenant d'un concert de Huey Lewis and the News.





### 119 SECOND AVENUE / 7th STREET E

LOVE SAVES THE DAY / Recherche Susan...

*Recherche Susan, désespérément* a révélé que Madonna pouvait être une actrice. Une bonne partie du film est tournée dans East Village, notamment une scène plutôt rigolote où Madonna échange une paire de bottes

glitter contre son blouson de cuir dans ce bric-à-brac improbable appelé Love Saves The Day. Avec ce nom, aux initiales LSD, le propriétaire des lieux Leslie Herson nous a refait le coup de « Lucy In The Sky With Diamonds ». La caverne a disparu en 2009.

## 112 AVENUE A / 7th STREET E

### JOE STRUMMER MURAL / Un Clash en peinture

Les propriétaires du Niagara Bar à l'angle d'Avenue A et de 7th Street ont demandé à l'artiste Dr. Revolt de repeindre son fameux mural représentant Joe Strummer. En novembre 2003, un an après la mort de l'ex-leader des Clash, l'artiste avait peint une fresque du chanteur sur le mur du bar. La vidéo de cet hommage montrait des New-Yorkais, inconnus et célèbres (Jim Jarmusch, Matt Dillon) déposant des bougies et des fleurs. Elle avait même servi à illustrer un clip posthume de Strummer interprétant le « Redemption Song » de Bob Marley. Au fil du temps ce mural avait disparu, le voilà ressuscité.

## 25 THIRD AVENUE / ST. MARK'S PLACE

### CONTINENTAL / Joey Ramones dernière

Le bar Continental a définitivement fermé ses portes en 2018. En fait, depuis 2006, il n'était plus que l'ombre du club qui avait accueilli un grand nombre de héros rock et punk comme Green Day, Guns N' Roses, les Germs ou encore les Dictators. Iggy Pop a tellement rempli la salle le 13 janvier 1993 que les autorités ont interrompu son concert pour éviter tout risque. Mais Continental est entré dans l'histoire de East Village pour avoir été le théâtre de la toute dernière prestation de Joey Ramone, le 11 décembre 2000, trois mois avant sa mort.

## 13 ST. MARK'S PLACE – Lenny Bruce / Monsieur Stand Up

Cette adresse est le dernier domicile new-yorkais de Lenny Bruce. On dit qu'il a inventé le stand up dans les années soixante et des générations d'humoristes le vénèrent. Son don pour l'improvisation, son ton corrosif, son esprit contestataire, ses sorties obscènes ont agité les consciences et excité les forces de l'ordre. (*Lenny* de Bob Fosse raconte son histoire avec un immense Dustin Hoffman jouant le rôle-titre). Référence ultime et définitive : Lenny Bruce fait partie de la collection de personnages ornant la couverture de *Sgt. Pepper's Lonely Hearts Club Band* des Beatles. Il est mort d'une overdose à Los Angeles en 1966.

### **16-20 ST. MARK'S PLACE** – ST. MARK'S SOUNDS

Progressivement tous les magasins de disques du quartier ont fini pas baisser le rideau : Smash (le préféré des Ramones), Mondo Kim's, Joe's CDs, Rockit Scientist, Norman's… Sounds, le dernier résistant a fini par lâcher prise en 2015. Rick Rubin, Keith Richards, David Byrne y avaient leurs habitudes et les Beastie Boys, avant la gloire, y avaient diffusé leur premier EP, l'oubliable *Polly Wog Stew*.

### **25 ST. MARK'S PLACE**

TRASH & VAUDEVILLE / Le tailleur punk

Les immeubles de la rue sont toujours là, mais l'esprit de la grande époque de St. Mark's Place s'est dilué au fil des années et des promoteurs. Seule, une boutique a résisté à l'envahisseur. Dotée d'une enseigne bien née, hommage aux Stooges : Search And Destroy. Les Ramones, Joan Jett, Iggy Pop, Debbie Harry et bien d'autres ont pu peaufiner leur look punk, gothique ou plus classiquement rock, dans cet antre qui s'appelait alors Trash & Vaudeville. Entrez, l'ambiance ahurissante est miraculeusement préservée depuis 1975 ! Pour les amateurs de piercing, au n° 33, Andromeda est une référence depuis trente ans. On l'a même vu dans un épisode de *Absolutely Fabulous*.

### **19-25 ST. MARK'S PLACE**

THE DOM / ELECTRIC CIRCUS / La mythologie du Velvet

The Dom est une pièce majeure dans la mythologie du Velvet Underground. À partir de 1966 ce lieu est squatté par la bande à Warhol sous le nom de The Dom. C'est l'époque où l'artiste expérimente des shows que l'on n'appelait pas encore multimédia. *Exploding Plastic Inevitable* conjugue le cinéma (des courts-métrages expérimentaux), la photo, des jeux de lumières hypnotisant façon stroboscope et des expériences musicales. Le Velvet Underground avec Nico, alors managé par le maître à la moumoute, est le groupe résident (leur manie de porter des lunettes de soleil vient d'ici : rapport aux lumières...). Leur premier concert se tient le 8 avril 1966. Imperturbable, Warhol observe depuis le balcon. En 1967, The Dom se transforme en une délirante discothèque, précurseur des futurs Studio 54 et Limelight. Electric Circus a gardé certains des trucs de Warhol en les poussant jusqu'à leur paroxysme (les jeux de lumières, les projections sur les murs, la musique assourdissante) mélangés (*why not?*) avec des numéros de trapézistes, magiciens, jongleurs de feu. La façade est alors peinte en bleu et certains artistes, pas totalement encore superstars, viennent faire leurs armes new-yorkaises : Santana, Grateful Dead, Hendrix. Le 22 septembre 1970, une bombe lancée par un membre des Black Panthers blesse dix-sept personnes précipitant la fin d'Electric Circus. Il ferme en 1971 pour devenir, pendant quelque temps, un centre d'accueil des alcooliques anonymes. Même que la légende veut que Joey et Marky Ramone l'aient fréquenté en 1990.



### **33 ST. MARK'S PLACE** – MANIC PANIC

Cyndi Lauper, The Ramones, Cher, Sid Vicious et même Bill Murray adoraient se vêtir chez Manic Panic. Tish et Snooky, deux anciens membres des Stillettos (premier groupe de Debbie Harry) avaient ouvert cette boutique qui ne désemplissait pas. En parallèle, elles continuaient à jouer au Mudd Club ou au Max's Kansas City. Fermé en 1989.

### **57 ST. MARK'S PLACE** – CLUB 57/Chaleur

En 1981, les promoteurs du Mudd, trouvent, qu'avec le succès, leur club a perdu l'esprit déglingué et underground de ses débuts. Trop mainstream. L'embourgeoisement guette. Ils décident de retrouver le souffle originel en occupant le Club 57 au cœur de East Village, au sous-sol d'une ancienne église polonaise. Tous les pionniers du Mudd rappliquent. Keith Haring vient lire des poèmes, installé derrière une fausse télévision. Basquiat zone. Fab Five Freddy graffe grave. Afrika Bambaataa squatte les platines. Klaus Nomi débute. Sonic Youth donne son premier concert sous ce nom le 8 mai 1981. On projette des films d'horreur sur les murs. On exécute des performances, revêtus de costumes insensés. La salle est minuscule. Il fait une chaleur infernale. L'ambiance est définitivement transgressive. Warhol et Jagger ont peur de pointer leur nez. Drogue. Sexe. Certains soirs, les orgies débordent des backrooms pour occuper le dancefloor. On va bientôt être au cœur de l'épidémie du sida qui va décimer une bonne partie des témoins de ces soirées. Fermeture définitive en 1983.

### 131 SECOND AVENUE / ST. MARK'S PLACE

GEM SPA / New York Dolls et egg cream

Né en 1957, Gem Spa est un magasin de journaux et autres confiseries. Progressivement, le quartier gagnant en insécurité, il devient une sorte de refuge bienveillant ouvert 24h/24 toute la semaine au milieu de l'hostilité de l'East Village des années soixante-dix. Une « oasis au milieu de la jungle » selon la définition d'Allen Ginsberg. Les amateurs y trouvent le meilleur *egg cream* de Manhattan (sirop de chocolat, lait et eau gazéifiée) et tous les journaux possibles et imaginables. Patti Smith raconte qu'au tout début de leur relation, Robert Mapplethorpe lui a offert une *egg cream* chez Gem Spa. Ce qui n'est pas rien. Habitué des lieux, les

New York Dolls, le groupe de David Johansen et Johnny Thunders ont insisté pour poser devant la façade. Cette photo de Roberta Bayley, figure au verso de l'iconique premier album du groupe en 1973. Gem Spa existe toujours, son logo et son enseigne sont intacts. Ne pas aller y déguster une *egg cream* serait une faute professionnelle !

**96-98 ST. MARK'S PLACE** – Physical Graffiti

Ces deux immeubles parfaitement symétriques illustrent la couverture de l'infernal double album de Led Zeppelin *Physical Graffiti* (1975). Dans la version vinyle, les fenêtres sont drôlement découpées et, au fur et à mesure que l'on fait glisser la pochette intérieure, apparaissent un certain nombre de personnages et d'objets divers et variés. La pochette est dessinée par deux pointures. Peter Corriston (il a aussi travaillé pour les Stones, notamment sur l'album *Some Girls* qui reprend le même principe et sur *Tattoo You*) et Mike Doud (entre autre *Breakfast In America* de Supertramp).

**103 ST. MARK'S PLACE** – La voix de Klaus Nomi

L'histoire a un peu mis aux oubliettes Klaus Nomi, ce chanteur d'opéra allemand exilé à New York. Une affolante voix de contre-ténor. Un style vestimentaire cosmique. Un jeu de scène robotique. Et une coiffure qui inspirera, sans qu'ils le sachent, des centaines de footballeurs du siècle suivant. Cette adresse est celle de son dernier appartement.

**132 FIRST AVENUE / ST. MARK'S PLACE**

ST MARKS BAR AND GRILL / Jagger attend un ami

Dans le clip de « Waiting For A Friend » des Rolling Stones, signé Michael Lindsay-Hogg, on voit Mick Jagger, manifestement en train d'attendre un ami devant l'immeuble illustrant la couverture de l'album de Led Zeppelin *Physical Graffiti*. Arrive, démarche chaloupée, un Keith Richards en plein exercice cool. Tiens, il y a aussi Peter Tosh ! Nos deux lascars remontent gaiement St. Marks Place jusqu'au carrefour de First Avenue où ils retrouvent le reste du groupe au bar du St. Mark's Bar and Grill. La chouette petite bande finit par jammer au fond du troquet qui est aujourd'hui fermé après plusieurs changements de noms.

## 122-124 ST. MARK'S PLACE

CAFÉ SIN-É/Jeff Buckley brûle les planches

Le café Sin-é, tenu par un Irlandais, a coutume d'accueillir de jeunes musiciens et, plus rarement, des artistes confirmés dans une ambiance surchauffée et alcoolisée. Une ambiance irlandaise en somme. Au printemps 1992, le jeune Jeff Buckley tient la scène tous les lundis. C'est là qu'un *talent scout* du label Columbia finit par le repérer. Contrat signé, il revient au Sin-é en 1993, seul avec sa guitare électrique. Les 19 juillet et le 17 août, il enregistre un EP de quatre titres, *Live At The Sin-é*. Ce premier opus du fils de Tim Buckley paraît neuf mois avant son multi awardé *Grace*. Le Sin-é ferme ses portes en 1996 et Jeff se noie à Memphis le 29 mai 1997 alors qu'il enregistre son troisième album. À la place du Sin-é, aujourd'hui, Bua est un bar surchauffé et alcoolisé. Rien à envier à son illustre prédécesseur.

**115 E 9th STREET / 3rd AVENUE**

THE ST. MARK / Joey Ramone s'embourgeoise

On ose à peine avouer que le leader du groupe le plus punk des groupes punks était domicilié à cette adresse pas très punk. Ici, au dixième étage, habitait Joey Ramone. Oui, un mythe vient de s'effondrer. Pas trop quand même, car, au début, en réalité il ne dormait pas souvent ici, mais plutôt chez son grand copain Arturo Vega.

**144 SECOND AVENUE / 9th STREET E** – VESELKA

Ce restaurant/bar ukrainien a résisté pendant plus de soixante ans au cœur de East Village. Véritable légende (ouvert 24h/24), cité dans de nombreuses chansons, il a servi d'escale alcoolisée à pas mal de nos héros.

**321 E 9th STREET** – Le look de Jimi Hendrix

La boutique de fringues qui se trouve ici dans la seconde partie des *sixties*, est tenue par Stella, la femme du producteur Alan Douglas, et Colette Mimram, une Marocaine exilée à New York. Le magasin n'a pas de nom mais les vêtements dénichés au Maroc ou à Londres font fureur. Vestes en cuir à longues franges, écharpes en soies colorées sont conçues au sous-sol par trois couturiers. Les robes berbères ou afghanes côtoient les ponchos navajos. Les bagues à tête de mort sont conçues par un inconnu, Robert Mapplethorpe et les vestes en python proviennent de chez Biba à Londres. Bref, ces deux filles ont définitivement du flair. Miles Davis et sa femme, Alan Douglas, Johnny Winter sont des fidèles. Tout comme Jimi Hendrix. (Pour l'Histoire, c'est sans aucun doute ici que s'est produite la première rencontre entre Miles Davis et Hendrix). Alors inconnu, le guitariste rencontre Stella et Colette au Chetah Club. Depuis, ils sont tout le temps fourrés ensemble. Jimi veut (déjà) baptiser le magasin Band Of Gypsys, il y passe ses journées (en 1969, l'année de Woodstock, il habite carrément à cette adresse). Passionné par le style de la boutique, son look vestimentaire en est profondément et définitivement influencé. Malgré la célébrité, l'amitié du Purple Haze avec Stella et Colette perdure jusqu'à la fin. Colette devient, un moment, et logiquement, sa *girl friend*. Et Stella est avec lui à Londres, lors de son ultime journée.

**AVENUE A / 7th STREET / 10th STREET E**

TOMPKINS SQUARE PARK

Ne vous y trompez pas. Ce parc bordé de hêtres majestueux au cœur de East Village, rendez-vous dominical de quelques familles bobos, n'a pas toujours été aussi paisible. Loin de là. Il est d'abord un foyer de la

contestation sociale à la fin du XIXe siècle. Puis anti-guerre du Vietnam à la fin des années soixante. À cette époque, dès que le vent de la révolte souffle sur New York, il le fait d'abord à Tompkins Square Park. Le quartier se délabrant au fil des années soixante-dix et quatre-vingt, le parc devient le refuge de tous les sans-abri, mais également un haut lieu de trafic et de consommation de drogues en tous genres. Si possible, les plus dures. Traverser cette cour des miracles, de nuit, constitue alors une aventure à haut risque. Un dicton célèbre résume l'ambiance de l'époque: « *Avenue A you're alright, Avenue B you're bad, Avenue C you're crazy, Avenue D you're dead* ». Les autorités, le maire Ed Koch en tête, jugeant que l'insécurité a atteint un niveau insupportable, font évacuer les lieux en juillet 1988. Une partie des habitants du quartier se révolte contre ces décisions jusqu'à provoquer une émeute violemment matée par les policiers (Lou Reed y fait référence dans « Hold On » sur l'album *New York*: « *You better hold on meet you in Tompkins Square. The dopers sent a message to the cops last weekend. They shot him in the car where he sat* »). Infatigable, ce parc connaît également les premières éditions de Wigstock, le Woodstock des drag-queens. Sa créatrice Lady Bunny lance cet événement le jour du Labour Day en 1984. Enfin, de façon plus paisible, Tompkins Park voit naître le mouvement Hare Krishna (cher à George Harrison) en 1966. Son créateur le maître spirituel indou Sadhu A.C. Bhaktivedanta Swami Prabhupada a l'habitude de venir prêcher sous les arbres.

## 143 AVENUE B / 9th STREET E

### CHRISTODORA HOUSE / Le repaire de l'Iguane

Pour les fans d'Iggy Pop, Avenue B est le titre d'un album sorti en 1999. C'est aussi sur cette avenue, dans cet immeuble de brique sans charme, que l'Iguane occupe un vaste appartement dominant Tompkins Square Park dans les *nineties*. Il est alors au cœur de la mouvance post-punk. On le voit souvent fréquenter les hauts lieux nocturnes de East Village comme le bar Continental. En 1999, lors de son divorce, la Japonaise Suchi Asano qui a partagé sa vie pendant quatorze ans, a récupéré l'appartement. Aujourd'hui Iggy entretient son parfait bronzage au soleil de Floride.

## 151 AVENUE B / 9th STREET E – Le nid de Bird

Au faîte de sa popularité, de 1950 à 1954, Charlie Parker habite le rez-de-chaussée de ce petit immeuble de quatre étages, à l'entrée néo-gothique. L'un des fondateurs du be-bop, partage alors sa vie avec sa quatrième femme Chan Richardson. C'est une période tranquille pendant laquelle le saxophoniste semble goûter la placidité de la vie de famille. La mort de sa fille Pree en 1953, à l'âge de deux ans, précipite la fin de cette parenthèse. Le mariage n'y résiste pas et le chagrin accélère sans doute la disparition prématurée du saxophoniste à trente-quatre ans, en mars 1955. En 1979, une photographe fan de jazz, et de Bird en particulier, achète l'immeuble. Judith Rhodes ne cesse dès lors de se battre pour obtenir le classement de la maison aux monuments historiques. Ce qu'elle obtient en 1994. Judith accueille bien volontiers les visiteurs à condition de ne pas la déranger avant 14 heures car elle a encore des horaires de jazzmen ! Avenue B (entre 7th et 10th Street) a reçu le titre honorifique de Charlie Parker Place.

**23 E 10th STREET** – HOTEL ALBERT/Tim Buckley en résidence

L'immeuble s'appelle toujours Albert, mais ce n'est plus un hôtel. Dans les *sixties*, il est l'un des favoris des rock stars qui résident au Village. Tim Buckley (le père de Jeff) y habite. Paul Butterfield Blues Band se serait formé ici et les Lovin' Spoonful y auraient écrit le hit « Do You Believe In Magic? ». Jim Morrison, Joni Mitchell, Frank Zappa, James Taylor sont dans le livre d'or.

**53 E 10th STREET / BROADWAY**

APOSTOLIC STUDIOS / Zappa est passé par ici

Au printemps 1967, John Townley fonde ce studio où l'ingénieur du son Tony Bongiovi (cousin de Jon Bon Jovi et futur créateur du Power Station) effectue ses premiers mixages. L'endroit est un peu célèbre car Frank Zappa et ses Mothers of Invention aimaient bien y enregistrer quand ils passaient par la Grosse Pomme (*Uncle Meat*, *Weasels Ripped My Flesh*, *Cruising With Ruben & The Jets*, *We're Only In It For The Money*). Le groupe militant The Fugs a également fréquenté les lieux.

**131 E 10th STREET**

ST. MARK'S CHURCH IN THE BOWERY / Le projet poétique de Patti Smith

Cette église est un véritable centre culturel qui ne dit pas son nom. La danse, la musique, la poésie ont hanté ces lieux dès le début du XXe siècle. La danse tout d'abord, depuis les années vingt avec Isadora Duncan puis Martha Graham. La poésie ensuite avec The Poetry Project lancé en 1966 par Paul Blackburn. Le principe est simple: des lectures publiques de poésies, trois fois par semaine, où se retrouvent certains des plus brillants spécialistes de la discipline. Notamment Allen Ginsberg proche de la bande à Warhol et de Gerard Malanga. Ce dernier invite Patti Smith, alors inconnue, à déclamer ses poèmes. Sa première lecture se tient le 10 février 1971. Lenny Kaye l'accompagne à la guitare. Après l'introduction par Anne Waldman (« c'est une formidable poète et une grande compositrice de chansons »), Patti rappelle que c'est l'anniversaire de Bertolt Brecht et interprète son « Mack The Knife ». Ce jour-là, les spectateurs tombent sous le magnétisme de Patti. Parmi eux, deux de ses proches: Robert Mapplethorpe dans un long manteau sombre et une écharpe pourpre, adossé au fond de l'église et Sam Shepard, pas loin, à qui elle dédie « Ballad Of A Bad Boy ». Encouragée par l'accueil du public et de la presse, elle renouvellera l'expérience et formera bientôt Patti Smith Group avec succès. Depuis, la communauté artistique de East Village s'est souvent retrouvée à St. Mark's Church In The Bowery. Le sida frappant

131 E 10th Street
St. Mark's Church

régulièrement, les hommages se succédaient les uns après les autres dans les années quatre-vingt et quatre-vingt-dix. En novembre 1989, on a salué la mémoire de Cookie Mueller. L'actrice fétiche de John Waters, l'égérie underground du New York des *seventies*, reine des nuits post-Club 54, icône du *Mudd Club*, proche de Basquiat, Haring, Klaus Nomi, muse de la photographe Nan Goldin, elle était une vraie figure de New York. Son physique, son allure, ses fringues (John Waters l'a décrite comme « un mélange de Janis Joplin et de Jane Mansfield ») ont beaucoup inspiré Madonna. Dernière chose avant de partir : Peter Stuyvesant (non, définitivement, ce n'est pas seulement une marque de cigarettes), le Hollandais qui a créé New York, est enterré dans le joli petit cimetière de l'église.

**171 FIRST AVENUE / 10th STREET E**

MOMOFUKU / Costello aime les noddles

Le patron avoue n'avoir jamais vu Elvis Costello dans son restaurant, mais il est très content que l'artiste anglais ait choisi ce nom pour l'un de ses albums. En 2008, Costello avec les Imposters a sorti *Momofuku* en hommage à Ando Momofuku glorieux inventeur de la noodle instantanée qui a donné son nom à cette chaîne de noodles bars.





**414 E 10th STREET** – Leadbelly installe son QG

L'histoire de Huddie Ledbetter, plus connu sous le nom de Leadbelly, est un roman. Né en Louisiane, dans une plantation, il passe une bonne partie de sa jeunesse en prison au Texas, puis en Louisiane. C'est d'ailleurs au pénitencier que Alan Lomax le légendaire historien archiviste de la musique américaine du XXe siècle, découvre son talent de guitariste (douze cordes) et de chanteur. Lomax l'entraîne à New York en 1934 afin d'écumer les clubs de Harlem. Son style entre le blues et le folk étant inclassable, le succès commercial tarde à arriver. Mais sa réputation auprès des autres musiciens ne cesse de grandir. Après un nouveau court passage par la case prison, il finit par s'installer ici avec sa femme Martha Promise. Très vite, leur appartement devient le QG de toute une génération de chanteurs folk de Peter Seeger à Woody Guthrie, ceux qui inspireront plus tard le jeune Robert Zimmerman. Leadbelly meurt le 6 décembre 1949 en laissant un riche héritage musical que certains ont exploité avec talent : « Where Did You Sleep Last Night » repris *unplugged* par Nirvana (Kurt Cobain : « mon interprète favori, notre interprète favori »), « Midnight Special » par Creedence Clearwater Revival, « Gallows Pole » par Led Zeppelin, « Cotton Fields » par les Beach Boys et même « Black Betty » par Ram Jam.

## 171 AVENUE A/11st STREET E

RAT CAGE RECORDS/La découverte des Beastie Boys

Au sous-sol de cet immeuble, Dave Parsons a ouvert un magasin de disques dans les années soixante-dix. Rat Cage Records est réputé pour ne fermer qu'à quatre heures du matin (l'histoire ne dit pas à quelle heure il ouvre...) et pour diffuser les vinyles les plus hardcore du moment. Dave découvre les Beastie Boys lors de leur première prestation publique dans le loft de John Berry (à l'époque John Berry est encore là et Adam Horowitz n'a pas encore rejoint le groupe). *Illico* il propose de les enregistrer. Promesse tenue. Leur premier EP *Polly Wog Stew* est gravé ici. Diffusion limitée. Aujourd'hui la galette, une sorte de hardcore assez éloigné du futur style du groupe, est totalement introuvable et, il faut bien l'avouer, difficilement écoutable. Beastie Boys rejoint l'écurie Def Jam en 1984 avec le succès que l'on sait. Dave Parsons, transsexuel devenu Donna, est mort en Europe en 2003.

## 181 SECOND AVENUE/11th STREET

CLUB NEGRIL/La porte d'entrée du hip-hop

Au début le Club Negril, ouvert au sous-sol par Michael Hoffman, est spécialisé dans le reggae, pas n'importe lequel, du reggae plutôt pointu. La bonne idée est de confier la programmation du jeudi à Ruza Blue, une Anglaise copine des Clash, proche de Malcom McLaren et représentante de Vivienne Westwood à New York. Bref, l'opportunisme, elle connaît, et en 1981, le bon plan c'est le hip-hop. Les habitants de Manhattan ayant un peu peur de s'aventurer dans le Bronx, faire venir le Bronx à Manhattan est plutôt une bonne idée. Afrika Bambaataa et Rock Steady Crew les grands ambassadeurs du mouvement hip-hop sont conviés. Les soirées Wheels Of Steel convoquent Jazzy Jay, Fab 5 Freddy, Kool Herc et les graffeurs Rammellzee et Futura 2000. C'est un triomphe, un buzz énorme. Dans la salle Russell Simmons rencontre Rick Rubin, ils vont bientôt former Def Jam. D'ailleurs les futurs Beastie Boys et Public Enemy sont là aussi, ils n'en perdent pas une miette. On l'a compris, Negril a joué un rôle primordial dans la propagation de la fièvre hip-hop jusqu'à sa migration vers le Club Roxy vingt fois plus grand en 1982.

## 125 E 11th STREET – WEBSTER HALL/RITZ/Pas si austère que ça

Elle ne paie pas de mine cette austère façade ocre ornée d'un porche un peu désuet et de globes lumineux à l'ancienne. Pour peu, on passerait devant sans s'en apercevoir. Pourtant, derrière elle, se cachent, cinq salles, sur plusieurs étages, proposant à la fois le meilleur des dancefloors et le

plus pointu des concerts rock de la ville. Certains jours, peuvent cohabiter jusqu'à trois types de shows différents ! Construit en 1886, Webster Hall a forcément connu plusieurs destins, plusieurs noms de baptême, plusieurs incarnations. Ses murs ont beaucoup à raconter. Déjà il a survécu à cinq incendies dans la première partie du XXe siècle. Avant d'être dédié à la musique, le Webster est une salle réservée aux manifestations culturelles mais aussi politiques. Une sorte de Salle de la Mutualité à la new-yorkaise. Les tribunes syndicales, de la gauche américaine et même anarchistes, cohabitent avec les parties de l'intelligentsia hédoniste branchée – y compris gay et lesbienne – de la première partie du siècle. Les meetings pour la défense – en vain – des anarchistes Sacco et Vanzetti se tiennent ici. Pendant la prohibition, étrangement, l'alcool continue tellement à circuler que les historiens du lieu soupçonnent Al Capone d'en être secrètement propriétaire. Martin Scorsese reconstitue l'ambiance du Webster de l'époque en y filmant une scène de *Raging Bull* : Jack La Motta (Robert De Niro) s'encanaillant avec son frère et apercevant pour la première fois Vickie, sa future femme. En 1964, Bob Kennedy, y tient un important meeting dans sa course à l'investiture du sénat de New York. C'est au tournant des *fifties* que Webster Hall prend sa coloration musicale, l'acoustique du Grand Ballroom accueillant les meilleurs concerts de l'époque. Le label RCA rachète le lieu et le transforme en studio dédié aux enregistrements nécessitant de l'espace pour un orchestre. Le 20 octobre 1955 Harry Belafonte y grave son classique « Banana Boat (Day-O) ».

En février 1962, le jeune Dylan y effectue un historique enregistrement en accompagnant ce même Harry Belafonte à l'harmonica. En 1980, Webster Hall commence à prendre sa forme actuelle avec la création du Ritz, haut lieu du rock live en ville. Le 6 décembre 1980 (deux jours avant l'assassinat de Lennon), U2 y donne son premier concert américain, tout comme Depeche Mode en janvier 1982. Lors d'un show de Tom Tom Club, David Byrne et Jerry Harrison montent sur scène pour une ultime prestation de Talking Heads le 17 juillet 1989. On l'a compris, de Prince à Madonna la crème de la scène rock des *eighties* a électrisé ces planches. Mais pas seulement : en juillet 1981, l'ex-manager des Sex Pistols, Malcom McLaren, monte avec Afrika Bambaataa un concert hip-hop, accompagné de break dance. Il fera date. C'est l'une des premières fois que le hip-hop s'aventure hors du Bronx. En reprenant son nom, au début des années quatre-vingt-dix, Webster Hall s'émancipe en s'ouvrant à toutes formes de musiques – y compris la house – et s'agrandit. Ce sera alors l'une des plus fortes fréquentations de la ville côté night-club comme côté salle de concert défrichant et programmant la fine fleur de la nouvelle scène indie rock.



### 229 E 11th STREET / 254 E 10th STREET

THE FUN GALLERY / Repère à graffeurs

La plupart des artistes graffeurs de New York ont commencé par exposer dans cette petite galerie ouverte par Patti Astor (une actrice de films underground au look proche de Debbie Harry) et Bill Stelling, deux piliers du Mudd Club, en 1981. Futura 2000 (proche de Afrika Bambaataa et du Rock Steady Crew, il suivra les Clash en Europe pour graffer pendant leurs concerts), Fab 5 Freddy, Kenny Scharf, Rammellzee, Basquiat et Keith Haring ont exposé à la Fun Gallery qui après avoir déménagé sur 10th Street, a fermé ses portes en 1985.

### 828 BROADWAY / 12th STREET E

STRAND / La malle aux trésors

Jusqu'à la fin des *sixties*, à deux pas d'Union Square, Book Row était un quartier totalement dédié aux livres (principalement d'occasion) avec près de 48 librairies ! La spéculation immobilière a mis fin à cette époque bénie, mais il reste encore Strand ! Imaginez : une cathédrale de livres neufs et d'occasion, 2,5 millions d'ouvrages classés le long d'interminables bibliothèques en bois. « *18 miles of books* » comme le proclame son slogan. Une malle aux trésors qui peut vous kidnapper pendant de longues heures. Strand, qui devrait figurer dans le Top 10 des lieux immanquables de tout

bon guide de New York, est toujours indépendante, gérée par la famille de son créateur Ben Bass depuis 1927. Dans l'histoire de la rock culture, il faut savoir que Patti Smith y a exercé ses talents de vendeuse (!) pratiquement au même moment que le futur leader de Television, Tom Verlaine au début des années soixante-dix. David Bowie, fidèle client, résumait parfaitement Strand : « il est impossible de trouver le livre que vous cherchez, mais vous trouvez toujours celui que vous cherchiez sans le savoir. » (« *It's impossible to find the book you want, but you always find the book you didn't know you wanted.* »).

## 132 FOURTH AVENUE / 13th STREET E

PLAID / Courtney Love fait scandale

On le sait, question scandale Courtney Love n'a jamais été très avare. Celui-ci n'est pas le plus déglingué, mais il est celui aux conséquences les plus fâcheuses. Le 18 mars 2004, sur scène avec son groupe Hole, la veuve de Kurt Cobain lance son pied de micro sur les spectateurs. Un certain Gregory Burgett est blessé à la tête. La police arrête la chanteuse à la fin du show. Plaid n'est plus là pour raconter.

## • GREENWICH VILLAGE / WEST VILLAGE •

*du sud au nord, et d'est en ouest à partir de Broadway*

Greenwich Village est la conscience politique et culturelle de la ville. Chaque bar du quartier a vu les membres de la beat génération – Kerouac, Ginsberg, Burroughs – débattre, fumer, s'engueuler bref, refaire le monde. Les grands auteurs américains d'après guerre n'ont pas manqué de fréquenter ses librairies et les folk singers, Dylan Thomas et Woody Guthrie y ont puisé leur inspiration. Logiquement, quand Dylan est arrivé à New York, c'est ici qu'il a posé ses valises avant d'incarner pendant près d'une décennie l'esprit du Village pour le monde entier. Chaque rue est marquée de son empreinte. Dans la foulée, les clubs de jazz, de folk, de rock ont fleuri dans tous les recoins attirant les rock stars comme John Lennon, Lou Reed et Jimi Hendrix qui y a même bâti son propre studio d'enregistrement. On retrouve facilement la trace des Rolling Stones, Billie Holiday, Neil Young, Bruce Springsteen, Frank Zappa, Velvet Underground, Sid Vicious, Patti Smith et même Buddy Holly. Conscience politique, le mouvement LGBT a pris racine ici dans la foulée des émeutes de Stonewall engendrant la première Gay Pride. Conscience culturelle, l'Université de New York est omniprésente. Elle a même abrité la naissance du plus grand label de l'histoire du rap, Def Jam.

## 647 BROADWAY / BLEECKER STREET

THE LOFT / David Mancuso, le parrain

The Loft est le précurseur des futurs clubs légendaires de la ville. The Gallery, The Limelight, the Paradise Garage, 12 West, Tenth Floor et bientôt le Club 54 s'en inspireront à 100 %. Samedi 14 février 1970, le DJ David Mancuso invente le clubbing moderne. Dans son loft de 300 m$^2$, au bord de Greenwich Village, il convie pour la première fois ses amis, ses connaissances, les connaissances de ses connaissances à venir danser sur sa géniale playlist. Ce rendez-vous devient la dernière hype new-yorkaise. Être invité à la Loft Party de David Mancuso, avec ses centaines de ballons multicolores au plafond et sa sono parfaite, devient de plus en plus compliqué. Mancuso sélectionne, trie, et surtout mélange les communautés, comme il mélange les genres musicaux (il découvre « Soul Makossa » de Manu Dubango). Les habitués des clubs gays, plutôt dans l'œil du cyclone des autorités policières, sont plus que bienvenus. *Private parties, by invitation only*, DJ Star, pas d'alcool : la recette est claire. Mancuso vient d'inventer une nouvelle dance culture rompant avec les classiques discothèques. Tout le monde va l'imiter. Après le 647 Broadway, The Loft s'installe au 99 Prince Street puis dans le Lower East Side. Ou n'importe où ailleurs, c'est le principe du Loft ! Malgré les excès en tout genre, David Mancuso a réussi à vivre jusqu'à soixante-douze ans. Au 647 Broadway, l'immeuble du Loft est toujours là, rendu à la vie civile.



## 77 BLEECKER STREET – Robert Mapplethorpe

En novembre 1981 Robert Mapplethorpe quitte son studio / appartement de East Village, sur Bond Street (il l'utilisera dorénavant comme chambre noire) pour s'installer dans un petit logement à cette adresse avec son amant Milton Moore (le modèle de son fameux et scandaleux *Man In Polyester Suit*). L'immeuble n'existe plus aujourd'hui.

## 240 MERCER STREET / 3th STREET W

MERCER ARTS CENTER / Les décibels des New York Dolls

À l'origine, au début des années soixante-dix, le complexe théâtral multisalles Mercer Arts Center est un haut lieu de la culture de Greenwich Village dédié aux artistes de tous horizons. On mélange théâtre, film, performance, musique rock mais surtout expérimentale. Quand l'imposant hôtel Broadway Central s'écroule le 3 août 1973 suite à une défaillance des murs porteurs, il entraîne le Mercer Arts Center dans sa chute. Le pilote de la série *Vinyl* réalisée par Martin Scorsese reconstituera cette scène vertigineuse en la romançant quelque peu quarante ans plus tard.

Dans la version du metteur en scène, les murs se fissurent sous les coups de décibels de New York Dolls stoïques et le plafond finit par s'écrouler sur la tête du héros passablement défoncé, Richie Finestra (Bobby Cannavale). Si les New York Dolls ne sont donc pour rien dans l'effondrement, ils ont bel et bien joué dans ce club. Et souvent. La première fois, dans la salle Oscar Wilde, en juin 1972 sur suggestion de Janice Cafasso alors girlfriend de Johnny Thunders. Billy Murcia était encore de la partie, il mourra quelques mois après à Londres d'une overdose et le 20 mars 1973 le groupe signera chez Mercury. (Johnny Cummings, futur Johnny Ramone, assistant à l'un de ces concerts a décidé qu'après tout, jouant aussi mal qu'eux, il était très capable de fonder un groupe lui aussi). Patti Smith est venue, pour des lectures, et Suicide, le groupe de Alan Vega y a fait ses premiers pas. Les ruines de l'hôtel Broadway Central ont laissé la place à un complexe de logements pour les étudiants de l'université de New York.

### 300 MERCER STREET

La couverture d'*Autoamerican*

Si l'album *Autoamerican* a été enregistré à Los Angeles, Blondie tenait absolument à ce que sa couverture soit shootée à New York. Ce qui fut fait : sur le toit de cet immeuble.

### 147 BLEECKER STREET / THOMPSON STREET

THE BITTER END / Bob rencontre Patti

Patti Smith raconte encore, avec émotion, sa première rencontre avec Bob Dylan le 26 juin 1975. Ce soir-là, elle joue avec son groupe au Bitter End et pendant qu'elle interprète une reprise de « Time Is On My Side » vêtue d'un tee-shirt orné de la tête de Keith Richards, la légende vivante entre discrètement et s'installe au bar. Patti l'ayant repérée, elle se déchaîne

sur un « Gloria » final d'anthologie. Dans les loges, la poétesse stressée rencontre le futur prix Nobel de littérature. Photos, flashs. Patti se voit proposer illico de rejoindre la fameuse Rolling Thunder Revue, vaste tournée multitalents que Dylan est en train de mettre sur pied (40 ans plus tard, c'est Patti Smith qui recevra, au nom de l'artiste, le prix Nobel à Oslo). Demain Dylan ira applaudir les Rolling Stones au Madison Square Garden. Ouvert en 1961, The Bitter End a toujours proposé une programmation éclectique : Woody Allen à l'époque de ses stand up, Mohammed Ali aussi bien que The Mama's and the Papa's, Neil Young tout comme Lady Gaga. Donny Hathaway a enregistré un bel album live en 1971 : *Live At The Bitter End* tout comme Randy Newman la même année. Une soirée hommage à Phil Ochs s'est tenue ici le jour de son enterrement en avril 1976. Le club, toujours bien vivant, est l'un des derniers vestiges de la grande époque du Village.

**180 THOMPSON STREET / BLEECKER STREET** – Zappa de passage

Frank Zappa a été infidèle à la Californie entre 1968 et 1969. Un bon alibi : il jouait tous les soirs durant six mois au Garrick Theater. Durant cette période, il habitait ici.

## 210 THOMPSON STREET

GENERATION RECORDS

Un magasin de disques respecté pour son large choix de rock mais surtout de metal et hardcore. Et puis, par les temps qui courent, un disquaire encore vivant (et bien vivant), on prend.

## 217 THOMPSON STREET – ZILCH / Z comme Zilch

En 1967, Davy Jones, le leader du boys band avant l'heure, les Monkees, ouvrait Zilch, une boutique de fringues branchées. Ce qui est rigolo c'est que le logo « Z » qui servait de poignées de porte existe toujours cinquante ans après ! Étonnant non ?

## 3th STREET W / SULLIVAN STREET

After the Goldrush

Joel Bernstein a photographié Neil Young dans la rue, tout près de Washington Square Parc, début 1970. Une vieille dame croisant le chanteur au moment du déclenchement. La photo figurera en couverture de *After The Goldrush*, le troisième album du *loner*. Sur l'originale, coupée au cadrage, on aperçoit Graham Nash à droite. Le lieu est resté parfaitement intact.

## 152 BLEECKER STREET

CAFE AU GO GO/GARRICK THEATRE
Zappa pendant six mois

En face du Bitter End, au sous-sol de cette adresse (aujourd'hui remplacée par un immeuble clinquant) le Cafe au Go Go a accueilli le premier concert new-yorkais du Grateful Dead en 1967. À l'origine, pourtant, en 1964, le club était plutôt porté sur le jazz. Mais très vite, de belles brochettes de bluesmen et de légendes du rock ont foulé ses planches jusqu'à sa fermeture en octobre 1969. Cream en 1967, Jimi Hendrix en 1968, Joni Mitchell en 1967 et même les Californiens Jefferson Airplane, Doors, Stone Poneys (avec la jeune Linda Ronstadt) ou encore Country Joe and the Fish, l'un des héros du festival de Woodstock. De bons albums live ont été capturés ici : *The Blues Project* en 1965 et *John Lee Hooker* un joli soir de 1966. En haut, le Garrick Theatre a vu Frank Zappa and The Mothers of Invention tenir la scène pendant six mois en 1967.

## 160 BLEECKER STREET / THOMPSON STREET

VILLAGE GATE/Hard rain's a gonna fall

Ouvert à la fin des *fifties*, ce club proposait deux salles : au rez-de-chaussée (Top Of The Gate, la salle de concert) et en sous-sol (The Village Gate Theater, la salle de théâtre). La programmation musicale était carrément tutti frutti : le tout meilleur du jazz (Coltrane, Davis, Ellington, Gillespie, Dexter Gordon...), la soul (le disque live de Nina Simone *Live At The Village Gate* en 1961, le premier concert new-yorkais d'Aretha Franklin), et le rock et le folk (Hendrix, Dylan, Velvet Underground...). Les Dylanophiles vénèrent les lieux car c'est ici que le maître a écrit « Hard Rain's Gonna Fall » en septembre 1962. Le club est fermé depuis longtemps, mais si vous levez la tête vous verrez encore l'enseigne au-dessus d'une pharmacie.

## 124 W HOUSTON STREET – Dylan en répétition

Lorsque Dylan est revenu habiter MacDougal Street en 1969, les voisins se plaignaient constamment des nuisances sonores provenant de ses instruments de musique (certains auraient payé pour ça...). Aussi a-t-il décidé de louer un pied-à-terre spécialement dédié à ses répétitions. Le rez-de-chaussée de cet immeuble (porte de droite) a donc connu, entre autres, la gestation de *Blood On The Tracks*. Lucian Truscott, alors journalise à *Village Voice*, raconte qu'il logeait à cette époque au quatrième étage. Il passait pas mal de temps dans le couloir du rez-de-chaussée l'oreille collée au mur, essayant de capter les premières moutures de « Idiot Wind » et « Tangled Up In Blue ». Il existe une délicieuse légende autour de cette adresse. Bien des années après le passage de Dylan, à la mort de la propriétaire de l'immeuble, son fils a vidé les lieux de tous ses vieux objets. Il aurait retrouvé deux boîtes renfermant 149 disques acétates de Bob. Un trésor contenant des prises inédites de titres de trois de ses albums dont *Nashville Skyline*. On ne sait pas quel prix a payé le collectionneur Jeff Gold pour en devenir détenteur.

### 106 W 3rd STREET / SULLIVAN STREET

CAFÉ BIZARRE / Warhol rencontre le Velvet

Café Bizarre a été l'un des centres névralgiques du mouvement beat dès les années cinquante. Entendez, c'est dans ce cadre un peu bohème (des filets de pêche aux murs…) que Ginsberg, Kerouac et tous les radicaux du Village refaisaient le monde pendant d'interminables journées enfumées. Fin 1965, c'est aussi le premier club à avoir donné sa chance au Velvet Underground. Le groupe de Lou Reed rame un peu mais commence à faire parler de lui quand Gerard Malanga, un proche de Andy Warhol assiste à l'un de ses concerts. (L'artiste cherche alors à dresser un pont entre peinture et musique. ) Une femme (« est-ce vraiment une

femme ? » pense-t-il) à la batterie, un type bizarre qui joue d'un instrument bizarre qui ressemble à un violon électrique bizarre. Une musique violente, vénéneuse. *So Andy!* Traîné à l'un des concerts, le génial albinos est emballé. En une soirée, il devient le producteur et le promoteur du Velvet. À une seule condition, qu'ils acceptent d'intégrer au groupe un mannequin autoproclamée chanteuse: Nico. La suite fait partie de l'Histoire.

### 93 MACDOUGAL STREET

SAN REMO / Le rendez-vous de la beat generation

Entre 1925 et 1967 (c'est aujourd'hui une pizzeria) ce bar, situé au carrefour hautement symbolique et stratégique de MacDougal et Bleecker (écoutez l'album de Fred Neil) a vu passer une bonne partie de l'intelligentsia de la ville. En fonction des époques, on pouvait y croiser Tennessee Williams, Jackson Pollock, Miles Davis, le Prix Pulitzer James Agee ou encore William Styron. Les héros de la beat generation, Burroughs, Ginsberg, Kerouac, Corso étaient de véritables piliers. Sauf quand ils allaient en face, au Cafe Figaro. Une plaque commémorative marque le lieu.

### 94 MACDOUGAL STREET / BLEECKER STREET

Retour au Village

Au milieu des années soixante, Bob Dylan a quitté New York pour se réfugier dans un autre village: Woodstock. Il y vit paisiblement avec sa femme Sara et ses enfants, consacrant ses journées à enregistrer avec ses amis du Band dans la cave d'une drôle de maison rose. Après un mystérieux accident de moto, le chanteur disparaît de la circulation. Trop de pression, un statut de prophète qui le dépasse, des tournées qui l'éreintent. Dylan a un besoin vital de ce break. En 1969, il revient habiter à Greenwich dans cette maison de village à quelques mètres du Café Wha? où il débuta. On le voit alors, en pleine forme, heureux de fréquenter les clubs, de goûter aux nouveaux crus de musiciens et, parfois même, de monter sur scène. L'inspiration, l'envie renaissent sur ses anciennes terres. Bientôt, il conçoit *Blood On The Tracks*, le grand album du retour. Hélas, pour un mythe planétaire, il est bien difficile de vivre dans un village. Le voilà sans cesse importuné par les fans, pire, par les simples curieux. Les cars de touristes font souvent une halte devant sa porte hurlant au micro les faits d'armes du chanteur. Ses poubelles sont fouillées systématiquement et méticuleusement ! Trop, c'est trop. Au milieu des années soixante-dix, il quitte les lieux et part s'exiler dans un ranch en Arizona pour finalement se faire construire une maison à Malibu.

**107 MACDOUGAL STREET** – Patti Smith et Allen Lanier

Dans la première moitié des *seventies*, Patti Smith a vécu cinq ans avec Allen Lanier le futur clavier et guitariste de Blue Öyster Cult. Dans cet immeuble situé juste en face du Folklore Center que fréquentait assidûment le jeune Dylan au début des *sixties*.

**110/114/116 MACDOUGAL STREET**

KETTLE OF FISH/GASLIGHT/FOLKLORE CENTER/Le QG de Dylan





Au début des années soixante lorsque Bob Dylan zone dans le Village à la recherche de contacts pouvant aider sa carrière ou simplement d'un lit pour dormir, il passe son temps sur cette partie de MacDougal. D'abord parce qu'il y a le Folklore Center, centre opérationnel de la culture folk. Izzy Young, né dans le Bronx d'une famille polonaise, a ouvert ce lieu en 1959. On y trouve des disques, des livres mais c'est surtout un lieu d'échanges et de rencontres. Dylan y fait la connaissance du pape de MacDougal Street, l'impressionnant musicien Dave Van Ronk, qui va pas mal l'aider. (Les frères Cohen ont ressuscité ce personnage dans *Inside Llewyn Davis*). Plus tard, Izzy Young prend la tête de la rébellion contre les autorités qui veulent interdire les concerts folks dans Washington Square Park avant de s'installer en Suède pour ouvrir un *folk center*. Il est mort en février 2019 à Stockholm. Tout près, au rez-de-chaussée, il y a un bar, Kettle Of Fish. Repère des folkeux traditionnels, il sert également de rendez-vous à la beat generation à la fin des années cinquante et surtout d'annexe au fameux club Gaslight au sous-sol. Le futur prix Nobel de littérature y passe ses nuits avec Suze dans la salle ou sur la scène où il interprète « Masters Of War » pour la première fois. Deux légendes courent ici à propos de Dylan : son psychodrame avec Andy Warhol à propos d'Edie Sedgwick en décembre 1965 et sa première rencontre alcoolisée avec Jimi Hendrix avant que celui-ci ne connaisse le succès à Londres. Plus tard,

en 1967, deux dieux de la six-cordes, Hendrix et Clapton jamment sur ces planches et le très jeune Bruce Springsteen passe une audition déterminante pour sa future maison de disques Columbia en 1972 devant… huit spectateurs dont John Hammond. Les frères Cohen situent plusieurs scènes de *Inside Llewyn Davis* au Gaslight qui est aussi évoqué dans l'un des épisodes de *Mad Men*. *Gaslight* a fermé ses portes depuis belle lurette.



### 115 MACDOUGAL STREET

CAFÉ WHA?/Robert Zimmerman arrive à New York

Il fait très froid ce mardi 24 janvier 1961. Pas de quoi gêner le jeune Robert Zimmerman qui débarque de son glacial Minnesota. Il se dirige naturellement vers Greenwich Village. C'est ici que vivent et surtout jouent tous ses héros, à commencer par Woody Guthrie. Il est plus empressé de trouver un endroit pour chanter qu'un lieu pour dormir. On lui a conseillé d'aller au Café Wha?, parce qu'ouvert dès le début d'après-midi. La programmation du club est assez hétéroclite. Mélange de comiques de talents (Lenny Bruce, Woody Allen s'y produisent) et de musiciens folks tout aussi doués. Dès le premier soir le futur Bob Dylan arpente la scène du Café Wha? accompagné par Fred Neil (futur auteur de la BO de *Macadam Cowboy*). La suite appartient à la légende. Quelques années plus tard, ce même café connaît un autre fait de gloire. La girlfriend du moment de Keith Richards, Linda Keith est subjuguée par le charisme d'un jeune guitariste qui se produit sur la scène du Café Wha? : Jimi Hendrix. Elle se promet de dire tout le bien qu'elle pense de ce garçon au guitariste des Rolling Stones. Le manager du groupe anglais, Andrew Loog Oldham accepte de venir voir le prodige. Mais il ne donne pas suite. Linda, têtue, traîne à son tour le bassiste des Animals, Chas Chandler. Ce soir-là, le 2 août 1966, Chandler est terrassé par le charisme et le jeu de guitare du personnage. Comment a-t-il pu échapper aux *talent scouts* des maisons

115 MacDouglas Street
Café Wha?

de disques qui écument les clubs de la ville? De retour en Angleterre, il n'aura plus qu'une seule obsession: faire venir Hendrix à Londres et lui faire enregistrer ce morceau qui lui colle comme un gant « Hey Joe », de Billy Roberts. Le 23 septembre 1966, Hendrix débarque à Londres, avec un nouveau prénom: Jimi. L'Histoire est en marche. Café Wha? existe toujours. Plutôt repaire à touristes que véritable scène musicale, il a néanmoins vu Van Halen arpenter ses planches pour promouvoir leur album *A Different Kind Of Truth* début 2012.

**119 MACDOUGAL STREET** – CAFFE REGGIO

La légende veut que le fondateur du Caffe Reggio, Dominico Parisi, ait été le premier à introduire le cappuccino aux États-Unis en 1927. Sa machine expresso originelle qui trône encore dans un coin de la chaleureuse salle, n'est pas une preuve. Mais on s'en contentera. Les cinéastes n'ont pas manqué de célébrer cet endroit délicieux, l'un des symboles du Village. *Le Parrain 2*, *Shaft*, *Next Stop Greenwich Village* ou encore *Les Lettres du Kremlin* peuvent en témoigner. Et quand les frères Cohen rendent hommage au Village (*Inside Llewyn Davis*), ils ne manquent de croquer le Caffe Reggio, *of course*. Et là, juste devant, John Fitzgerald Kennedy prononce même un discours en 1959 lors de sa campagne pour la présidence des États-Unis . D'une portée historique moindre, Étienne Daho site le lieu dans « Des attractions désastres » comme une adresse évidente pour un rendez-vous dans la ville: « New York, Caffe Reggio, je suppose... »

**197 BLEECKER STREET**

VILLAGE MUSIC WORLD / Espèce sauvegardée

Il existe encore un disquaire sur Bleecker Street ! Émotion, émotion. CD, vinyles, DVD : c'est l'un des derniers du Village… et de la ville.

**118 W 3th STREET / MACDOUGAL STREET**

BLEECKER BOB'S / Patti Smith rencontre Lenny Kaye

En quarante-quatre ans, l'iconique disquaire Bleecker Bob's, d'abord installé sur Bleecker Street à côté du Bitter End, a vu traîner dans ses rayons plusieurs générations du Village. La génération folk de Dylan dans les années soixante, celle, punk, de Joey Ramone dans les années soixante-dix. Ils ont tous consacré des heures à fouiller les bacs avec frénésie à la recherche de la pépite ultime, tout comme Hendrix, Robert Plant, David Bowie, Prince, Frank Zappa, Madonna ne manquant jamais de visiter cette institution lors de leurs séjours en ville. Lenny Kaye le futur auteur de la formidable compilation psychédélique *Nuggets* passait ses journées collé aux bacs. C'est ici qu'il rencontra Patti Smith dont il deviendra le fidèle compagnon musical pendant les quarante années suivantes. Robert "Bleecker Bob" Plotnik, malade, a passé le relais en 2011 avant une fermeture définitive deux années plus tard.

**131 W 3th STREET / 6th AVENUE** – THE BLUE NOTE

Ce club de jazz crée en 1981 n'a aucun rapport avec le label du même nom. Il est loin de posséder l'âme d'un Village Vanguard ou d'un Bitter End. Par contre, pour les touristes en quête de bon jazz c'est l'assurance de trouver ce qu'ils cherchent, au cœur de Greenwich Village. Ce club a essaimé plein de petits Blue Note dans le monde entier, prouvant ainsi, si besoin était, qu'il est fort en marketing.

**132 W 3th STREET / 6th AVENUE**

FAT BLACK PUSSYCAT / Blowin' in the wind

En avril 1962, ce restaurant s'appelle The Commons. La légende veut que ce soit, dans la salle du fond, que Bob Dylan compose son hymne « Blowin' In The Wind ». « J'ai écrit cette chanson en dix minutes, aligné les mots comme un chant religieux » raconte Bob Dylan. Légende ou réalité ? La réponse est dans le vent…

**319 6th AVENUE / 3rd STREET W** – Crawdaddy prend son envol

En février 1966, à une époque où l'Angleterre publie au moins trois hebdos dédiés à la musique rock (*Melody Maker*, *New Musical Express* et

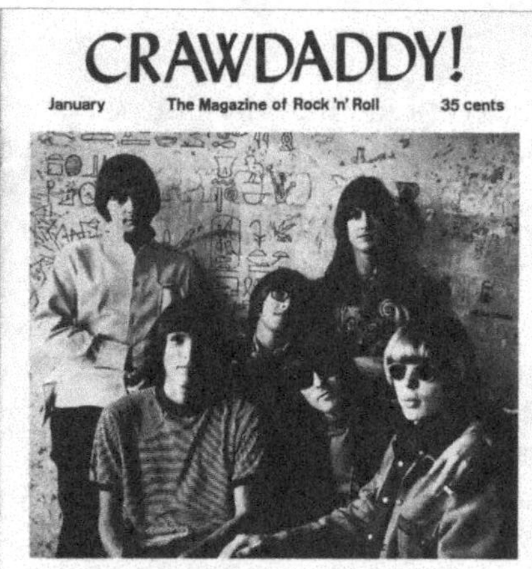


*Disc*) les États-Unis n'en comptent aucun. (*Cash Box* et *Billboard* étant plutôt consacrés au *music business*). Un étudiant de dix-sept ans, Paul Williams, crée un fanzine rock entièrement rédigé de sa main lui donnant le nom du club anglais qui lança les Stones : *Crawdaddy*. Au début, il vend son journal à la criée et le distribue *via* les clubs et maisons de disques. La pertinence de ses critiques lui vaut rapidement des encouragements notamment de la part de Paul Simon et de Bob Dylan. Dès le numéro 7, le fanzine étant devenu un vrai journal, *Crawdaddy* s'installe à New York au deuxième étage de cette adresse. La rédaction s'étoffe peu à peu : Jon Landau (futur producteur de Bruce Springsteen et auteur du slogan : « j'ai vu le futur du rock'n'roll... »), Cameron Crowe (futur réalisateur de *Presque célèbre*) ou encore le légendaire Peter Guralnick. Une photographe de vingt-huit ans, Linda Eastman, est recrutée et sera même envoyée spéciale à Londres pour le lancement du *Sgt. Pepper's* des Beatles. Première rencontre avec Paul McCartney dans l'appartement de Brian Epstein. On connaît la suite. *Crawddady* va faire des émules notamment à Détroit (*Creem*) et à San Francisco (*Rolling Stone*). Fatigué par un style de vie trop rock'n'roll, Paul Williams se retire fin 1968 mais *Crawdaddy* continue à paraître jusqu'en 1979 avant de renaître de 1993 à 2003.

## 35 CARMINE STREET

### HOUSE OF THE OLDIES, RARE RECORDS

**Les intégristes du vinyle**

« *No CD's, no tapes, just records* ». La devise est plutôt radicale ! Ici on est chez des intégristes du vinyle. Si on a passé sa vie à chercher LE microsillon qui manque à sa colossale collection, il y a de fortes chances pour qu'on le dégotte enfin chez House Of The Oldies. 700 000 disques nous attendent. Les murs sont tapissés de couvertures colorées d'albums des années cinquante ou soixante qui donnent envie de précipiter ses mains tremblantes dans les bacs pleins à craquer. À plus de cinquante ans, House Of The Oldies est lui-même devenu un collector, une espèce en voie de disparition que le WWF devrait protéger à tout prix. Au 30 puis au 60 Carmine Street, s'est longtemps tenu Vinylmania. À l'époque des glorieux night-clubs des années quatre-vingt et quatre-vingt-dix, il était une malle aux trésors chez qui venaient se fournir des DJs comme Larry Levan et Tony Humphries.

**BEDFORD STREET 70** – Peter, Paul and Mary

*Album 1700* le best-seller de Peter, Paul and Mary contenait le hit « Leaving On A Jetplane » (1969). La photo de couverture a été prise devant cette façade.

### JONES STREET / 4th STREET W

Suze et Bob enlacés

Février 1963. Le photographe Don Hunstein est mandaté par Columbia pour capter des « instants volés » de leur jeune poulain Bob Dylan, vingt et un ans. Le petit appartement du chanteur, les escaliers de son immeuble, les rues enneigées de Greenwich Village feront l'affaire. Suze Rotolo, la muse, est présente. Ils se sont rencontrés lors d'un des premiers concerts donné par le créateur de « Blowin' In The Wind » dans une église, Riverside Church (au nord ouest de Manhattan en bordure de Harlem). Un coup de foudre. Suze a joué un vrai rôle dans l'évolution culturelle et sociale de l'homme du Minnesota : peinture, cinéma, littérature mais aussi conscience politique. Presque à l'angle de Jones Street et de 4th Street W, le couple est bras dessus, bras dessous, lui transi de froid, il ne porte qu'un petit blouson, elle dans une attitude tendrement amoureuse. Jones Street est encombrée de neige, un van VW ultra *sixties* (presque aussi célèbre que la coccinelle de *Abbey Road*) est garé sur la gauche. La prise de vue fera la couverture du deuxième

album de Dylan *The Freewheelin'* et deviendra l'une des images iconiques de l'artiste.

### 161 W 4th STREET

Le placard de Dylan

Quelques belles photos conservent le souvenir de l'appartement du second étage que partageait Bob Dylan avec son premier grand amour Suze Rotolo. Le couple s'est rencontré lors d'un concert au nord de Manhattan à la Riverside Church. Suze, cultivée, issue d'une famille aisée, a attendu ses dix-huit ans pour s'installer avec lui. Elle initie le jeune Robert Zimmerman à la peinture, la littérature, la politique. Son influence sur le créateur de « Blowin' In The Wind », à une époque déterminante de sa carrière, a sans doute été sous estimée. Ce petit appartement (« la chambre minuscule était plutôt un grand placard ») de deux pièces à 60 $ par mois, héberge Bob Dylan à partir du printemps 1961, dans sa période créative la plus prolifique. « L'été, on suffoquait comme dans un four... pas de chauffage en hiver. Le froid était mordant et nous nous tenions chaud, blottis sous les couvertures » se rappelle Dylan dans sa biographie. Bientôt, il quitte Suze pour Joan Baez. Après la séparation, Suze continue sa vie d'engagée, devient enseignante à la Parsons School et décède le 25 février 2011.

### 2 SHERIDAN SQUARE – CAFÉ SOCIETY / Strange fruit

Barney Josephson ouvre ce club en 1938 avec la téméraire ambition d'en faire un lieu totalement intégré. Blancs et Noirs ensemble, spectateurs comme musiciens. À cette époque, même à New York, les Blancs et les Noirs écoutent de la musique dans des lieux séparés. Pas simple, mais avec l'aide de John Hammond, le célèbre *talent scout*, il fait venir des inconnus qui deviennent vite célèbres: Ruth Brown, Big Joe Turner, Lena Horne ou encore Sarah Vaughan. Et puis, grâce à Billie Holiday, Café Society entre dans la légende. Ici, Lady Day interprète « Strange Fruit » pour la première fois. « Ces corps noirs qui se balancent dans la brise du Sud, comme d'étranges fruits aux branches des peupliers ». La pendaison publique de deux citoyens noirs Thomas Shipp et Abram Smith à Marion dans l'Indiana par le Ku Klux Klan le 7 août 1930 a inspiré ce texte glaçant à son auteur Abel Meeropol (une photo a immortalisé les badauds du village observant le sinistre spectacle, certains avec un rictus souriant). À partir de 1939, Billie choisit de terminer chacune de ses prestations par « Strange Fruit ». On devine les frissons qui étreignent les premiers spectateurs à l'écoute de sa voix au bord des sanglots. Un long silence s'installe dans la salle. Billie Holiday ne fait pas de rappel, laissant chacun face à la conscience de l'Amérique, à sa propre conscience. Le club ferme ses portes en 1948.

### 278 BLEECKER STREET

JOHN'S PIZZA / Lou Reed préfère la Margarita

Tenue par des Italiens depuis John Sasso en 1929, cette pizzeria est un témoin vivant de l'histoire du Village. Lou Reed et Laurie Anderson étaient des habitués (l'ex-Velvet ayant un faible pour la margarita). Ici, dans une longue scène de *Manhattan* (1979), Tracy (Margaux Hemingway) annonce à Isaac (Woody Allen) qu'elle est reçue dans une université anglaise. Sinon, les pizzas sont excellentes.

### 371-375 WEST STREET / BORROW STREET

WEST VILLAGE HOUSES / Blonde on Blonde

La photo de couverture de *Blonde On Blonde*, le double album de Bob Dylan aurait été shootée sur West Street à la hauteur de Borrow Street par Jerry Schatzberg. À l'époque c'était une usine, Brooks Transportation. C'est aujourd'hui un vaste ensemble d'immeubles en brique. Dylan se serait tenu exactement entre les deux premiers immeubles sur le bord de West Street.

### 51-53 CHRISTOPHER STREET / 4th STREET W

STONEWALL INN / GAY LIBERATION MONUMENT / La révolte LGBT

C'est peu dire que dans les années cinquante et soixante, gays et lesbiennes souffrent d'un système juridique ultra-répressif aux États-Unis. Dans la nuit du 28 juin 1969 un raid de la police investit un bar gay de Christopher Street, le Stonewall Inn en arrêtant treize personnes (classé site historique, il existe toujours). Mobilisée par les patrons du bar, la

communauté LGBT organise une virulente vague de manifestations qui dure six jours. Ce qu'on appelle les émeutes de Stonewall marque le véritable début de l'émancipation des gays aux États-Unis et dans le monde. Un an plus tard The Gay Liberation Front décide d'une marche commémorative, la première Gay Pride de l'histoire. Le 23 juin 1992, une statue symbolique entièrement blanche est inaugurée dans un minuscule parc tout proche. Œuvre de George Segal, elle figure deux femmes assises sur un banc devant deux hommes debout. Christopher Street, artère principale du quartier gay de la ville dans les années soixante-dix et quatre-vingt a naturellement payé un lourd tribut à l'épidémie du sida. Vers 1973, Lou Reed a habité au 53 Christopher Street. Il rend hommage à sa rue sur l'album *New York* : « *there's a down town fairy singing out "Proud Mary" as she cruises Christopher Street* ».

### 360 W 11th STREET

PALAZZO CHUPI / Le fantasme de Julian Schnabel

Dans une ville qui ne manque pas de sujets d'étonnement, les 4 600 m² du Palazzo Chupi de Julian Schnabel sont assez bluffants. L'artiste-cinéaste a fait construire un palais au-dessus d'une usine désaffectée qui servait d'étable au début du XXe siècle. Entièrement rose. Sa façade d'inspiration vénitienne « en stuc rouge pompéien » est percée de 180 fenêtres avec des balcons dotés de balustrades en bronze. Au beau milieu de Greenwich Village, l'effet est véritablement saisissant ! Ce que certains ont vu comme l'expression d'un ego démesuré (quelle idée ?), d'autres ont considéré qu'il s'agissait d'une véritable œuvre d'art signée par l'artiste. La partie basse sert d'atelier et Schnabel vit dans une partie du palais (avec piscine) à qui il a donné le surnom de sa femme : Chupi. Mignon non ? Le reste est divisé en appartements. Les œuvres de Julian Schnabel sont visibles dans le monde entier et sa filmographie comporte le biopic de *Basquiat* et *Le Scaphandre et le Papillon*. On lui doit un court-métrage dédié au Berlin de Lou Reed et la couverture des albums d'Elton John *The Big Picture* et de Red Hot Chili Peppers *By The Way*.

## 567 W 11th STREET / HUDSON STREET

**WHITE HORSE TAVERN / Dylan Thomas y picolait. Bob Dylan y zonait**

Dylan Thomas, l'homme qui a inspiré à Robert Zimmerman son nom d'artiste, était une figure de la scène folk des années cinquante. Le poète

venait très souvent boire plus que de raison à la *White Horse Tavern* et un soir de novembre 1953, il s'en est fallu de peu qu'il reste sur le carreau. Dans ce repaire de la beat generation, quelques années plus tard, Dylan vient régulièrement traîner ses jeans et sa guitare accompagné de Suze pour écouter quelques airs irlandais et les Clancy Brothers. Norman Mailer et William Styron aussi. Jack Kerouac (quand il n'habite pas loin avec Helen Weaver) est souvent viré de la taverne, ivre mort. White Horse Tavern existe toujours.

### 11th STREET W/WEST HIGHWAY

Le duplex de Lou Reed et Laurie Anderson

Dans les dernières années de sa vie, Lou Reed avec Laurie Anderson partageait son temps entre sa maison des Hamptons et un duplex avec vue imprenable sur l'Hudson. Il raconte que, de son appartement, il a assisté en direct aux évènements du 11 Septembre, et à l'amerrissage de l'Airbus sur l'Hudson en 2009.





### 107 BANK STREET – John Cage & Merce Cunningham

John Cage et Merce Cunningham habitaient ensemble dans cet immeuble de la très artistique Bank Street. Pour ceux qui pensent qu'en dehors du rock, il n'y a pas de salut, il faut rappeler que John Cage fut l'un des plus fameux compositeurs de musique expérimentale du XXe siècle. Quant à Merce Cunningham, en quittant la compagnie de Martha Graham, il a fait entrer la chorégraphie dans l'ère de la danse contemporaine. Dès les années quarante, les expérimentations des deux artistes ont révolutionné les relations entre danse et musique.

### 105 BANK STREET /GREENWICH STREET

Sometimes in NYC

Lorsque John Lennon et Yoko Ono, se sont installés à New York sur l'impulsion de la jeune femme, ils ont posé leurs valises à l'Hotel St Régis. Même si le couple adore vivre dans les chambres d'hôtel (on se souvient des fameux *bed-in*) ils finissent quand même par louer un petit appartement duplex au dernier étage de cet immeuble en octobre 1971. Il appartient au batteur des Lovin' Spoonful, Joe Butler. L'ex-Beatles qui est en train de faire un carton mondial avec « Imagine », adore se promener dans le quartier, déjà sans aucun garde du corps. Dans leur chambre, John & Yoko se mettent à composer l'album *Sometimes In New York City*. Le couple est en plein trip peace and love mais en mode militant. Il multiplie les gestes en faveur de la paix. Entretenant des liens avec certains extrémistes, il commence à être sérieusement dans l'œil du cyclone du FBI. En 1972, l'appartement est cambriolé alors que le couple dort dans la chambre. Y a-t-il un lien ? Un peu parano, John décide de déménager au Dakota Building en février 1973.

**63 BANK STREET** – Sid Vicious : dernier excès

On connaît l'histoire. Sid Vicious, incontrôlable bassiste des Sex Pistols, a quitté le groupe à San Francisco, lors de la tournée Américaine. Il a rencontré son âme damnée, en la personne de Nancy Spungen, une furie défoncée. Elle le rend totalement junkie et, un soir, particulièrement chargé, Sid la poignarde dans la chambre n° 100 du Chelsea Hotel. Premier séjour à Rikers Island. Libéré sous caution grâce à Virgin Records. Le 1er février 1979, il sort d'une seconde incarcération (pour s'être battu avec le frère de Patti Smith). Sa mère, Anne Beverley, encore plus cinglée et plus junkie que son fils, fête la bonne nouvelle en lui filant une dose d'héroïne dès la sortie de la prison. Sans doute pas de la meilleure qualité. Ils se rendent dans l'appartement d'une amie, Michelle Robinson, au 63 Bank Street. Le photographe Peter Gravelle se joint à eux. Il a réalisé les premiers clichés de la scène punk anglaise. Il est l'auteur des couvertures de l'album de Jam *All Mod Cons* et du premier disque des Damned. Il apporte de l'héroïne. De la bonne. Vicious, qui a dû être sevré pendant son séjour

derrière les barreaux, perd connaissance une première fois au cours de la soirée. Mais le musicien en a vu d'autres. Gravelle s'en va, rassuré. Michelle Robinson retrouve Sid Vicious inanimé le lendemain matin, 2 février. Simon John Ritchie est mort.

### 178 7th AVENUE / 11th STREET W

VILLAGE VANGUARD / Le Carnegie Hall du jazz

À son ouverture en 1935, Village Vanguard affiche toutes sortes de programmations possibles. Du folk bien sûr, mais aussi des lectures de poésie comme on en trouve un maximum à l'époque et même quelques spectacles comiques. Au fil du temps, le jazz s'impose et dès le milieu des années cinquante, Village Vanguard devient un passage obligé pour tout musicien qui se respecte. Ils ont pratiquement tous joué ici et il serait sans doute plus simple de citer ceux qui ne l'ont pas fait. Thelonious Monk est pratiquement découvert au Village Vanguard, une programmation alors courageuse de la part du propriétaire Max Gordon car son style est assez iconoclaste. Sonny Rollins, John Coltrane, Bill Evans, Elvin Jones, Dizzy Gillespie, Art Pepper se mettent à éditer les enregistrements de leurs concerts *Live At The Vanguard*. Du coup, pour un album de jazz, porter la mention « *Live at the Vanguard* » en couverture devient une sorte de label de qualité. Et surtout une perspective de ventes florissantes. Aujourd'hui, même si Max Gordon n'est plus de ce monde, le club est bien vivant. Certes la programmation n'est plus aussi relevée, crise du jazz oblige, mais beaucoup de touristes viennent essayer de ressentir les effluves de la grande époque.

### 11 W 4th STREET puis 130 W 3rd STREET

GERDE'S FOLK CITY / Dylan Première

Dans la biographie de Bob Dylan, voici un lieu chargé d'histoire. Nous sommes le 26 septembre 1961, Mike Porco, le patron du Gerde's Folk City, engage le jeune chanteur pour quelques soirées en première partie du bluesman John Lee Hooker. C'est sa première prestation scénique digne de ce nom. Un journaliste du *New York Times*, Robert Shelton, est sans la salle. Trois jours plus tard, le premier article sur Dylan est

publié sous le titre : « *20 year old singer is bright new face at Gerde's Folk City* ». Robert Shelton n'écrit que du bien du chanteur à l'exception d'une remarque à propos de ses vêtements « qui auraient sans doute besoin d'être remis au goût du jour ». Albert Hammond, *talent scout* de Columbia (il a déjà découvert Billie Holiday et Aretha Franklin) le repère et Albert Grossman, manager de Peter, Paul and Mary le prend sous son aile. Sa carrière est lancée. Quelques mois plus tard, le 16 mars 1962, il donne ici sa toute première version scénique de « Blowin' In The Wind ». Il faudra attendre août 1963 pour que le titre sorte en album. Ce qui a laissé le temps à un certain Lorre Wyatt, de le chanter devant les étudiants de son université du New Jersey et d'essayer de se l'approprier. La rumeur a même circulé un temps que Dylan n'en était pas l'auteur ! Gerde's Folk City est également le théâtre de sa première rencontre avec Joan Baez. Le début d'une relation amoureuse et musicale. Simon et Garfunkel jouent sur ces planches pour la première fois sous ce nom. Avant un grand nombre de personnalités comme Janis Joplin, Jimi Hendrix, Joni Mitchell, les Byrds et beaucoup d'autres. En 1970, le club déménage 130 W 3rd Street. Sonic Youth y donnent pas mal de concerts, le plus étrange étant celui du 12 juin 1985 où ils expérimentent de nouvelles formules avec trois batteurs, dont un au fond de la salle, des amplis répartis un peu partout et des projections de films sur plusieurs écrans. Mais ce n'est pas pour cette raison que le club a définitivement fermé en 1987.

**55 JANE STREET / 9th AVENUE** – Shaft

Gordon Parks a situé ici l'appartement de son héros Shaft dans le film éponyme de 1971 mis en musique par Isaac Hayes.

**15 W 4th STREET** – THE BOTTOM LINE / La naissance du Boss

Le 12 février 1974, pour l'inauguration du Bottom Line, une jam session incongrue a réuni Dr John, Stevie Wonder et Johnny Winter devant 400 personnes dont Mick Jagger et Carly Simon. Dans le genre, on a aussi vu un duo Bob Dylan avec Muddy Waters ou encore Bob Marley partageant la scène avec Taj Mahal (on aurait adoré y être). Les New York Dolls, (Suzie Quatro en première partie) en avril 1974 lors d'un concert épique, ont poussé le bouchon un peu loin. Ils n'ont jamais été réinvités. Patti Smith a fait sa première grande salle ici, trois soirs successifs en novembre 1975, avec Lou Reed, David Johansen, Tommy Ramone et Bruce Springsteen dans le public. Les Ramones, de leurs côtés, ont fait quelques infidélités au CBGB les 10 et 11 mai 1976. Lou Reed met en boîte son album live *Take No Prisoners* au Bottom Line entre le 17 et le 21 mai 1978 et le jeune Prince occupe la scène le 15 février 1980 quelques mois avant d'enregistrer son troisième album *Dirty Minds*. Mais c'est Bruce Springsteen qui fait définitivement du Bottom Line un landmark rock'n'roll en jouant consécutivement cinq soirs enfiévrés à partir du 13 août 1975. De l'avis des personnes autorisées, la légende du Boss est sans doute née ces soirs-là, deux semaines avant la sortie de *Born To Run*. Le Bottom Line ferme ses portes en 2003, le propriétaire des lieux, l'université de NY (!) jugeant officiellement que le loyer était réglé de façon un peu trop fantaisiste.



**WASHINGTON SQUARE PARK** – Le centre du Village

Nous sommes ici dans l'épicentre de la vie culturelle du Village des années cinquante à soixante-dix. (Edward Hopper a habité et peint pendant cinquante ans au 3 Washington Square North). À cette époque, un melting-pot de chanteurs folk, de beatniks, de hippies, d'étudiants des universités voisines cohabitent plutôt en bonne intelligence sous le regard bienveillant de l'arche, érigée en 1892 en l'honneur de George Washington (et, il faut bien le dire, pompée sur l'Arc de Triomphe de Paris). Traditionnellement, chaque dimanche après-midi, des concerts folk sont organisés. Dans une ambiance plutôt cool. En avril 1961, ils sont interdits par les autorités malgré la rébellion – *the beatniks riots* – emmenée par Izzy Young, le propriétaire du Folklore Center. Bob Dylan faisant partie des rebelles. Tout cela n'empêche pas Paul Simon et son copain d'enfance Art Garfunkel

de s'installer parfois sur un banc pour imiter les Everly Brothers. Dans les années quatre-vingt, changement de tonalité. La drogue commence à envahir le parc. Le maire Ed Koch, fait rapidement le ménage comme il l'a fait dans le reste de la ville. Ensuite, le lieu reste longtemps assez fidèle à lui-même accueillant des performers de tous bords (musiciens, poètes, acrobates) jusqu'à ce que la ville légifère de nouveau (les villes adorent légiférer…). Aujourd'hui, seuls les joueurs d'échecs animent le parc à l'ombre des arbres. Sauf quand Madonna décide d'un miniconcert impromptu de trente minutes le 7 novembre 2016 en soutien à la candidature de Hillary Clinton à la présidence. Pour retrouver l'ambiance du Washington Park dans son esprit originel, il est nécessaire de revoir le film de Larry Clark, *Kids*.

## 5 UNIVERSITY PLACE / WASHINGTON SQUARE NORTH

WEINSTEIN HALL CHAMBRE 712 / Naissance de Def Jam

Cette résidence étudiante de la New York University ressemble à toutes les autres. Un peu plus sage, un peu plus proprette peut-être. Comment croire qu'au huitième étage, la petite chambre 712 a joué un rôle fondateur dans l'édifiante histoire du rap ? En 1982, Rick Rubin étudiant en deuxième année de philosophie creuse ici les premiers sillons du futur empire Def Jam Records. En fait ce n'est pas une chambre. Mais plutôt

un entassement d'amplis, de disques, de chaussettes sales, de platines et de baskets informes. Plus de place pour des bureaux ou même des lits. On conviendra qu'il est difficile pour Adam Dubin son *roommate*, de travailler dans un tel environnement. « T'as qu'à aller travailler à la bibliothèque » étant le seul conseil qu'il reçoit de Rubin. En fait ici est en train de naître le label qui va changer la musique américaine pour les futures décennies. Quelques mois plus tard Rick Rubin va rencontrer Russell Simmons pour donner un essor décisif à DefJam Records. LL Cool J, Beastie Boys, Public Enemy sont les premiers succès de Def Jam qui devient une énorme machine (Jay-Z en est même président en 2005 avant de fonder Roc Nation). Aujourd'hui, le lieu n'a pas changé. Rubin est même revenu sur les lieux du crime trente ans après pour un reportage du magazine *Rolling Stone*. La chambre était beaucoup mieux rangée !

**1 FIFHT AVENUE** – La couverture de Horses

Sam Wagstaff propriétaire d'une galerie d'art et collectionneur fut le pygmalion et l'amant de Robert Mapplethorpe pendant près de quinze ans. Sans lui, le photographe serait sans doute resté dans sa chambre noire. Il est mort du sida deux ans avant lui. Il habitait un penthouse de cet immeuble Art Deco donnant sur l'arche de Washington Square Park. C'est là, devant un mur blanc immaculé, que Mapplethorpe shoote la légendaire photo de couverture de *Horses* le premier album de Patti Smith. Le photographe utilise un Polaroid avec une lumière naturelle. Douze clichés dont il retient le huitième. « Une pose à la Frank Sinatra », comme se décrit la chanteuse dans sa biographie *Just Kids*. Elle porte une chemise blanche achetée à l'Armée du Salut de Bowery. La petite broche accrochée à un revers de la veste lui a été offerte par son *boy friend* Allen Lanier.

(Plus tard, Patti logera dans cet appartement avec lui). On sait moins que Keith Richards sera, quelques années seulement, propriétaire d'un duplex dans l'immeuble. Revendu en 2018.

### 11 FIFHT AVENUE / 9th STREET

BREVOORT APARTMENTS / Buddy Holly à New York

Nous sommes à la fin des années cinquante. The Brevoort Apartments viennent juste d'être achevés quand Buddy Holly s'installe dans l'appartement d'angle 4H. Deux chambres et une terrasse pour un loyer de 1 000 $ mensuel. En quelques mois, le Texan vient d'aligner une série impressionnante de futurs classiques du rock'n'roll : « That's Will Be The Day », « Oh Boy », « Not Fade Away », « Peggy Sue ». Il n'a pourtant pas les attributs classiques d'un héros rebelle du rock'n'roll. Grand et mince escogriffe, il ressemble à un étudiant attardé avec son sage costume et ses fameuses Wayfarer. En s'installant à New York, il veut goûter à l'ambiance de « là où tout se passe ». Buddy vient d'épouser Maria Elena Santiago. Un vrai coup de foudre. Le couple sort beaucoup, notamment dans les clubs de jazz du Greenwich Village voisin. On le croise notamment au Café Madrid de 14th Street avec les Everly Brothers. Maria Elena attend un bébé. Buddy est heureux. Il a acheté un magnétophone Ampex à son producteur Norman Petty. Il en profite pour s'enregistrer seul avec sa guitare. Début 1959, il part en tournée, laissant Maria Elena dans l'appartement de Fifht Avenue. On connaît la suite, l'accident d'avion du 3 février. Le jour « où la musique est morte » comme le rappellera Don McLean quelques années plus tard. Les bandes des derniers enregistrements seront retrouvées dans un meuble de l'appartement. Parmi eux, « Peggy Sue Got Married », sortira en single avec des instruments rajoutés par Norman Petty. En juin 2018, l'appartement 4H s'est vendu 1,6 million de $.

### 9th STREET / 5th AVENUE – Le camion des Rolling Stones

Le 1er mai 1975, les Rolling Stones organisent l'une des plus belles opérations promotionnelles de l'histoire du rock pour le lancement de leur *Tour Of The Americas*. Ce jour-là, les journalistes sont conviés au restaurant Feathers à l'angle de 5th Avenue et 9th Street pour une présentation des détails de la tournée. À l'heure dite, le restaurant est désert mais à l'extérieur on voit (et on entend) débouler lentement un gros camion doté d'une plateforme sur laquelle le groupe joue en live « Brown Sugar ». Mick Jagger fait tourner une écharpe blanche au-dessus de sa tête. Ronnie Wood est bien là (la rumeur était donc exacte, c'est bien lui qui remplace Mick Taylor). Des tracts sont lancés du camion annonçant les dates de la tournée. Après un court stop devant Feathers, le truck reprend son chemin sur 5th Avenue escorté par une foule qui grossit à vue d'œil. Au même moment, toutes les radios du pays annoncent que les places de la tournée sont d'ores et déjà en vente. Les journalistes sont ravis, le buzz est énorme, les tickets s'arrachent.

### 61 FIFHT AVENUE / 13th STREET E

LONE STAR CAFE / Le Texas s'installe sur la cinquième

Ce qui frappait en premier quand on venait au Lone Star Cafe c'était l'énorme statue d'un iguane plantée sur la terrasse. À l'intérieur, ce qui plaisait c'était le meilleur du Texas, c'est-à-dire sa musique. George Strait, Willie Nelson, Roy Orbison, Doug Sham et bien d'autres ont honoré ce café ouvert en 1976. James Brown et Bob Dylan qui étaient fort peu Texans ont même joué ici. Ce dernier pour tenir compagnie à des anciens du Band. Les habitants du quartier appréciant modérément l'iguane sur le toit ont tout fait, d'abord pour le faire disparaître, ensuite pour faire fermer le café en 1989.





### 32 W 8th STREET

EIGHT STREET BOOKSHOP / Allen Ginsberg rencontre Dylan

Encore un autre refuge de la beat generation dans le Village. Quand les frères Eli et Ted Wilentz ouvrent cette librairie en 1947, elle attire rapidement des écrivains comme Ginsberg, Kerouac ou E.E. Cummings. On peut y passer la journée à lire ou écrire sans que les propriétaires s'en offusquent. Bon plan ! En 1964, au deuxième étage, Dylan rencontre pour la première fois Allen Ginsberg au cours d'une *party*. Ils ne se quitteront plus beaucoup au cours de la décennie suivante. (On se souvient du clip de « Subterranean Homesick Blues », tourné près de l'Hotel Savoy à Londres, Dylan effeuillant les paroles de la chanson avec le fidèle Ginsberg au second plan). La librairie n'existe plus.

### 52 W 8th STREET

ELECTRIC LADY STUDIOS / The house that Jimi built

Jimi Hendrix, ultra-perfectionniste, était réputé pour passer beaucoup de temps en studio. Ce qui finissait par lui coûter très cher. En rachetant Generation Club (c'est ici que Sly and the Family Stone avaient donné leur premier concert à NY), il va non seulement économiser pas mal de dollars, mais surtout réaliser un vieux rêve. Pour la première fois, une rock star va posséder son propre studio. Hendrix peut peaufiner le lieu comme il le souhaite vraiment. 1 million de $ est investi dans Electric Lady Studios

(référence à l'album *Electric Ladyland*). Le magicien John Storyk conçoit deux studios aux couleurs psychédéliques, une pièce pour se relaxer, une totale insonorisation (un métro passe juste en dessous). En 1969 et 1970, les travaux sont retardés par nombre de problèmes administratifs, mais au fur et à mesure de l'avancement, le guitariste commence à enregistrer (le disque posthume *Cry Of Love*). L'inauguration a finalement lieu le 28 août 1970. Le lendemain Hendrix doit prendre un vol Air India pour Londres. Il va jouer au festival de l'île de Wight. Quelques jours plus tard il est retrouvé mort dans un hôtel de Portobello. Depuis, Electric Lady ne cesse d'attirer les meilleurs musiciens. Le 5 juin 1974, Patti Smith pénètre pour la première fois dans un studio, ce studio, pour enregistrer avec Tom Verlaine à la guitare son premier single autoproduit, un titre que Hendrix a rendu populaire « Hey Joe » avec « Piss Factory » en face B. Elle reviendra enregistrer son premier album *Horses* en septembre 1975, produit par John Cale. Comme les Dead Boys avec Stiv Bators pour leur première réalisation *Young, Loud And Snotty* produit par Genya Ravan en 1977. Et puis, Stevie Wonder (*Music Of My Mind*, *Talking Book*), Bob Dylan, les Rolling Stones, Led Zeppelin, David Bowie (entre autres, « Fame » accompagné de John Lennon), Coldplay, Erykah Badu (*Mama's Gun*), Lana Del Rey (pour son multiplatiné *Born To Die*), Daft Punk (pour une partie de *Random Access Memory* dont « Get Lucky »). Aujourd'hui, Electric Lady est encore l'un des studios les plus demandés de la ville.

**140 WAVERLY PLACE / 6th AVENUE** – Les vies d'Al Kooper

Al Kooper a eu plusieurs vies. D'abord guitariste de studio renommé, il forge sa légende lors de l'enregistrement de « Like A Rolling Stone » de Bob Dylan. Engagé pour jouer de la guitare, c'est finalement à l'orgue qu'il entre dans l'histoire. Puis, on le suit au sein des Blues Project qui connaît un succès discret à la différence des subtiles super sessions enregistrées live avec ses copains Mike Bloomfield et Stephen Stills en 1969. Ensuite, c'est comme producteur qu'Al Kooper fait parler de lui. Il imagine, conçoit et monte de toutes pièces le concept Blood, Sweat and Tears, un big band rock avec section cuivre nerveuse. Le succès est immense. Il produit aussi quelques pépites comme « Time Of The Season » pour les Zombies avant de lancer Lynyrd Skynyrd avec la gloire que l'on sait. En 1966, il s'installe ici avec sa femme Joan dans un appartement bien simple du rez-de-chaussée. Le succès venant, il quitte la place, sans regret, en 1968.

**163 WAVERLY PLACE**

WASHINGTON SQUARE HOTEL / Dylan chambre 305

Cet hôtel est resté tout à fait charmant, gardant un parfum européen de la belle époque. Bob Dylan a passé pas mal de nuits ici, en arrivant à New York en 1961 (quand il n'était pas hébergé à droite ou à gauche). Puis en 1964, chambre 305, lors de son idylle avec Joan Baez. Bo Diddley logeait ici chaque fois qu'il venait à New York comme Albert King et Ramblin' Jack Elliott, chambre 312. Le Washington Square Hotel était le camp de base des Rolling Stones en 1964 lors de leur premier US tour. On raconte également que John et Michelle Phillips, sans doute nostalgiques de la West coast, auraient écrit « California Dreamin' » ici, ce qui n'est pas rien ! Un peu avant... en avril 1918, le jeune Ernest Hemingway y séjourna trois semaines.

**50 W 12th STREET / 6th AVENUE** – David Byrne

Le leader de Talking Heads, David Byrne, a longtemps vécu dans cette maison construite en 1856. Il l'a vendue près de 6 millions de $ en 2005 à la peintre Melinda Hackett.

**59 W 12th STREET / 6th AVENUE** – Dernier appartement d'Hendrix

Jimi Hendrix était plutôt du genre nomade. Pour les maisons comme pour les *girl friends*, il n'avait pas vraiment d'attaches. Il aimait bien les hôtels et collectionnait les *homes* à New York et pas toujours les plus reluisants. (9th St. 321 E/Jane St. 61/Bedford St. 31). À l'exception de celui-ci, appartement n° 10 C, le dernier qu'il occupe avant sa mort. Bien pratique, à deux pas du studio d'enregistrement qu'il s'est fait construire, Electric Lady. C'est la demeure la plus cossue que le guitariste ait jamais habitée, le luxe du bâtiment voulant rivaliser avec les plus élégants immeubles de Central Park West. Plus tard, des personnalités comme Cameron Diaz ou John Waters y habiteront.

**135 W 13th STREET** – Joe Jackson goûte la Grosse Pomme

L'artiste britannique Joe Jackson est venu à New York enregistrer son album *Night And Day* en janvier 1982. Un énorme succès des deux côtés de l'Atlantique. Ayant goûté à la Grosse Pomme, il décide de s'y installer un peu plus tard et pour quelques années. Aujourd'hui, il vit à Berlin où il dit retrouver la même énergie que dans le New York des *eighties*.

**225 W 13th STREET**

DFA RECORDS / PLANTAIN RECORDING HOUSE

House of jealous lovers

« House Of Jealous Lovers » des Rapture. Ça vous dit quelque chose ? Si, rappelez-vous. Ce truc énorme, puissant et délirant sorti en 2002 par le jeune label DFA (Death From Above). Les Anglais (qui ont souvent du goût) en ont fait un hit indie, classé tout en haut des *polls* de fin d'année du *NME*. Et bien, ce titre a été enregistré ici, au sous-sol du siège du label, dans les studios Plantain Recording House. DFA crée par Tim Goldsworthy, Jonathan Galkin et James Murphy. Ce même James Murphy qui sortira le deuxième hit du label « Losing My Edge » avec son propre groupe LCD Soundsystem la même année.

# • CHELSEA / UNION SQUARE •
# GRAMERCY PARK

*du sud au nord et d'ouest en est*

Ce chapitre nous guide avec gourmandise dans Manhattan d'ouest en est en partant de Meatpacking, l'ancien quartier glauque des abattoirs aujourd'hui haut lieu bobo avec ses boutiques, ses hôtels et sa High Line, ancienne voie ferrée aérienne transformée en sentier arboré. Ici, on croise le souvenir de Beyoncé et de Mick Jagger. Puis Chelsea, réputé à juste titre, pour son hôtel du même nom mais aussi pour les plus légendaires et sulfureux clubs des folles années quatre-vingt, une histoire à eux seuls. Gallery, Danceteria, Limelight, Roxy, Fun House, Tunnel, Sound Factory et leurs DJ stars, Junior Vasquez, Jellybean, Nicky Siano, Mark Kamins et Arthur Russell. En direction d'Union Square, on croisera l'omniprésent Jay-Z, Bob Dylan et on suivra les traces de Andy Warhol dans sa Factory et au Max's Kansas City suivi par l'ombre des Clash.

## 835 WASHINGTON STREET / 12th STREET W

### MINDSHAFT / Jagger ne rentre pas

Ici se tenait un mythe des nuits new-yorkaises, Mindshaft, le bar gay/SM le plus extrême et le plus célèbre des années soixante-dix. Il a servi de modèle au film *Cruising* avec Al Pacino et Freddie Mercury porte un tee-shirt siglé du nom du club (collector !) dans le clip « Don't Stop Me Now ». Si Michel Foucault et Rock Hudson sont les bienvenus, fort peu de femmes ont la chance de pénétrer le lieu. Mais elles ne sont pas les seules. Les méchantes langues racontent que Mick Jagger, futur *Sir* de sa gracieuse majesté, se serait fait refouler à l'entrée. Le club ferme ses grilles en novembre 1985 lorsque l'épidémie de sida commence ses ravages.

## 848 WASHINGTON STREET / 13th STREET W

### THE STANDARD HIGH LINE
### Riot dans l'ascenseur

L'hôtel des *beautiful people* possède une caractéristique cocasse : les fenêtres de ses chambres donnant sur l'Hudson sont d'immenses baies vitrées sans rideaux ni volets. Pareil pour les toilettes du bar. *So show off!* Une sacrée invitation à l'exhibitionnisme qui n'a pas échappé à Steve McQueen le réalisateur de *Shame* auteur d'une scène culte avec Michael Fassbender. Mais dans la pop culture, The Standard (qui appartient à André Balazs, l'heureux propriétaire du Chateau Marmont à L.A.) est surtout connu pour ses ascenseurs. Le 5 mai 2014, une violente dispute éclate entre Jay-Z et sa belle-sœur Solange Knowles entre deux étages. Naturellement les caméras de surveillance ne ratent rien et tout aussi naturellement les réseaux sociaux livrent la scène en pâture au monde entier. Buzz énorme : on voit Solange donnant coups de poing et de pieds à un Jay-Z un peu KO aux côtés d'une stoïque Beyoncé. Seul un immense garde du corps réussissant finalement à maîtriser la furie, non sans mal ! Depuis des millions de pages internet ont essayé de décrypter les raisons d'une telle colère. Certaines affirment que la jalousie n'y serait pas étrangère. Sinon le bar de l'hôtel au dernier étage est épatant, mais difficilement accessible aux gens du peuple.

**542 SIXTH AVENUE / 14th STREET W**

Lester Bangs, dernière chronique

On décrit successivement Lester Bangs comme l'un des plus grands *rock critics* de l'histoire, comme l'inventeur du mot « punk » comme l'un des meilleurs auteurs du journalisme gonzo. N'en jetez plus ! Peu importe où se situe la vérité. Bangs était bel et bien un personnage monumental : véhément, gonflé, alcoolo, incontrôlable, libre, camé, foutraque, cruel, courageux, iconoclaste, de mauvaise foi. Une plume éclatante. Sa carrière débute à San Francisco chez *Rolling Stone* dont il se fait virer pour son manque de respect envers les musiciens qu'il vilipende brillamment mais méchamment dans ses chroniques, puis à Détroit, où il forge sa légende de *rock critic* comme directeur de la rédaction de *Creem*, de 1971 à 1976. Ses articles sont longs, très longs et il adore prendre des chemins de traverse pour évoquer sa propre vie. Il prend son pied à dézinguer les intouchables (MC5, Led Zeppelin...) et inspire des générations entières de *rock critics*, y compris (surtout ?) en France. En 1976, il s'installe à New York (bonne période). Free-lance, il écrit pour *The Village Voice*, *New Musical Express*, *Playboy*, il publie des ouvrages et enregistre même des disques. C'est dans cet immeuble où il habitait qu'il meurt le 30 avril 1982 à trente-trois ans, de complications respiratoires. La surconsommation d'analgésique, de valium et d'alcool n'étant pas étrangère à cette fin précoce.

**41 W 16th STREET** – Joni Mitchell pose ses valises

Délaissant son Canada natal, laissant derrière elle une petite fille et un mari, Joni Mitchell passe quelques années à bourlinguer dans le nord et l'est des États-Unis. Finalement, elle fait escale à New York en 1967. Elle a vingt-deux ans. Halte obligée au Chelsea Hotel. Elle rencontre son compatriote Leonard Cohen. Ils nouent une courte idylle. Puis elle pose ses valises dans un studio calme au second étage de cet immeuble étroit. L'église, juste en face, laisse quand même passer le soleil. On se croirait presque en Californie. S'ouvre une période prolifique pendant laquelle la future Lady of the Canyon écrit quelques-unes de ses plus belles compositions comme

« Chelsea Morning ». Mais New York n'est qu'une escale. David Crosby va bientôt l'enlever pour lui faire connaître les plaisirs de Los Angeles et de Laurel Canyon où elle s'installe définitivement.

**515 W 18th STREET** – THE ROXY / L'épidémie hip-hop

Rappelons-nous. Les années quatre-vingt. La folie du roller. Le Roxy est surnommé le Club 54 du roller. L'équipe olympique US 1980 de hockey sur glace vient même célébrer sa médaille d'or ici. Lorsque la vogue des salles de rollers se met à fondre, le Roxy devient un club. On peut écouter toutes sortes de dance music, mais certains soirs le hip-hop est à l'honneur. Les promoteurs du Club Negril dans le Lower East Side cherchant une salle plus grande ont jeté leur dévolu avec bonheur sur le Roxy. Les fameuses soirées hip-hop de Ruza Blue qui avaient fait le succès du Negril sont reproduites à l'identique dès l'été 1982 avec prestations de Afrika Bambaataa, Run-DMC (parmi leurs premiers concerts), Kurtis Blow, Grandmaster Flash, compétitions de break dance avec notamment le fameux Rock Steady Crew et performances de graffeurs comme Futura 2000 et bientôt Keith Haring et Basquiat. Le succès est immense, la curiosité faisant place à l'engouement et quand Warhol ou Jagger viennent passer une tête, on sait que la hype va bien au-delà du cercle des B-Boys pour toucher toutes les populations y compris les élégants clubbers. Negril a ouvert la porte, le Roxy entre avec fracas, brise les barrières pour laisser entrer le hip-hop dans la culture de Manhattan et bien au-delà. Plus tard, c'est un dance club de plus dans les folles années quatre-vingt-dix de la Grosse Pomme avec ses inévitables mais fameuses soirées gay du samedi (Roxy Saturdays) mais aussi des prestations flamboyantes de DJ stars comme Junior Vasquez, Frankie Knuckles, Victor Calderone et même le jeune David Guetta. Si le club ferme en mars 2007, ses murs, toujours debout (mais pour combien de temps ?) gardent les empreintes des concerts de Madonna, Donna Summer, Beyoncé, Gloria Gaynor ou encore Whitney Houston.



**454 W 20th STREET / 8th AVENUE** – Sur la route

Ici, en avril 1951, entre deux voyages avec son ami Neal Cassady, Jack Kerouac écrit la première mouture du classique des classiques de la beat generation *Sur la route*. L'appartement appartient à sa mère, fidèle et constant soutien. Il vient de rencontrer Joan Haverty qui va devenir sa seconde femme et lui donner une fille. *Sur la route* est écrit d'une seule traite, dans une prose spontanée, dactylographié sur un interminable rouleau de papier de trente-six mètres de long. Refusé par de nombreuses maisons d'édition, progressivement remanié, *Sur la route*, finit par être publié par Viking en 1957. (Le rouleau de papier sera vendu aux enchères en 2001 pour 2,43 millions de $. À l'occasion de la sortie du film de Walter Salles, inspiré de l'œuvre, il sera même exposé dans le monde entier).

### 47 W 20th STREET / 6th AVENUE 660

THE LIMELIGHT CLUB / Culte sulfureux

Cette tranquille église épiscopale de style néogothique, posée sur le bord de Sixth Avenue, ne demandait rien à personne quand elle devient un sulfureux rendez-vous nocturne en novembre 1983. Peter Gatien, déjà remarqué à Miami puis à Atlanta, est déjà une petite légende de la nuit quand il lance The Limelight à New York. Au début, bien sage, ce n'est qu'une boîte disco de plus. Et puis, rapidement la mèche prend, la hype s'emballe attirant les *beautiful people* de la ville. Le magazine *Interview* crée par l'inévitable Warhol multiplie les parties les plus cools. Prince, Pearl Jam se produisent sur la scène. Bientôt ce seront Mary J. Blige et Puff Daddy. Au début des années quatre-vingt-dix, The Limelight prend le virage techno. L'église attire alors les dealers du coin avec descentes de police et scandales qui vont avec. Jusqu'en 1996 où Angel Melendez, un pusherman habitué des lieux est retrouvé assassiné et démembré. Le coupable est un salarié de Peter Gatien, Michael Alig. Gros titres, scandale et fermeture temporaire. (En 2003, le film *Party Monster* avec Macaulay Culkin, s'inspirera de ce sordide fait divers). Quand le club est renommé Avalon, Gatien est déjà ailleurs. Il a racheté The Tunnel après avoir jeté son dévolu sur The Palladium. De toute façon, il est déjà entré dans la légende.

Le *New York Post* le surnomme « The King Of Clubs », Fun Lovin' Criminals le citent dans un de leurs hits, tout comme Jay-Z qui fait référence à son bandeau posé sur un œil dans le titre « Foundation » : « *Me and my operation, running New York nightscene, with one eye closed, like Peter Gatien* ». Black-listé du territoire US pour des problèmes fiscaux, Gatien est retourné dans son pays d'origine, le Canada, tout en continuant à collectionner les projets tous azimuts. La petite église, hantée par les souvenirs est toujours vaillamment dressée sur le bord de Sixth Avenue. Aux dernières nouvelles c'est un club de fitness.

**9 W 20th STREET** – SUNDRAGON STUDIOS / Qu'est-ce que c'est ?

Un petit studio (vraiment minuscule), situé au neuvième étage, a vu naître 77 le premier album de Talking Heads. Sorti le 16 septembre de cette année-là, il passe plutôt inaperçu même si le single *Psycho Killer* entre dans le Top 100 du Billboard. Les Ramones (le deuxième album *Leave Home*), David Johansen (*Here Comes The Night*) et les Plasmatics de Wendy O Williams ont également hanté les lieux. Tout comme l'actrice canadienne Carole Laure pour son premier opus *Alibis*. Le studio n'existe plus depuis longtemps, mais le bel immeuble est toujours là.



**30 W 21th STREET / 6th AVENUE**

DANCETERIA / La cassette de Madonna

Mark Kamins l'un des DJ's stars de Danceteria l'a décrit comme l'anti Club 54. Au Club 54, on venait pour se montrer et parader, à la Danceteria on vient pour écouter, danser, s'étourdir sur de la vraie bonne musique. Une chose est certaine, après le déclin du club de 54th Street, Danceteria a pris le pouvoir sur les nuits new-yorkaises des *eighties*. D'abord au 252 W 37th Street de 1979 à 1981. Puis ici, sur six étages. Des différentes Danceteria, celle-là est la plus fameuse. Pour pas mal de raisons. Anecdotiques d'abord. Madonna et Sade ont travaillé dans ce club avant la célébrité. Historique ensuite. Madonna a supplié le DJ de la boîte de diffuser une cassette d'une de ses démos. Devant la réaction des danseurs, Mark Kamins a décidé de présenter la chanteuse au boss de Sire Records, Seymour Stein. On connaît la suite. Juste retour des choses, c'est sur la scène de Danceteria que Madonna interprète pour la première fois son premier single « Everybody ». Cinématographiques ensuite : la scène de danse de *Recherche Susan, désespérément*. Musicalement enfin : si, à l'entrée, on réussissait à passer le filtre de l'intraitable Haoui Montaug on pouvait accéder à trois dancefloors. (Plus difficile d'atteindre le coin VIP où l'on pouvait croiser Jean-Michel Basquiat ou Keith Haring). Chaque floor

avait son DJ et tous les styles pouvaient cohabiter. Débutait alors l'époque post disco, celle des clips, de MTV et de ses icônes Wham!, Duran Duran, Billy Idol, Sade. Mais on pouvait également écouter les premiers disques de new wave ou de rap (Beastie Boys). Et du rock aussi. Une légendaire nuit du réveillon 1983 a vu le premier concert des Smiths à New York avec Madonna (encore elle!) venue les rejoindre sur scène et Morrissey tombant de la scène. L'aventure Danceteria s'est arrêtée en 1986.





### 132 W 22th STREET / 7th AVENUE

THE GALLERY / L'acide tel une hostie

Avec le Sanctuary, fermé en 1972, voici l'autre grand représentant d'une époque new-yorkaise complètement folle, la dernière avant l'apparition du sida. Ouverte le 28 juin 1973 par Nicky Siano et son frère Joe au deuxième étage d'un bâtiment industriel, cette boîte essentiellement gay est réservée aux membres ou sur invitation (toujours l'école de The Loft). L'acide est alors distribué à tout va, soit dans le punch (la boîte ne servant pas d'alcool!) soit sur un buvard et donné en offrande aux heureux bénéficiaires, telle une hostie. Nicky Siano, aux platines, fait preuve d'une agilité et d'une modernité diablement efficaces. Il est le premier à transformer le maniement d'une platine en démarche artistique. Une de ses idées consiste à couper toutes les lumières du dancefloor au moment le plus intense du morceau laissant les danseurs dans une obscurité démente avant de brutalement tout rallumer. Effet garanti. Le futur parrain de la house Frankie Knuckles est alors simple employé. Inutile de préciser qu'il apprend beaucoup. Siano est bientôt recruté par le Club 54. C'est lui qui officie aux platines lors de la fameuse soirée anniversaire de Bianca Jagger. Mais il est viré quelque temps plus tard pour usage abusif de drogues (l'hôpital qui se moque de la charité). The Gallery ferme en juillet 1974 et réouvre pendant quelque temps dans Soho (172 Mercer Street).

**222 W 23th STREET/7th AVENUE** – CHELSEA HOTEL/Welcome

Nous voici devant l'un des monuments de la légende du rock new-yorkais : Chelsea Hotel. La façade de style victorien gothique ornée d'une multitude de balcons en fer forgé noir date de 1905. Ici ont été accueillis les premiers rescapés du naufrage du *Titanic*. Début d'une longue tradition d'hospitalité qui va être érigée comme sacrée par Stanley Bard mythique propriétaire de l'hôtel pendant quarante ans. Idéaliste et excentrique, il faisait surtout preuve d'un grand amour et d'une immense tolérance envers les artistes qu'il hébergeait. Celui que *The New York Times* a surnommé « l'aubergiste Robin des bois » avait le chic pour mettre tout le monde à l'aise créant une atmosphère propice à la créativité. Tous étaient les bienvenus, même ceux qui n'avaient pas beaucoup d'argent (une majorité) et pas beaucoup de talent (une minorité). Certains payaient en peintures, ce qui ravissait Stanley Bard quand ils devenaient aussi célèbres que Kooning, Pollock ou Jasper Johns, tous anciens locataires. Arthur Miller (à la mort de Marilyn), William Burroughs (il y écrivit *Le Festin nu*), Jack Kerouac, Arthur C. Clarke (*2001 L'Odyssée de l'espace* est né ici), Mark Twain, Jean-Paul Sartre et Simone de Beauvoir y ont séjourné. Patti Smith décrit Hotel Chelsea comme « une maison de poupée dans la quatrième dimension, avec cent chambres, dont chacune abrite un univers ». Elle fait partie des nombreuses icônes du rock qui ont passé quelques nuits, mois, parfois années dans cet hôtel hors des normes. En 1969, elle occupait la chambre 1017, la plus minuscule, avec Robert Mapplethorpe. 55 $ par semaine. Bob Dylan, avec sa femme Sara, chambre 211 (« *Stayin' up for days in the Chelsea Hotel, Writin' "Sad-Eyed Lady Of The Lowlands" for you* »), Janis Joplin, chambre 411. Leonard Cohen, chambre 424. Janis Joplin ET Leonard Cohen, chambre 415. Andy Warhol n'y a pas dormi mais il y puisa le casting de son film *Chelsea Girls* où la plupart des actrices y habitaient, comme Viva et Nico. John Cale y a rencontré sa femme Betsey Johnson. Personne n'a oublié. Madonna y habitait à l'époque de la vache enragée. Devenue une star, elle est revenue shooter les images de son livre *Sex*, chambre 822. Miloš Forman débarquant directement de sa Tchécoslovaquie natale a longtemps vécu ici. Le metteur en scène devenu multi-oscarisé, tenait à revenir dormir au Chelsea quand il passait par

222 W 23th Street
Chelsea Hotel

New York. John Lennon, Jimi Hendrix, Édith Piaf, Tom Waits, Pete Doherty, Jerry Garcia, Iggy Pop, Dee Dee Ramone, Alice Cooper, Joni Mitchell et tant d'autres ont séjourné ici. La chanteuse canadienne a écrit « Chelsea Morning » en hommage. Elle y noua une brève idylle avec Leonard Cohen. Chelsea Hotel a connu une naissance. Et quelques décès. Le plus célèbre étant l'assassinat de Nancy Spungen, par son compagnon, le bassiste des Sex Pistols, Sid Vicious. Chambre 100. Sombre histoire d'un couple complètement à la dérive, rongé par les drogues dures. La nuit du 11 octobre 1978 de retour d'une soirée au Max's Kansas, Spungen est poignardée par Vicious. On ne se méfie jamais assez du cocktail Dinaudil + Seconal + Jack Daniels. Cet épisode fait partie des rares mauvais souvenirs de Stanley Bard. Le pire étant sans doute ce jour de juin 2007, quand ses deux associés l'ont viré avec pour objectif de vendre les lieux à un promoteur. L'hôtel Chelsea n'existe plus. Des travaux interminables transforment le bâtiment qui devrait devenir un hôtel et héberger quelques appartements luxueux. Stanley Bard est mort en Floride à quatre-vingt-deux ans le 14 février 2017 après une vie consacrée au bien être et à la créativité de ses amis, les artistes.

### 226 W 23th STREET / 7th AVENUE

EL QUIJOTE / La cantine du Chelsea Hotel

L'entrée de ce restaurant d'inspiration ibérique est située dans le même bâtiment que le Chelsea Hotel. Aussi, à la grande époque, beaucoup de ses clients fréquentaient les lieux. Dans *Just Kids*, Patti Smith raconte que la première fois qu'elle est entrée dans la salle, un véritable *who's who* de la scène rock s'étalait sous ses yeux. « À la table sur ma gauche, Janis Joplin avec sa cour du Holding Company. Sur ma droite il y avait Grace Slick et le Jefferson Airplane qui discutaient avec Country Joe and the Fish. À la table face à la porte d'entrée, se tenait Jimi Hendrix… » Ce jour-là, on aurait bien aimé être un verre de tequila ! Janis et Jimi ne sont plus là, mais El Quijote est toujours bien vivant.

**206 W 23th STREET / 7th AVENUE** – *Just Kids*

Juste après leur passage au Chelsea Hotel, Patti Smith et Robert Mapplethorpe ont vécu peu de temps au rez-de-chaussée de cet immeuble toujours debout. C'était en 1971. Sam Shepard, Lenny Kaye, Allen Lanier (Blue Öyster Cult) étaient des habitués. L'appartement est situé juste au-dessus du Jake's Saloon.

**129 W 23th STREET**

SAINT-VINCENT-DE-PAUL / Édith Piaf se marie

Fondée en 1869, coincée entre deux immeubles, Saint-Vincent-de-Paul est la dernière église catholique francophone de la ville. Édith Piaf (chanteuse de blues, elle a sa place ici) y a célébré son second mariage avec Jacques Pills en septembre 1952, Marlene Dietrich étant son témoin. L'union durera quatre ans. « ... *singing songs about Édith Piaf's soul, and I hear blue strains of "No regredior" across the street from Cathedral Notre Dame* » (Van Morrison). Menacée de destruction depuis longtemps, l'église est en fort mauvais état. Son toit fuit, ses vitraux sont ébréchés et ses fidèles ne valent pas mieux. Mais qu'importe, sous la protection de saint Vincent de Paul, rien ne peut lui arriver.

**200 11th AVENUE / 24th STREET W** – La fiancée de Mick Jagger

Dans l'appartement 9S avec vue imprenable sur l'Hudson River, la styliste L'Wren Scott met fin à ses jours le 17 mars 2014. Elle est alors la fiancée officielle du chanteur des Rolling Stones, Mick Jagger, depuis plus de dix ans.

**410 W 24th STREET / 9th AVENUE**

LONDON TERRACE / Repaire de rock stars

Ce vaste ensemble d'immeubles avec panorama a vu passer Debbie Harry et plus récemment Rufus Wainwright. Il a également hébergé la photographe de *Rolling Stone*, Annie Leibovitz et sa compagne, la vénérée Susan Sontag. Et pour info, Nicole Kidman aussi.

**147 W 24th STREET / 7th AVENUE**

SECRET SOUND RECORDING STUDIO / Todd Rundgren

Dans les années soixante-dix, le chanteur Todd Rundgren possède son propre studio au dernier étage. Trop méconnu, il est aussi un génial producteur qui a fréquenté du beau monde sans pour autant laisser une trace notable dans l'histoire par manque de chance ou par opportunités loupées. Il produit ici *A Wizzard, A True Star* (vénéré par une poignée de fans). Comme des artistes aussi divers que Southside Johnny, Violent Femmes, Nils Lofgren et Hall & Oates (*War Babies*). Plus croustillant, Jimi Hendrix passe enregistrer des démos quand son futur studio *Electric Lady* est en construction. Encore plus croustillant, plus tard, en 1975, Bob Dylan enregistre des reprises de *Blood On The Tracks* avec Bette Middler (sorties sous le bootleg *The New York Sessions*). Rundgren déménage son studio à Woodstock à la fin des années soixante-dix près d'Albert Grossman, le manager de Dylan. Dans la légende du rock, il est aussi reconnu pour avoir été l'un des heureux possesseurs de The Fool, la fameuse guitare d'Eric Clapton, époque Cream. Cette Gibson décorée par le collectif The Fool est passée entre les doigts de George Harrison puis de son protégé Jackie Lomax avant d'être raflée par Todd Rundgren. Elle est aujourd'hui maternée par un riche collectionneur anonyme délesté de 500 000 $ ! Rundgren est enfin reconnu (jalousé ?) pour avoir vécu sept ans avec l'une des groupies les plus célébrées du rock, Bebe Buell (la mère de Liv Tyler).

**508 W 25th STREET / 10th AVENUE** – PACE GALLERY / Picasso Baby

Le 10 juillet 2013, la vidéo du titre « Picasso Baby » de Jay-Z est tournée ici. Pace Gallery, l'une des plus réputées de la ville (deux adresses à NY mais aussi Londres et Paris) sert de cadre à une performance du rappeur inspirée de *The Artist Is Present* de Marina Abramović. Quelque temps auparavant, au MOMA, celle-ci était restée pendant 700 heures assise sur une chaise face au défilé des visiteurs, chacun pouvant tour à tour, sans un mot, fixer la performeuse. Ici, dans un décor tout blanc, pendant seulement six heures, Jay-Z interprète « Picasso Baby » lors d'un grand happening où des inconnus et des célébrités (Marina Abramović *herself*, mais aussi Jim Jarmusch ou encore Andrew Garfield) viennent lui donner la réplique devant la caméra de Mark Romanek. La galerie est toujours en activité.

**6 W 25th STREET / BROADWAY** – THE 40/40/Jay-Z Land

Le quartier est pratiquement squatté par Jay-Z. Ici, c'est un bar. L'ambiance est un mélange incongru de cultures sport et hip-hop façon lounge classieux. D'immenses écrans diffusent les matchs de base-ball et de football avec musique hip-hop en fond sonore. Normal, Jay-Z est l'un des trois propriétaires. Depuis la création de l'original new-yorkais en 2003, 40/40 a fait des petits à Miami et Las Vegas. (Pour info, 40/40 en langage base-ball désigne le petit club de joueurs qui ont réussi 40 home runs et 40 stolen bases en une saison).

**256 W 26th STREET**

FUN HOUSE/Jellybean rocks the house

La vidéo de « Confusion » de New Order est un formidable témoignage du New York nocturne du début des *eighties* et, en particulier, du club Fun House. Après une intro montrant le groupe fouillé à l'entrée du club (bien sage), entre deux parts de pizza et un gros plan sur Arthur Baker, on entre dans l'intimité du Fun House. Un club plutôt sage à l'ambiance totalement tournée vers la musique et la dance. Et si possible la meilleure musique bien loin des soupes disco. L'empereur des lieux est le DJ John Jellybean Benitez qui n'hésite pas à balancer des trucs aussi monstrueux que « Walkin' On Sunshine » de Rockers Revenge (produit par Arthur Baker) ou « Let The Music Play » de Shannon. Madonna, qui sort alors avec le DJ, est un pilier du Fun House. Naturellement, ses premiers titres passent en boucle et Jellybean va même jusqu'à produire son (énorme) tube « Holidays » en 1983. D'avril 1981 à juin 1984, Jellybean règne en maître, perché au milieu d'une gigantesque tête de clown, le logo du club. Plus tard il devient un producteur-remixeur ultra-sollicité, enregistrant aussi ses propres disques avec un certain succès. Quant à Peter Hook de New Order, fasciné par Fun House, il exporte son esprit à Manchester dans ce qui deviendra The Haçienda. Joe Monk, l'un des propriétaires des lieux raconte qu'on a même célébré un mariage au Fun House. L'un des membres de Village People (le cow-boy) y tenant particulièrement.

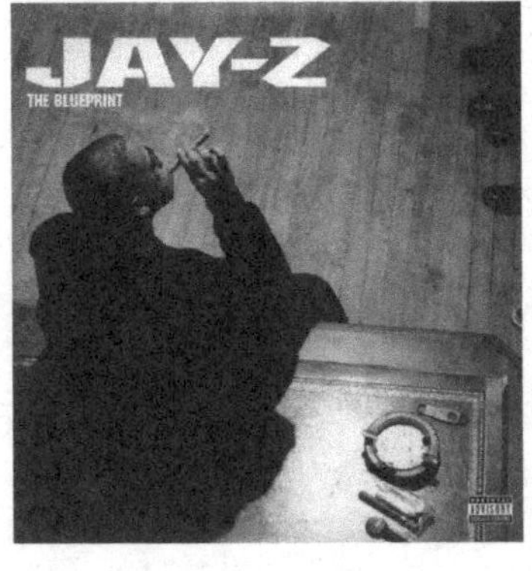


## 127 W 26th STREET

BASELINE STUDIOS / Les belles années de Jay-Z

Dans les années 2000-2003, le label Roc-a-Fella s'annexe ce studio. Beaucoup de grands titres hip-hop de l'époque y sont gravés. Notamment la grande majorité du classique de Jay-Z *Blueprint*. Malgré une malheureuse date de sortie dans le commerce, le 11 septembre 2001, l'album rencontre un immense succès avec des morceaux produits par Kanye West et Timbaland et la participation d'Eminem en guest star. Dès lors, Jay-Z s'installe définitivement en haut de l'affiche. Parmi les pépites gravées ici, citons également Usher: « Throwback », Cam'ron: « Oh Boy », Scarface feat. Jay-Z & Beanie Sigel: « Guess Who's Back », Jay-Z: « Stick 2 Da Script » / « U Don't Know » / « Public Service Announcement ». Les studios ferment en janvier 2010.

## 220 12th AVENUE / 27th STREET W

THE TUNNEL

On est au bout du monde, dans un Chelsea alors brut de décoffrage au sein du Terminal Warehouse Building, un ancien dépôt de marchandise resté complètement dans son jus. Il n'y a encore pas si longtemps, les bateaux déchargeaient juste devant et les trains venaient récupérer les marchandises par un long tunnel. C'est dans cet environnement atypique que le club The Tunnel s'installe en 1986. Tout en longueur, le tunnel flanqué de *private rooms* ayant chacune son décor et sa spécialité: des dancefloors équipés de cages, des salles de bains dans des anciens vestiaires, une salle SM Dungeon, les VIP au sous-sol et un bar gay tout au fond. Tout cela sur plusieurs étages, les communautés et les styles de musique pouvant ainsi cohabiter sans se gêner. Un sacré décor pour l'un des clubs phare des années quatre-vingt-dix accueillant régulièrement les DJs star de l'époque comme Junior Vasquez post Sound Factory. Au bout de quinze ans d'activité, le Tunnel ferme en 2001. Schéma classique : accusation de trafic de drogues, d'évasion fiscale, permettant au maire Giuliani de nettoyer le quartier pour faire place net aux promoteurs. Aujourd'hui dans le tunnel resté intact, se tiennent des évènements un peu plus sages : congrès, salons, réceptions, défilés.

### 530 W 27th STREET

SOUND FACTORY / Le royaume de Junior Vasquez

Le DJ Junior Vasquez a commis quelques enregistrements sous le nom d'Ellis D (dont l'élégant « Work That Pussy ») avant de roder son style de mix dans différents clubs de la ville glanant rapidement une flopée d'aficionados qui le suivent à la trace. Quand il ouvre Sound Factory en 1989, avec Phil Smith du Paradise Garage et Richard Grant, les gens viennent avant tout pour lui. Ses mix qui fusionnent des beats house avec des samples et ses inventions tordues (genre lecture des disques à l'envers ou à la mauvaise vitesse) en font une légende. Personne ne louperait ses fameux Sunday After Hours Parties quand le club reste ouvert aux premières heures du dimanche matin. Sound Factory ferme ses portes en février 1995. Junior Vasquez s'en va alors mettre le feu sous le Tunnel et remixer une quantité de titres pour Madonna, Cyndi Lauper, Whitney Houston, Janet Jackson ou encore Lisa Lisa.

### 520 W 27th STREET / 10th AVENUE

JUNGLE CITY STUDIOS / Studio avec vue

Alors que la plupart des studios d'enregistrement possèdent des pièces confinées sans aucune fenêtre, Jungle City, créé par Ann Mincieli, ingénieur historique d'Alicia Keys, offre une vue magnifique sur la ville et l'Hudson River. Le confort de ses sofas, son équipement technique et son acoustique (signée John Storyk again) attirent le gratin. Beyoncé l'utilise pour ses albums *4* et *Beyoncé*, Rihanna pour *Talk Talk Talk*, Alicia Keys pour *Girl On Fire*, Justin Timberlake pour *The 20/20 Experience*, Robin Thickle pour *Blurred Lines*, Jay-Z pour *Magna Carta Holy Grail* ou encore Pharrell Williams pour *Girl*. Une carte de visite plaquée or.

### 115 W 27th STREET / 6th AVENUE

ROC THE MIC STUDIOS / La maison de Jay-Z

Quand les Baseline Studios ont fermé, Juan Perez, l'homme de confiance de Jay-Z a trouvé cette adresse comme nouveau pied-à-terre au cœur de New York. Beyoncé inaugure la première séance d'enregistrement dans l'un des studios ultra-équipés conçus par le génial John Storyk dont plus personne ne peut se passer. Storyk est sans doute l'architecte acousticien le plus renommé au monde. Sa réputation n'a cessé de grandir depuis son travail pour le studio de Jimi Hendrix, Electric Lady en 1970. Depuis, avec sa structure WSDG, il est à l'origine de 4000 réalisations dans le monde, aussi éclectiques que Jazz at the Lincoln Center à New York, le stade Maracana de Rio de Janeiro, la synagogue centrale de New York, le parlement suisse ou encore le studio de Rihanna dans le New Jersey. Le jour de l'inauguration de Roc The Mic, on croise Mariah Carey, Puff Daddy, Timbaland, Justin Timberlake, Rihanna, 50 Cent, Will I Am et Jay-Z. Depuis, on a du mal à compter les hits produits dans l'un des deux studios (J Room avec l'ingénieur Brian Stanley et G Room avec Black Guru). Au hasard : le parfait « Empire State Of Mind » sort d'ici tout comme pas mal de titres des albums *Unapologetic* et *Loud* de Rihanna. Plus récemment, Katy Perry, Kendrick Lamar et DJ Khaled ont utilisé Roc The Mic.



### 250 W 28th STREET

ZAHA HADID BUILDING / Rihanna et Sting avec vue

Décédée en 2016, l'architecte star Zaha Hadid n'aura pas vu la réalisation de son magnifique immeuble avec vue sur Hudson River et la High Line. Quelques personnalités se sont ruées sur ses penthouses dont Rihanna et Sting.

### 356 10TH AVENUE / 30th STREET W – PUNK MAGAZINE

C'est ici qu'est né *Punk* en 1975. John Holmstrom et Legs McNeil ses créateurs, ont parfaitement résumé l'esprit du magazine : « une version imprimée des Ramones ». Sacré programme ! Ce n'est pas eux qui ont inventé le mot punk. L'une des dizaines de thèses sur le sujet l'attribue à

Dave Marsh dans le mensuel *Creem* à Détroit en 1971. Néanmoins le magazine a popularisé le terme au bon moment en chroniquant en live l'histoire du punk et de sa scène musicale. La durée de sa courte vie (quinze numéros de 1976 à 1979) correspondant exactement aux temps forts du mouvement. La couverture du premier numéro de janvier 1976 représente Lou Reed caricaturé en Frankeinsten par John Holmstrom et le n° 3, Joey Ramone qui est une caricature à lui tout seul. Lester Bangs a exercé sa plume, Bob Gruen et Roberta Bayley leurs objectifs au sein de l'équipe rédactionnelle. Mais les moments les plus grandioses resteront à tout jamais les Fumetti (roman-photo en BD) mettant en scène nos héros préférés comme Debbie Harry et Joey Ramone dans le délirant *Mutant Monster Beach Party* ou cette même Debbie avec David Johansen et Richard Hell dans le sulfureux *The Legend Of Nick Detroit*.

### 37 W 30th STREET

BLANK TAPES STUDIOS / Les trésors d'Arthur Russell

Au début, Bob Blank voulait devenir DJ à la radio. Mais pas assez doué. Puis, il s'est essayé à la guitare. Pas à la hauteur. Et c'est tant mieux parce qu'il n'aurait pas ouvert l'un des studios les plus créatifs de l'ère disco. Alors qu'il était ingénieur du son, son boss n'a pas voulu qu'il produise lui-même. Alors *bye bye, and welcome* Blank Tapes Studios. Si on est d'accord pour reconnaître qu'il y a eu beaucoup de déchets dans la production disco, chez Bob Blank, rien n'est à jeter. L'un des premiers disques à voir le jour chez Blank Tapes, en novembre 1978, est « Kiss Me Again » par Dinosaur. Sous ce pseudo se cache le génial Arthur Russell le producteur (entre autres talents) le plus méconnu de l'époque qui, avec Nicky Siano (DJ de The Gallery), regroupe sur ce titre quelques jeunes talents dont le jeune Talking Heads, David Byrne à la guitare. Juste après, Russell remet ça avec le très innovant « Go Bang » puis avec un autre super groupe Loose Joints (accompagné du DJ Steve d'Acquisto) qui pond trois singles particulièrement efficaces au début des *eighties* avec des remix tout aussi excitants par des talents comme Larry Levan. Et il faut aussi écouter « Wax The Van » une réussite de plus. Arthur Russell a habité toute sa vie new-yorkaise 437 E 12th Street un appartement qu'Allen Ginsberg (avec qui il est sorti quelque temps) lui louait. (Richard Hell a aussi habité un temps ici). Arthur Russell est mort des suites du sida en 1992. Et puis Bob Blank a accompagné les premiers pas du label ZE de l'Anglais Michael Zilkha et du Français Michel Esteban qui produisent dans ce studio les trois premiers albums de Kid Creole and the Coconuts (August Darnell est un pilier du studio) et même de la Lyonnaise Lizzy Mercier Descloux (copine de Michel Esteban). Les B-52's sont venus enregistrer *Mesopotamia* et Talking Heads une bonne partie de *Speaking In Tongues.* Blank Tapes ferme en 1986 mais laisse quelques trésors derrière lui comme Fonda Rae « Over Like A Fat Rat », Musique « In The Bush », Milton Hamilton « Crystalized » ou, quinze ans avant Massive Attack, « Emile (Night Rate) » par Aural Exciters.

## 126 E 14th STREET

ACADEMY OF MUSIC / THE PALLADIUM / London Calling

La scène de l'Academy of Music, ex-cinéma transformé en salle de concert a vu se produire le gratin du rock des *sixties* et *seventies* notamment les Rolling Stones le 24 octobre 1964 lors de leur deuxième US tour. Dans les derniers jours de l'année 1971, le Band y grave le live : *Rock Of Ages*, et le 21 décembre 1973, Lou Reed son *Rock'n'Roll Animal.* Au concert du réveillon 1974, les Stooges et Kiss sont au programme. Iggy Pop ne tient pas debout, vomissant, tombant de scène, ne se rappelant plus les paroles. Quant au bassiste de Kiss voulant faire un numéro de cracheur de feu, il enflamme ses cheveux. Bonne année à tous. En septembre 1976 l'Academy of Music prend le nom de Palladium et intensifie sa programmation profitant de la fermeture du Fillmore East. Pour le nouvel an de

cette année-là, Patti Smith réalise une formidable performance saluée par l'intraitable Robert Christgau du *Village Voice* comme « le concert de l'année ». Frank Zappa devient un habitué des lieux. Ses prestations de 1977, notamment le jour d'Halloween laissent des traces, notamment un album live. Plus tard, le 17 avril 1981, il organise un iconoclaste et controversé concert dédié à l'une de ses sources d'inspiration, Edgar Varèse. Les Clash passent au Palladium lors de leur première tournée US le 17 février 1979. Paul Simon, Bruce Springsteen, Debbie Harry et Nico sont dans la salle. Andy Warhol vient les rencontrer backstage. Il trouve le groupe très bien mais, définitivement, ils ont de trop vilaines dents. Sept mois après, les 21 et 22 septembre 1979, les Clash reviennent mettre le feu. Le dernier soir (heureusement !) Paul Simonon fracasse sa guitare basse Fender Precision sur la scène à la fin de l'ultime morceau : « White Riot ». Pennie Smith, une photographe anglaise possédant déjà une solide réputation dans le monde du rock en travaillant notamment pour le *NME*, immortalise cet instant. Ce cliché va la rendre célèbre du jour au lendemain. En effet, le groupe le choisit pour illustrer l'iconique couverture du non moins iconique *London Calling*. Aujourd'hui le Palladium n'existe plus, l'immeuble d'origine a été remplacé par des locaux bien propres appartenant à l'Université de New York.

**404 E 14th STREET** – Allen Ginsberg, fin de la route

Le poète Allen Ginsberg fut, durant trente ans, une icône de la contre-culture américaine. Inlassable activiste, il est de tous les combats des années soixante aux années quatre-vingt-dix. Pilier de la beat generation aux côtés de Kerouac, Cassady et Burroughs à Greenwich Village, on le retrouve au cœur du Summer of Love en 1967 à San Francisco, lui prêtant même l'invention de l'expression « Flower Power ». Il y rencontre Timothy Leary, et logiquement, devient porte-parole de la libéralisation des drogues. Il est lui-même l'un des premiers à expérimenter le LSD. Il est parmi les pionniers des mouvements pour la libéralisation des droits des gays et lesbiennes. Passionné de jazz, il est aussi très proche des groupes psychédéliques de la côte Ouest dans les *sixties*. Une décennie plus tard, c'est le punk qui le fascine, notamment les Clash. Infatigable ! Mais c'est surtout à son grand ami Bob Dylan qu'il est le plus souvent associé. On se souvient de sa présence discrète dans le fameux clip de « Subterranean Homesick Blues » tourné près de l'hôtel Savoy à Londres, dans lequel le chanteur fait défiler des pancartes affichant les paroles de la chanson. Ou bien de leur présence commune sur la tombe de Jack Kerouac dans le film *Renaldo et Clara*. Ginsberg est évidemment partie prenante de la fameuse tournée *Rolling Thunder Revue*. Inlassable voyageur, il est constamment sur la route à la recherche de nouvelles rencontres, de nouvelles expériences en Inde, au Mexique, en Europe (Paris) et bien sûr à Tanger. Il a très longtemps habité 437 E 12th Street (Richard Hell est son voisin) Grâce à la vente de ses archives à l'université de Stanford, en 1996, il a pu acheter un loft dans cet immeuble en bordure de East Village (un McDonalds s'est installé en bas) à côté de l'église de l'Immaculée Conception. Il y vit avec son compagnon Peter Orlovsky. Souffrant d'un cancer du foie, c'est ici qu'il succombe à une crise cardiaque, le 5 avril 1997.

## 17 IRVING PLACE / 15th STREET E

IRVING PLAZZA / Les débuts de Klaus Nomi





Avant 1978, le lieu est dédié à des évènements organisés par les vétérans de l'armée polonaise. Choc des cultures, à partir de cette date, ce sont les fines lames de la nouvelle génération rock qui envahissent la grande salle: Talking Heads, B-52's, Ramones... pour ne plus la lâcher. En 1972, Irving Plazza voit les débuts d'un contre-ténor d'opéra allemand qui va profondément marquer la scène musicale new-yorkaise: Klaus Nomi. « Cold Song », adaptation d'un opéra de Purcell, a même grimpé les marches des hit-parades français en mal d'exotisme en 1982. Klaus Nomi devait, hélas, marquer également l'histoire pour être l'une des premières personnalités publiques à mourir du sida. En 1983, la maladie appelée le « cancer gay » était alors entourée de mystères, de fantasmes et de peurs. Irvin Plazza, après une vie mouvementée, de promoteurs en promoteurs (il s'est même rebaptisé un temps Fillmore East !) est toujours en activité.

## 33 UNION SQUARE WEST / 17th STREET EAST

THE FACTORY / On a tiré sur Warhol

En 1968, la fameuse Factory de Andy Warhol quitte le midtown pour s'installer au sixième étage d'un bel immeuble, le Dekker Building, donnant sur Union Square. Laboratoire et salon d'exposition permanent du monde artistique de la ville, atelier de peinture, galerie d'exposition, studio de tournage de films, salle de projection, la Factory est un lieu

33 Union Square West
The Factory

ouvert à tous les arts. Les parties de la Factory sont légendaires mélangeant habilement le petit monde interlope warholien et la jet-set new-yorkaise. Tout peut arriver et chacun peut connaître son quart d'heure de célébrité, s'il le décide. Ou plutôt si Warhol le décide. C'est sans doute ce que Valerie Solanas pense quand elle décharge son pistolet sur l'artiste le 3 juin 1968 au sixième étage du 33 Union Square West. Warhol est sérieusement touché au thorax, foie, poumon. Après quelques jours de coma, il s'en sort mais garde des séquelles à vie. L'histoire est que Valerie Solanas avait confié un manuscrit au maître, sous le titre plein de poésie de *Up Your Ass*. Quand elle demande sa restitution celui-ci avoue l'avoir perdu et ne donne aucune suite à l'affaire. D'où une femme en colère, un pistolet et trois coups de feu, comme trois années de prison pour Solanas. L'ambiance à la Factory ne sera plus jamais la même. Quelques années plus tard, le 1er octobre 2002, le tranquille Union Square est le témoin d'un concert impromptu des White Stripes en pleine promotion de l'album *Elephant*. Trois mille personnes ont le temps d'écouter vingt morceaux avant que la police se décide à interrompre le set.



**45 E 18th STREET** – OLD TOWN BAR / Jump Around

Il est l'un des plus vieux bars de la ville, mais aussi le lieu de tournage du sautillant clip de House of Pain « Jump Around » en 1992 dans une ambiance un peu surchauffée. Normal, on célébrait la St Patrick à New York.

**213 PARK AVENUE / 18th STREET**

MAX'S KANSAS CITY / Almost famous

Max's Kansas City, restaurant/club où l'on déguste d'excellents steaks est ouvert par Mickey Ruskin en décembre 1965. Il a rapidement attiré le petit monde culturel de Manhattan, mais il aurait pu rester anonyme sans l'arrivée de Andy Warhol dans le quartier. En 1968, la fameuse Factory de l'artiste a quitté midtown pour s'installer tout près, au sixième étage du beau Dekker Building, 33 Union Square West. L'artiste a pris l'habitude de convier toute sa troupe au Max's Kansas City. Comme un rituel, de minuit à l'aube, il trône, toujours à la même place, dans la salle du fond, la Back Room, devant une table ronde. Il faut traverser l'étroite Front Room puis passer The Pack pour enfin pénétrer la pièce baignée de rouge. Une sculpture fluorescente de Dan Flavin projette une lumière sanglante. Comme tous les soirs, Andy préside. Sa cour le rejoint sur les banquettes en skaï noir. Edie Sedgwick, Gerard Malanga, Candy Darling, Joe Dallesandro, Paul Morrissey, Ultra Violet et les autres mesurent s'ils sont en odeur de sainteté à la distance qui les sépare de Warhol. On guette son regard, son sourire si untel lance une réplique cinglante, son approbation si une remarque est jugée pertinente. Une audition permanente sous le regard blasé du maître. Tout près de lui sont placées les célébrités qui ont l'honneur d'être conviées. À une époque, la jeune Patti Smith vient tous les soirs avec son ami le photographe Robert Mapplethorpe. (Peut-être croise-t-elle Debbie Harry, la future Blondie qui est alors serveuse ?). Petit à petit Ruskin les fait progresser au sein de la Front Room jusqu'à ce que la physionomiste Dorothy Dean les fasse entrer dans la Back Room. Dorénavant ils peuvent échanger avec le galeriste Leo Castelli ou l'acteur de théâtre en vogue Sam Shepard et parfois même s'asseoir autour de la table ronde. La chanteuse y rencontre Clive Davis, le patron d'Arista qui lui fera signer son premier contrat. Ici Janis Joplin croise Truman Capote, Jim Morrison retrouve avec plaisir Nico qu'il a connue en Californie, Marty Thau écoute les New York Dolls et décide de les manager. Mick Jagger est un habitué de la round table. C'est sans doute ici qu'il a demandé à Warhol de concevoir la couverture de *Sticky Fingers*, avec la fameuse fermeture éclair (Jagger : « je laisse le projet dans tes mains expertes ») et peut-être celle du double *Love You Live*. Une nuit, une rencontre au sommet a réuni David Bowie, Lou Reed et Iggy Pop. Bowie : « On n'avait rien à se dire et on a passé notre temps à admirer nos make-up ». Le Max n'est pas que le lieu du Warhol Show. C'est aussi une fameuse scène de rock au premier étage. C'est ici que le 23 août 1970 Lou Reed a joué pour la dernière fois avec le Velvet Underground. Le groupe étant absent de la scène new-yorkaise depuis trois ans, la série de concerts qu'ils donnent ici depuis juillet est un mini-événement. Richard Nusser du *Village Voice* écrit : « The Velvets sont de retour au top de leur forme ». Le groupe est un habitué des lieux. N'oublions pas que c'est Warhol qui les a mis sous le feu des projecteurs et a même produit

leur premier album. Ce soir-là, Lou Reed est fatigué. Particulièrement las du manque de succès de leurs albums, usé par les petites chicaneries internes. Heureusement, le concert est enregistré par Brigit Polk de de la Factory sur un magnétophone de fortune. Danny Fields (il a signé MC5 et les Stooges, managé les Ramones et présenté Iggy à Bowie) proposera à Atlantic d'en faire un disque malgré la qualité sonore très moyenne. *Live At The Max's Kansas City* sortira le 30 mai 1972. Le club devient un haut lieu du glam rock au début des années soixante-dix, David Bowie, Alice Cooper et les New York Dolls s'y produisant à maintes reprises. Le jeune Bruce Springsteen (pas très glam rock...) voit les Wailers (avec Bob Marley) assurer sa première partie pour leur tout premier concert sur le sol américain le 18 juillet 1973. Aerosmith de son côté y fait ses débuts new-yorkais. Mais la magie, petit à petit s'éteint. Max's Kansas City ferme ses portes fin 1974 laissant la place libre à d'autres clubs plus excitants. Bientôt on verra Andy Warhol aller s'encanailler au CBGB sur Bowery, puis, l'âge venant, parader au Studio 54.



**4 GRAMERCY PARK WEST** – *Highway 61 Revisited*

L'éditeur James Harper a vécu dans ce brownstone au milieu du XIXe siècle (sa maison d'édition existe toujours sous le nom de Harper Collins). Il fut également maire de New York comme en témoignent les deux lanternes extérieures. Lorsqu'elles étaient allumées, cela signifiait que le maire était présent. Pour nous, cette adresse rappelle surtout un fameux portrait de Bob Dylan par Daniel Kramer. Le photographe a suivi le chanteur tout au long de cette journée de 1965. Le matin, l'appartement de Dylan dans Greenwich Village. À midi, déjeuner d'un steak chez O'Henry's à l'angle de 6th Avenue et 4th Street. Et en début d'après-midi, ici, devant le 4 Gramercy Park, lieu de résidence d'Albert Grossman son manager. Sur la photo, Dylan est assis sur les marches de l'entrée, tout fier de porter son nouveau tee-shirt siglé Triumph et le type debout derrière, Nikon SP en main, est son vieux complice le chanteur Bob Neuwirth (il sera le coauteur de « Mercedes Benz » pour Janis Joplin). Ce cliché orne la couverture du sixième album

de Dylan : *Highway 61 Revisited.* Depuis ce shooting, rien n'a changé, le porche, les escaliers, les bacs à fleurs sont intacts. Seuls les prix au $m^2$ ont un peu évolué : 4 Gramercy Park West s'est vendu 26 millions de $ en 2017 (pour ce prix, les clés du très privé square sont incluses).

### 2 LEXINGTON AVENUE / 21st STREET E

GRAMERCY PARK HOTEL / Rock'n'roll star hotel

L'hôtel s'inscrit depuis fort longtemps dans l'histoire people de la ville. Avant la grande dépression, Humphrey Bogart y a célébré son premier mariage et, plus tard, la famille Kennedy au grand complet y résida au second étage juste avant que Joe Kennedy soit nommé ambassadeur des États-Unis en Angleterre. La légende du baseball, Babe Ruth était un habitué du bar à sa grande époque. Le quartier est ultra-calme en bordure du Gramercy Park dont l'accès est réservé aux *nannies* promenant les têtes blondes des heureux habitants des immeubles du coin. Aussi, depuis les années soixante-dix, un grand nombre de rock stars ont-elles trouvé là une discrétion bienvenue (rien à voir avec Chelsea Hotel, ici on est avec les gens qui pètent déjà de réussite). Madonna était une habituée. Elle y donnait de mémorables fêtes sur le toit secouant la quiétude du quartier. Bob Dylan y a séjourné en 1975. Bob Marley, David Bowie, les Clash avaient coutume d'y descendre et Alan Vega y habitait dans les *eighties*. C'est naturellement au Gramercy Park Hotel que descend le groupe Stillwater dans le film *Almost Famous* de Cameron Crowe. Au milieu des années deux mille, on a confié à Julian Schnabel le soin de rénover l'intérieur et les bars. Une réussite qui s'est répercutée illico sur le prix des chambres. Aujourd'hui il n'est pas rare de pouvoir admirer des œuvres de Basquiat ou de Hirst accrochées aux murs du Rose ou du Jade Bars. Le monde de la fashion a remplacé les rock stars en se rappelant que le photographe de mode Bob Richardson (un temps fiancé d'Anjelica Huston et père de Terry Richardson) a longtemps squatté le bar.

2 Av

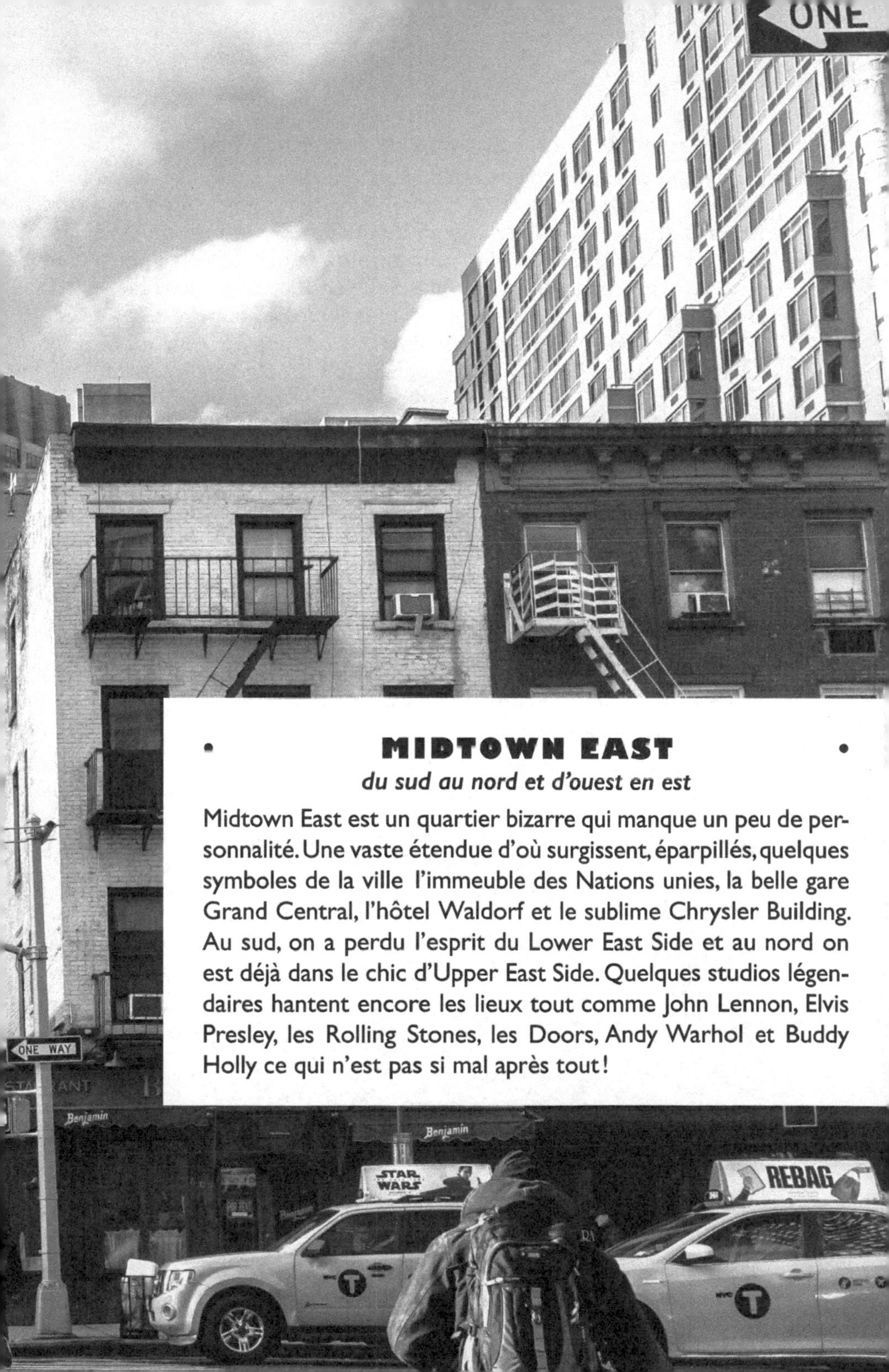


## MIDTOWN EAST

*du sud au nord et d'ouest en est*

Midtown East est un quartier bizarre qui manque un peu de personnalité. Une vaste étendue d'où surgissent, éparpillés, quelques symboles de la ville l'immeuble des Nations unies, la belle gare Grand Central, l'hôtel Waldorf et le sublime Chrysler Building. Au sud, on a perdu l'esprit du Lower East Side et au nord on est déjà dans le chic d'Upper East Side. Quelques studios légendaires hantent encore les lieux tout comme John Lennon, Elvis Presley, les Rolling Stones, les Doors, Andy Warhol et Buddy Holly ce qui n'est pas si mal après tout !

**220 E 23th STREET / 3rd AVENUE** – TOMMY BOY/ Le label du hip-hop

Au début des années quatre-vingt, Tom Silverman, qui a déjà une belle expérience du *music business*, a l'habitude de traîner chez Downstairs Records près de Bryant Park. Ce disquaire propose des trésors de *oldies*. Il y croise une flopée de jeunes gens du Bronx qui décrivent ce qui est en train de se passer là-bas : la bombe Kool Herc, la naissance du hip-hop. Il court écouter de ses propres oreilles la révolution en marche. C'est décidé il lance son propre label qu'il installe dans son appartement sur W 45th Street. Il l'appelle Tommy Boy et demande à Steven Miglio de lui dessiner un logo reconnaissable entre mille. Sa première signature est pour l'un des disciples les plus doués de Kool Herc, Afrika Bambaataa. En juin 1982, ils produisent avec Arthur Baker l'immense « Planet Rock » qui marque au fer rouge la jeune histoire du hip-hop. Suivront Naughty by Nature, Queen Latifah, Digital Underground, De La Soul, House of Pain et le jackpot Coolio. Tommy Boy déménage sur 1747 First Avenue pour s'installer finalement ici, sur 23th Street East.

**124 E 24th STREET / PARK AVENUE-LEXINGTON**

Have you seen your mother?

En septembre 1966, le nouveau single des Rolling Stones est affublé d'un titre plutôt bizarre *Have Your Seen You Mother Baby, Standing In The*

*Shadow?*. Mais c'est la photo de couverture de l'édition US qui fait beaucoup parler d'elle. On y voit les cinq lascars habillés en femmes (New York Dolls avant l'heure) posant devant un bâtiment de brique pour Jerry Schatzberg dont le studio est à deux pas. Mick, Keith et Brian ont l'air plutôt à l'aise. Bill, assis sur une improbable chaise roulante a étrangement revêtu une tenue militaire, comme Brian. Seul, Charlie à droite, semble avoir conscience du surréalisme de la scène. Miraculeusement, dans une ville où tout change à la vitesse de l'éclair, il est facile de retrouver le lieu exact de la prise de vue. Si un appareil de climatisation a été rajouté, si un petit arbuste a poussé, le reste est incroyablement intact ! Ce même jour, dans le même décor mais en une pose plus classique, Schatzberg a capturé la photo de la couverture du best of du groupe : *Big Hits, High Tide And Green Grass*.

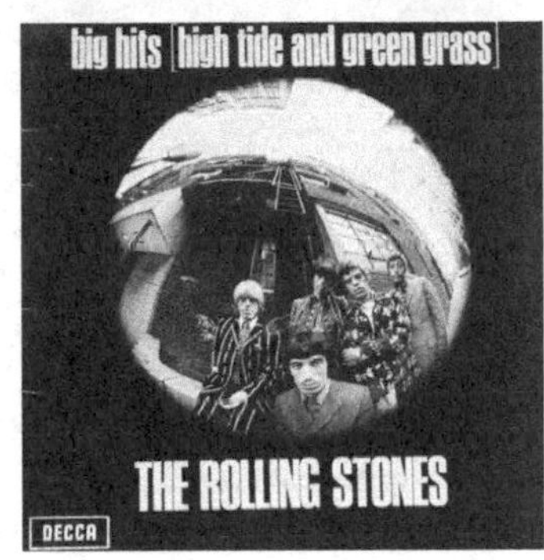


### 155 E 24th STREET / LEXINGTON AVENUE

RCA STUDIOS / Don't be cruel

2 juillet 1956. La carrière d'Elvis Presley vient tout juste de prendre un essor déterminant. Le colonel Parker est devenu son manager, il a signé avec le puissant label RCA et obtenu son premier n° 1, « Heartbreak Hotel ». Il enchaîne les concerts dans toute l'Amérique. Un triomphe. Avant-hier, il était à Richmond en Virginie. Arrivé à New York hier, il est apparu dans le show télévisé de Steve Allen sur NBC. Aujourd'hui, il est aux studios RCA. Certes moins prestigieux que ceux de Nashville, ils ont quand même fière allure. Surtout le vaste studio A, au rez-de-chaussée, initialement conçu pour les big bands. C'est la seconde venue de Presley ici. En janvier, il avait déjà eu l'occasion d'y graver « Blue Suede Shoes » qui ouvre son premier album. Trois chansons doivent être mises en boîte aujourd'hui. Elvis est à la manœuvre, s'occupant de tout, épaulé par Steve Sholes le producteur de RCA. Les fidèles Scotty Moore, guitare, Bill Black, basse et DJ Fontana, batterie, sont de la partie avec The Jordanaires, le groupe vocal qui l'accompagne depuis ses débuts. Deux grands classiques du King sont enregistrés ce jour-là : « Hound Dog »

(31 prises) et « Don't Be Cruel » (28 prises). Dès demain, Elvis prendra le train. Retour à Memphis. Le 13 juillet, RCA lancera le single sur le marché. Face A : « Don't Be Cruel ». Face B : « Hound Dog » et en septembre, Elvis reviendra à New York, invité du Ed Sullivan Show qui le propulsera dans une autre galaxie. Le bâtiment a malheureusement été rasé pour laisser la place à une annexe du Baruch College.



## 333 PARK AVENUE / 25th STREET EAST

Le studio de Jerry Schatzberg

Jerry Schatzberg n'est pas seulement le réalisateur respecté de *Panic à Needle Park* et de *L'Épouvantail*. Il est aussi un photographe qui a fait les belles heures de la presse mode US comme *Vogue* ou *Esquire* (ses photos de Faye Dunaway, sa copine de l'époque, sont magnifiques). Pour notre musique préférée il a signé quelques couvertures d'albums qui ont marqué leur époque dont celle de *Blonde On Blonde* de Dylan. La femme du créateur de « Mr. Tambourine Man » a organisé leur rencontre en 1965. Pendant deux ans, ils ne se sont pas quittés, Schatzberg le photographiant sous tous les angles, notamment en studio. Il est aussi l'auteur de l'invraisemblable couverture du single US des Rolling Stones *Have You Seen Your Mother Baby Standing In The Shadow?*. Son studio photo se trouvait à cette adresse juste au-dessous de son appartement du dernier étage. Tom Wolfe a eu l'occasion de décrire une fameuse *party* donnée ici en l'honneur de la bande à Mick Jagger avec le tout swinging London.

## 30 WATERSIDE PLAZA / 26th STREET E – La montagne terrassée

Aux côtés de Clapton, Bruce et Baker, il jouait le rôle de producteur, arrangeur et même auteur (« Strange Brew », c'est lui). Mais la contribution de Felix Pappalardi à l'histoire du rock ne s'arrête pas avec la séparation du groupe. Chanteur et bassiste, il forme Mountain avec l'imposant guitariste Leslie West en 1969. Colossal groupe de scène, Mountain a connu quelques hits dont le tonitruant « Mississippi Queen ». Pappalardi a quitté la scène parce que menacé de surdité, et quitté la vie parce que sa femme Gail Collins lui a tiré dessus le 17 avril 1983 au cinquième étage de cette résidence avec vue sur l'East River. Gail, elle-même compositrice (elle est coauteur de « Strange Brew ») a purgé une peine de deux ans de prison.

### 207 E 30TH STREET / THIRD AVENUE

COLUMBIA 30TH STREET STUDIO C & D / Hall of fame

Dans les *sixties*, la firme Columbia dispose d'au moins cinq studios d'enregistrement dispersés dans New York. Celui-ci, le plus prestigieux, est sans doute l'un des plus importants de l'histoire de la musique américaine. Comme souvent, c'est dans une ancienne église qu'en 1949 Columbia installe ce studio dédié aussi bien au culte de la musique classique qu'à celui du jazz, du folk et du rock. Sa taille imposante lui permet d'accueillir des orchestres de musique classique ou de comédies musicales de Broadway. Glenn Gould enregistre ici ses fameuses *Variations Goldberg* de Bach en 1955. Rien à dire. Comme Rudolf Serkin pour les sonates de Beethoven à partir de 1967, comme Vladimir Horowitz pour l'intégralité de son catalogue pour Columbia. On pourrait s'arrêter là. Le studio serait déjà une légende. Mais, attendez la suite ! Le 2 mars et le 6 avril 1959, le classique des classiques du jazz, l'apothéose de Miles Davis, *Kind Of Blue* est gravé dans ce lieu saint. Comme toute sa discographie pour Columbia dont *Round About Midnight*, *Sketches Of Spain* et *Bitches Brew*. Vous en voulez encore ? En 1957, *West Side Story* de Leonard Bernstein. En 1958, le définitif *Lady In Satin* de Billie Holiday. En 1959, les révolutionnaires cinq mesures du « Take Five » de Dave Brubeck Quartet. En 1980, « New York, New York » de Frank Sinatra. Le studio ferme ses portes en 1981, juste après la seconde interprétation des *Variations Goldberg* par Glenn Gould. Ces murs auraient dû être classés, sacralisés, sanctifiés. Ils ont été rasés pour laisser la place à une résidence.

## 19 E 32th STREET / 22 E 33th STREET / 158 MADISON AVENUE

La dernière Factory

En 1983, Warhol déménage sa Factory pour la dernière fois en lui offrant trois entrées différentes d'un même bloc d'immeubles. Le magazine *Interview* est sur 32nd Street. Le studio de peinture sur 33rd Street et le studio de télévision sur Madison Avenue. Warhol est déjà totalement branché multicanal !

## 152-158 E 36th STREET / LEXINGTON AVENUE

SNIFFEN COURT / Strange days

Joe Brodsky a shooté la photo de couverture du premier album des Doors. Il est aussi l'auteur de l'iconique photo de l'animal Jim Morrison, torse nu, bras écartés. (On a tous affiché le poster dans notre chambre d'ado non ?)

C'était le 18 septembre 1967, dans le studio new-yorkais du photographe. Pour le deuxième album des Californiens, *Strange Days*, Brodsky opte pour une ambiance un peu baroque, voire fellinienne mettant en scène un ensemble de saltimbanques clownesques. Comme décor, il choisit l'allée d'une résidence new-yorkaise nommée Sniffen Court. Aujourd'hui, elle n'a pas vraiment changé. Peut-être un peu plus verdoyante.

## 231 E 47th STREET / SECOND AVENUE

### THE SILVER FACTORY / La première Factory

C'est le 28 janvier 1964. Un immense loft au cinquième étage d'une ancienne caserne de pompiers (aujourd'hui transformée en parking). Andy Warhol a chargé un ancien boy friend dont il est resté proche de décorer ce sinistre endroit. Billy Name choisit de le tapisser entièrement de papiers argentés et de feuilles d'aluminium. Seuls les cheveux d'Ultra Violet en réchappent ! Le résultat est saisissant. Une œuvre d'art. On la surnomme illico Silver Factory. Commence, sans doute, la période la plus authentiquement warholienne, le début de la hype puis la folle ascension. Avec le premier noyau dur, sulfureux, la cour du maître se constituant progressivement, le Velvet, Nico et puis les stars qui commencent à défiler, Dylan, Morrison, Dalí. Le publicitaire Lester Persky (qui a présenté Edie Sedgwick au maître) organise le 31 janvier 1965, une *party* survendeuse : The 50 Most Beautiful People. Elle dure vingt-quatre heures. Parmi les invités, forcément triés sur le volet, Tennessee Williams, Judy Garland, Rudolph Noureev et Montgomery Clift. Au milieu du loft trône un canapé. Billy Name photographie le Velvet Underground, avachi dans ses coussins. Ce sera la photo de couverture de leur troisième album. Et puis, Warhol migre dans une nouvelle Factory en 1968 plus au sud de Manhattan, Billy Name va rester errant encore quelque temps au milieu des papiers argentés. Il a joué un rôle trop méconnu dans la saga de cette première Factory. Témoin de tous les instants, il a heureusement laissé de précieux témoignages photographiques.

## 301 PARK AVENUE / 48th STREET E

### THE WALDORF ASTORIA / What else?

Qui se rappelle aujourd'hui que l'hôtel Waldorf Astoria se dressant sur la magnifique Park Avenue, a eu deux prédécesseurs ? À la fin du XIXe siècle, William Waldorf Astor, membre d'une des plus riches familles américaines avait bâti deux hôtels côte à côte sur Fifht Avenue. Petites rivalités familiales, l'un s'appelait Waldorf, l'autre Astoria. On les a rasés et l'Empire State Building a été construit à la place. En toute simplicité. Bref, celui que l'on connaît aujourd'hui, et qui réunit les deux noms, a été inauguré le 1er octobre 1931. Ses quarante-sept étages style art déco, occupant un bloc entier de Park Avenue, en mettent plein la vue. À une époque, le Plazza a tenté de rivaliser. Mais il a rendu les armes : le Waldorf a mis toutes les barres du prestige trop hautes. Vous voulez organiser une rencontre bilatérale vitale pour l'avenir du monde ? Signer un accord stratégique qui engage la planète ? Faites-le donc au Waldorf ! Vous souhaitez collecter des milliards de dollars pour telle ou telle cause bienfaisante ? Si vous ne le faites pas dans le Grand Ballroom du troisième étage, où donc le ferez-vous ? Vous voulez organiser la première cérémonie de la remise des Oscars du théâtre, les fameux Tony Awards ? N'allez pas à Broadway, préférez Park Avenue. Et si vous me parlez des stars d'Hollywood, rappelez-moi donc qui a dit que le Waldorf était « un Beverly Hills à la verticale » ? Vous souhaitez organiser une vente aux enchères hors normes ? Une expo à sensation ? Une première mondiale ? *Where else?* Choisissez le Waldorf. Côté rock'n'roll, notons le passage des Who qui ont confié le soin à Keith Moon de dévaster leurs chambres. Mais, là, nous sommes dans la routine. Plus surprenant, le concert haut en couleur donné par les New York Dolls dans la Ballroom le 31 octobre 1973. Pour Halloween ! Comme son nom l'indique, le groupe joue la carte travelo et son premier disque est en train de faire sensation. Halloween + New York Dolls + Waldorf, on a là tous les ingrédients d'un grand moment de rock'n'roll et on n'a pas été déçus ! Pour l'exceptionnel, il faut chercher du côté du gala annuel d'introduction des nouveaux membres du Rock'n'Roll Hall Of Fame. Pour faire court, il s'agit d'une sorte de Panthéon qui immortalise chaque année, pour services rendus à la musique qu'on aime, ses plus glorieux représentants. Le Panthéon lui-même est situé à Cleveland mais le plus souvent, la proclamation des heureux élus se tient au Waldorf, c'est plus sexy et il y fait moins froid. Depuis 1986, chaque année, c'est l'occasion de vibrants hommages aux nouveaux membres avec un discours d'introduction et surtout un concert jamais classique. On accueille sur la scène, soit une belle brochette de musiciens qui jouent ensemble pour l'occasion (Chuck Berry, Jerry Lee Lewis, Keith Richards et Neil Young pour l'introduction de Chuck Berry, on voit le style...) soit de vrais magiques moments (les murs se souviendront longtemps du galactique solo de Prince sur « While My Guitar Gently Weeps » pour l'introduction de George Harrison en 2004). Ou bien, après dix-huit ans de break, Talking Heads reformés pour leur propre introduction, jouant ensemble et pour la dernière fois en mars 2002. À noter : quand les Ramones ont été introduits le 18 mars 2002, les choses se sont passées dans le calme. Dernier temps fort : la toute dernière prestation scénique de John Lennon dans la Grand Ballroom. « Imagine », étant la dernière chanson que l'ex-Beatle a jouée sur une scène. C'est le 18 avril 1975. L'académie de musique organise un concert hommage à un ponte du *music business*, l'Anglais Sir Lew Grade. (Dick James avait vendu ses parts dans la maison d'édition des Beatles à ce monsieur au milieu des *sixties*). Drôle d'ambiance. John ne joue que trois morceaux, coincé entre Julie Andrews et Tom Jones. Il est vêtu d'une

combinaison rouge, façon pompiste. Le groupe, derrière, tout en noir, ne sait pas très bien ce qu'il fait là. Normal, on est en quasi play-back. Dans la salle, ce n'est pas mieux. Les spectateurs sont attablés en train de grignoter. Robes longues et nœuds pap de rigueur. Secouez vos verroteries. On est loin du Shea Stadium. John n'a pas l'air du tout, mais alors pas du tout concerné par ce qu'il fait. La preuve : il joue de la guitare sèche sur « Imagine » ! Bref, comme dernière prestation, on retiendra plutôt sa présence aux côtés d'Elton John, quelques mois plus tôt, au Madison Square Garden. On pourrait faire un film sur l'histoire du Waldorf. C'est d'ailleurs le thème de *Week-end au Waldorf* de Robert Leonard en 1947 avec Ginger Rogers et Lana Turner. Woody Allen n'a pas pu s'empêcher d'y poser sa caméra dans *Broadway Danny Rose*. On y a vu Brad et Angelina dans *Mr & Mrs Smith*, Eddy Murphy dans *Un prince à New York*, Al Pacino dans *Le Temps d'un week-end*, Gene Hackman dans *La Famille Tenenbaum*, Robert De Niro dans *Mafia Blues* ou George Hamilton dans *Le Parrain 3*. *Sex and the City* et *Les Soprano* ont également fréquenté les lieux. Bon, vous l'avez compris, si vous recherchez un petit hôtel typique et tranquille, évitez le Waldorf. En plus, on ne vous cache pas que les chambres sont hors de prix. Dommage d'ailleurs, car dans la suite présidentielle, qui essaie de reconstituer l'ambiance de la Maison-Blanche, vous pourriez travailler sur le bureau du général McArthur et vous relaxer sur l'un des rocking-chairs de JFK. Et dans la suite Cole Porter, esquisser quelques gammes sur le Steinway du compositeur. Non, simplement, contentez-vous de passer la porte d'entrée du Waldorf, regardez, surtout vers le haut la belle pendule, visitez le rez-de-chaussée, le premier étage, commandez un thé (ou autre chose) dans l'un des bars et si vous croisez Vladimir Poutine, évitez de lui proposer un selfie.

### 17 BEEKMAN PLACE / 50th STREET E

JAMES FORRESTAL HOUSE / La maison d'Irving Berlin

Le compositeur de comédies musicales Irving Berlin a habité cette très belle maison de 1946 jusqu'à sa mort, à cent un ans, en 1989. Si l'on connaît « Cheek To Cheek » de Fred Astaire et ses autres grandes compositions, on sait moins qu'il est l'auteur de « White Christmas » et du patriotique « God Bless America ». C'est le consulat du Luxembourg qui occupe aujourd'hui le 17 Beekman Place.

### 49 E 52th STREET

COLUMBIA STUDIO B & E
Cheap Thrills

Parmi la ribambelle de studios que la firme Columbia collectionnait à New York dans les années soixante, il est le seul à être encore debout. Levez la tête. Au sixième étage se tenait le studio E et au second, le studio B, le plus grand, le plus célèbre. En mars 1968, Janis Joplin et son groupe Big Brother and the Holding Company auréolés d'un passage remarqué au festival de Monterey, s'installent à New York pour enregistrer leur deuxième album. Leur nouveau manager Albert Grossman (oui celui de Bob Dylan) les installe dans le studio B et les confie au producteur John Simon. C'est lui qui après avoir vu le groupe sur scène, préconise de les enregistrer dans les conditions du live. Pour « Piece Of My heart », « Ball And Chain » et l'ahurissante version de « Summertime », le studio B se transforme en une véritable scène. L'album *Cheap Thrills* avec sa géniale couverture signée Robert Crumb sort en août et devient n° 1 en octobre. Janis revient en solo du 16 au 26 juin 1969 pour *I Got Dem Ol' Kozmic Blues Again Mama!* et sa magnifique version de « Little Girl Blue ». Levez une nouvelle fois la tête. Le chef-d'œuvre de Simon & Garfunkel, *Bridge Over Troubled Water* sort lui aussi de ce deuxième étage. L'enregistrement a débuté à Nashville avec « The Boxer », mais Garfunkel ayant des engagements à New York, le reste de l'album est mis en boîte ici. On connaît la suite. Pour produire *New Morning* Bob Dylan naviguera entre le deuxième et le sixième étage.

**434 E 52th STREET** – Lennon en goguette

L'histoire raconte que c'est Yoko qui a conseillé à son ex-Beatle d'époux de s'octroyer une fugue amoureuse avec leur assistante May Pang au début des années soixante-dix. D'abord à Los Angeles dans un cottage sur la plage de Santa Monica pour un séjour haut en couleur, connu sous le nom de « Lost week-end ». On y croise souvent Lennon passablement cabossé, la plupart du temps ivre mort avec son copain Harry Nilson écumant les boîtes de la ville. Le couple rentre à New York en juin 1974 et s'installe dans le penthouse de cet immeuble. De la terrasse au dessus, ils ont une magnifique vue. Y compris sur les soucoupes volantes, prouvant ainsi que Lennon n'est pas encore totalement désintoxiqué. C'est sur cette terrasse que Bob Gruen prend la fameuse photo de John vêtu d'un tee-shirt marqué « New York City ». En février 1975, Yoko siffle la fin de la récréation et Lennon rentre au Dakota.

**2 E 55th STREET / FIFHT AVENUE**

HOTEL SAINT REGIS/John & Yoko: première halte

L'hôtel a été construit en 1904, par John Jacob Pastor, l'homme qui est resté debout sur le pont du *Titanic* pendant que sa femme, enceinte de cinq mois, prenait place sur un canot. La suite 1105, résonne encore de la célèbre dispute entre Marilyn Monroe et un Joe Di Maggio mort de jalousie à cause de la scène de la bouche de métro de *Sept ans de réflexion* (tournée à deux pas sur Lexington). Salvador Dalí et sa femme Gala ont l'habitude d'y passer l'hiver dans les années soixante et soixante-dix. Tout comme Marlène Dietrich. Sans doute croisent-ils John Lennon et Yoko Ono dont le Saint Régis est le premier point de chute lorsqu'ils s'installent en ville. Quand ils ne passent pas du temps à se balader, à écumer les librairies et les bons restaurants, le couple s'enferme dans l'une de leurs trois suites du dix-septième étage. John y enregistre de vieux classiques du rock dont il a toujours raffolé, mais aussi les premières versions de « New York City ». (De sacrés bootlegs qui apparaîtront sur le marché quelque temps après).

### 915 THIRD AVENUE / 55th STREET E

PJ CLARKE'S / La demande en mariage de Buddy Holly

Imaginez une toute petite bicoque en brique au cœur de New York. Minuscule, naine, lilliputienne, coincée, engoncée entre deux gargantuesques buildings. Vous n'y arrivez pas ? Alors, allez voir. Elle est là depuis 1868. Le quartier a changé dix fois de physionomie en 150 ans, mais le pub PJ Clarke's n'a pas bougé ! Seul un Irlandais peut réussir cet exploit ! Oh, certes il a fallu se battre comme ils savent le faire. David contre Goliath. Et puis PJ Clarke's a suivi l'air du temps, a adapté son menu, la bière, les hamburgers, la vodka, on s'adapte. Elisabeth Taylor s'arrêtait souvent. Jackie Onassis y emmenait ses enfants qui raffolaient des hamburgers maison tout comme Nat King Cole. Dans les années deux mille, les choses se durcissent, changements de propriétaires mais, PJ Clarke's a un bail de folie, il sera toujours là ! Peggy Olson a choisi de venir y fêter sa promotion dans un épisode de *Mad Men*. Elle a même dansé le twist ! Mais le vrai truc chez PJ Clarke's, c'est la demande en mariage de Buddy Holly à sa future épouse Maria Elena Santiago. Le créateur de « Oh Boy » attend la fin du repas pour se déclarer. La cérémonie a lieu chez Holly, à Lubbock au Texas. Le couple s'installe à New York quelque temps plus tard dans l'attente de leur bébé.

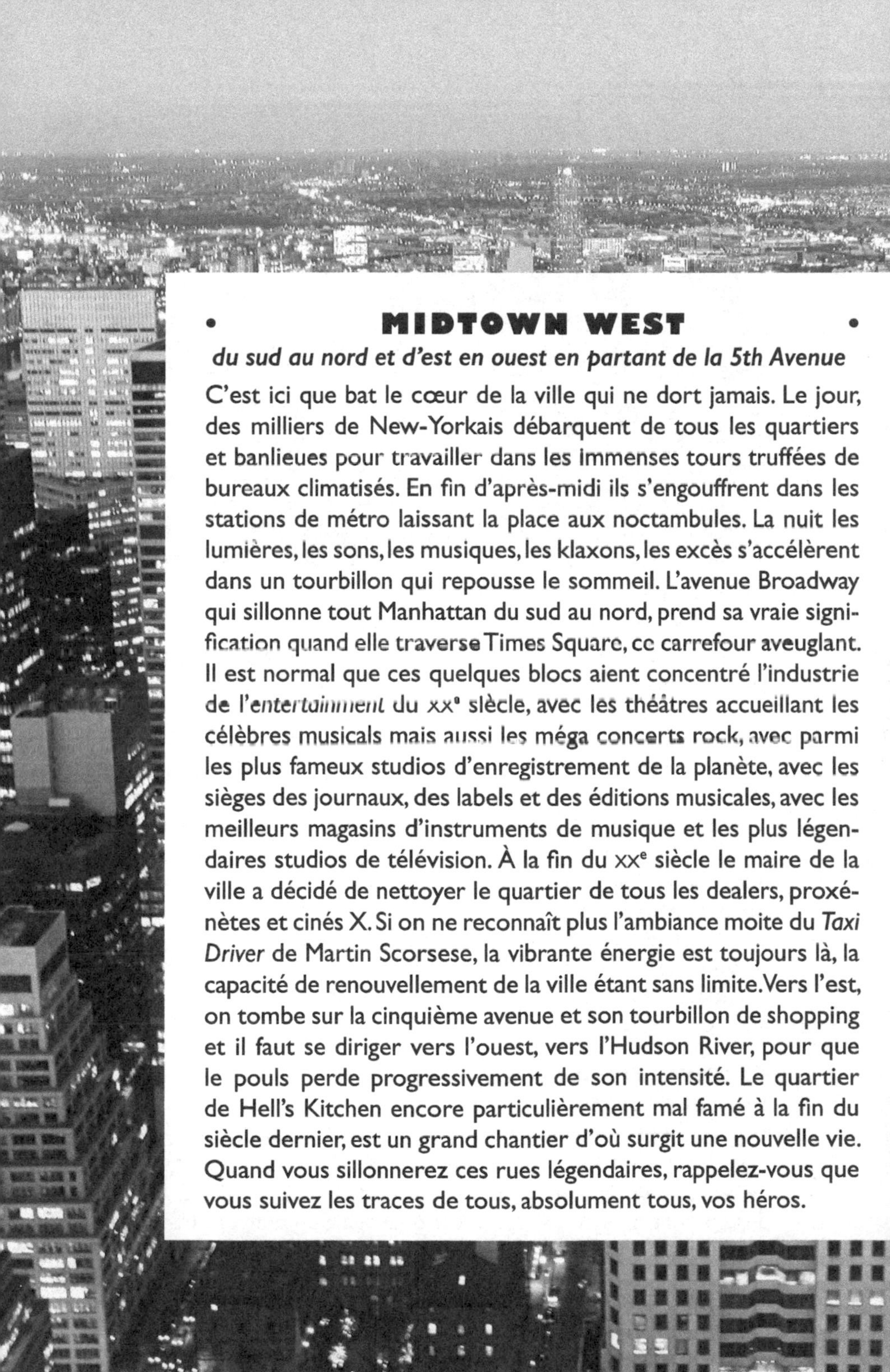

# • MIDTOWN WEST •

*du sud au nord et d'est en ouest en partant de la 5th Avenue*

C'est ici que bat le cœur de la ville qui ne dort jamais. Le jour, des milliers de New-Yorkais débarquent de tous les quartiers et banlieues pour travailler dans les immenses tours truffées de bureaux climatisés. En fin d'après-midi ils s'engouffrent dans les stations de métro laissant la place aux noctambules. La nuit les lumières, les sons, les musiques, les klaxons, les excès s'accélèrent dans un tourbillon qui repousse le sommeil. L'avenue Broadway qui sillonne tout Manhattan du sud au nord, prend sa vraie signification quand elle traverse Times Square, ce carrefour aveuglant. Il est normal que ces quelques blocs aient concentré l'industrie de l'*entertainment* du XXe siècle, avec les théâtres accueillant les célèbres musicals mais aussi les méga concerts rock, avec parmi les plus fameux studios d'enregistrement de la planète, avec les sièges des journaux, des labels et des éditions musicales, avec les meilleurs magasins d'instruments de musique et les plus légendaires studios de télévision. À la fin du XXe siècle le maire de la ville a décidé de nettoyer le quartier de tous les dealers, proxénètes et cinés X. Si on ne reconnaît plus l'ambiance moite du *Taxi Driver* de Martin Scorsese, la vibrante énergie est toujours là, la capacité de renouvellement de la ville étant sans limite. Vers l'est, on tombe sur la cinquième avenue et son tourbillon de shopping et il faut se diriger vers l'ouest, vers l'Hudson River, pour que le pouls perde progressivement de son intensité. Le quartier de Hell's Kitchen encore particulièrement mal famé à la fin du siècle dernier, est un grand chantier d'où surgit une nouvelle vie. Quand vous sillonnerez ces rues légendaires, rappelez-vous que vous suivez les traces de tous, absolument tous, vos héros.

## 401 7th AVENUE / 33th STREET W



PENNSYLVANNIA HOTEL – Allo ? Le Jazz Hotel ?

Si vous aimez le jazz, « Pennsylvania 6-5000 » résonne sans doute à vos oreilles expertes. Le titre de ce classique de 1940 immortalisé par Glenn Miller était alors le numéro de téléphone du Pennsylvannia Hotel. S'il se tient toujours debout face à l'imposant Madison Square Garden c'est parce qu'il est un guerrier. Les promoteurs n'ont cessé de rêver à sa destruction. Quand on connaît la force de persuasion de ces malfaisants, il a fallu un sacré caractère aux lobbies de tous poils pour sauver cette légende du jazz. Le ghotta des big bands de la grande époque a fait swinguer son Café Rouge à n'en plus finir. Count Basie, Duke Ellington, Woody Herman et surtout Artie Shaw et Glenn Miller. C'était l'époque des fêtes fastueuses. On se souvient encore de celle donnée par le mafieux Johnny Jack Nounes (surnommé joliment le « Beau Brummell de Galveton ») les actrices se baignaient alors dans du champagne. Aujourd'hui le numéro de téléphone de l'hotel est le... 736-5000. Sauvé !

## 4 PENNSYLVANIA PLAZZA / 33th STREET W

MADISON SQUARE GARDEN

Oui, c'est bien au Madison Square Garden, que Marilyn susurre « Happy Birthday Mister President » vêtue de sa robe de peau en 1962. Mais, à l'époque, il se tient un peu plus au nord, vers 50th Street. Celui qui est devant nous date de 1968, il est le quatrième du nom et sans aucun doute le plus glorieux. Un joli cadeau de baptême lui est offert dès 1970 par les Knicks, l'équipe de basket qui joue sur son parquet. Première victoire en championnat de son histoire. Aujourd'hui, les Knicks sont toujours là (concurrencés par les Brooklyn Net au Barclays Center de l'autre côté du pont supportés par Jay-Z) et si le basket n'est pas votre tasse de thé, il est toujours drôle d'essayer de découvrir quelle star se cache dans le « court-side ». Ce sont les fauteuils qui bordent carrément le terrain, réservés aux invités, VIP ou friqués capables de payer 3 500 $ pour un match. Spike Lee ? Dustin Hoffman ? Ben Stiller ? Alicia Keys ? Autrefois Woody Allen, accro, ne loupait aucun match. Il est aujourd'hui *persona non grata*, on se demande bien pourquoi. Pour la suite des évènements, demandez les programmes ! Le hockey sur glace, avec la glorieuse équipe des Rangers. La boxe bien sûr. Le MSG en était la capitale mondiale avant que Las Vegas lui ravisse le titre. Cette enceinte a vu les deux combats du siècle entre Ali et Frazier, en 1971 et 1974. Frazier gagne le premier et Ali prend sa revanche trois ans plus tard. Pour les concerts rock, sérieusement, les autres salles peuvent toujours essayer de rivaliser, mais elles atteindront difficilement le prestige de la programmation du Garden. La liste de ses concerts historiques, de ses soirées mémorables est immense. Parmi les moments légendaires :

L'album live des Rolling Stones *Get Yer Ya Ya's Out* est enregistré ici les 26 et 27 novembre 1969.

Le 1er août 1971, George Harrison organise le premier *benefit* concert de l'histoire pour venir en aide au Bangladesh. Clapton, Dylan, Ravi Shankar, Harrison sur la même scène. Dylan n'est pas trop emballé à l'idée de chanter « Blowin' In The Wind ». Harrison lui demande s'il va le faire. Dylan : « Et toi, tu vas jouer "I Want To Hold Your Hand" ? » Un triple album *Concert For Bangladesh* témoigne de cette journée historique.

En juin 1972, Elvis Presley donne quatre concerts pour 80 000 personnes. Un record. Archi-battu depuis. James Burton, Charlie Hodge et Jerry Scheff sont de la partie.

Le 30 août 1972, John Lennon enregistre son album *Live In New York City*. Il ne sortira qu'en 1986.

En juillet 1973, Led Zeppelin donne une série de concerts sold out qui apparaîtront sur le film et l'album *The Song Remains The Same*.

Le 28 novembre 1974, John Lennon fait son avant dernière apparition sur une scène comme invité surprise d'Elton John.

Le 8 décembre 1975, concert Night Of The Hurricane en soutien au boxeur Rubin Hurricane Carter où l'on voit monter sur scène Mohamed Ali avec Bob Dylan (et lui offrir des gants) mais aussi Joni Mitchell, Richie Havens, Joan Baez et Roger McGuinn.

Septembre 1979, plusieurs *benefit concerts* pour *No Nukes* contre l'énergie nucléaire, regroupent Jackson Browne, Bruce Springsteen, Crosby, Stills & Nash, The Doobie Brothers, Ry Cooder, Bonnie Raitt et beaucoup d'autres.

Le 14 mai 1988, Atlantic Records fête ses quarante ans. L'affiche est affolante. Led Zeppelin (avec Jason Bonham à la batterie), Crosby, Stills & Nash, les Bee Gees, Vanilla Fudge, Iron Butterfly, Genesis, Yes, Foreigner, les Blues Brothers, Wilson Pickett, Emerson, Lake and Palmer (sans Greg Lake), Roberta Flack, Booker T., The MG's, Ben E. King pour un marathon de treize heures !

En juin et juillet 2000, Bruce Springsteen tient la scène dix soirs de suite, évidemment *sold out*. *Live In New York City* constituera son dix-septième album.

Les 7 et 10 septembre 2001, Michael Jackson fête un anniversaire. 40 000 spectateurs pour des billets vendus jusqu'à 10 000 $ (à ce prix-là, on pouvait quand même dîner avec Bambi). Pour l'occasion, les Jackson 5 se reforment et pour la dernière fois Michael chante avec ses frères.

Le lendemain ont lieu les attaques contre les tours du World Trade Center. C'est naturellement au Garden que se tient le concert hommage du 20 octobre 2001. Paul McCartney (l'organisateur), Mick Jagger, Keith Richards, Eric Clapton, Elton John, les Who, Jay-Z et beaucoup d'autres répondent présent. C'est David Bowie qui ouvre le concert avec sa version de « America » de Simon & Garfunkel suivi de son « Heroes » dédicacé aux pompiers de New York.

Lors de leurs concerts donnés en octobre de cette même année, Bono et U2 font monter sur scène des pompiers et ambulanciers rescapés des attentats.

En mai 2008, les places pour le show de Jay-Z et Mary J. Blige s'arrachent en deux minutes.

Le 7 février 2011, Prince donne ce qui sera son dernier show au Garden. Il a la bonté de faire monter Kim Kardashian sur scène. Celle-ci, tétanisée par l'instant est incapable de bouger son légendaire popotin. Prince l'éjecte sans ménagement.

Le 28 mars 2016, Bruce Springsteen danse avec sa mère Adele (quatre-vingt-dix ans), ovationnée par le public.

Billy Joel détient le record du plus grand nombre de concerts donnés à la suite : 12 ! C'est Elton John qui est recordman du plus grand nombre d'apparitions (y compris en *guest star*) : 64. Et enfin, le Grateful Dead a joué 52 fois de 1979 à 1994. Inégalé !

### 311 W 34th STREET

HAMMERSTEIN BALLROOM / David Bowie chante sa dernière chanson



La grande salle du Hammerstein Ballroom au sein du Manhattan Center s'est longtemps consacrée à l'opéra et aux vaudevilles. Depuis quelque temps le catch et le rock l'ont investie à leur tour. Les 28 et 29 octobre 2001 les Beastie Boys ont organisé un concert hommage aux évènements du 11 Septembre, New Yorkers Against Violence, accueillant les Strokes, Afrika Bambaataa, Mos Def, les Roots et B-52's. Ces planches ont surtout connu la toute dernière prestation scénique de David Bowie. C'était le 9 novembre 2006 dans le cadre d'un concert caritatif en faveur des enfants atteints du sida en Afrique. Black Ball est un événement annuel organisé par Alicia Keys. Il a interprété « Wild Is The Wind », « Fantastic Voyage » et enfin « Changes » accompagné par Alicia Keys, sa toute dernière chanson en live.



### 545 W 34th STREET

36 CHAMBERS RECORDS / Ol' Dirty Bastard s'effondre

Lorsque Wu Tang Clan réalise son premier album *Enter The Wu Tang (36 Chambers)* en 1993, il est salué par une critique enthousiaste. Le classant d'ores et déjà parmi les créations les plus importantes et influentes du hip-hop. RZA, Ol' Dirty Bastard, Method Man, GZA, Raekwon, U-God, et Ghostface Killah forment un vrai clan, « un pour tous et chacun pour soi » pouvant constituer leur devise. En effet, leur contrat avec le label Loud ne leur interdit pas de sortir des disques en solo quand et avec qui ils veulent. Résultat : des rafales de productions de la part de chacun des sept membres du clan juste interrompues régulièrement par un disque du groupe au complet. RZA est sans doute le plus doué de tous. Il enregistre pour lui, produit pour d'autres et possède son propre studio d'enregistrement à cette adresse. Il le baptise *36 Chambers* en hommage à l'album fondateur. De son côté, Ol' Dirty Bastard fait honneur à son patronyme. Un vrai cinglé au comportement erratique : scandales en tous genres, prison, arrestations pour agression, vol, conduite sans permis, non-paiement de pension alimentaire, possession de cocaïne. Il est lui-même victime d'un cambriolage violent et d'une tentative d'assassinat. La panoplie complète. Le 13 novembre 2004, victime d'un cocktail de drogues diverses, il s'écroule dans ce même studio et décède peu après. Il allait avoir trente-six ans deux jours plus tard. Des milliers de personnes assistent à ses funérailles dans une église de Brooklyn. Russell Tyrone Jones (son vrai nom) laisse treize enfants. Depuis, le bâtiment a été détruit.

### 36 W 37th STREET

**CHUNG KING STUDIOS**

**Le Abbey Road du rap**

L'entrée ne paie pas de mine, mais derrière cette porte un peu lugubre se cachait un immense studio d'enregistrement, que pas mal de gens considéraient comme le meilleur de la ville. Au début, John King s'était installé dans un ancien restaurant de Chinatown (Chung !). Très vite, il était devenu le studio de référence du hip-hop. Les artistes de Def Jam et les productions de Rick Rubin adoraient y enregistrer. C'était le QG de Run-DMC, Beastie Boys, Notorious B.I.G., LL Cool J et tout le gratin du hip-hop de la côte Est. Quand il a déménagé, dans un premier temps, au 170 Varick Street, la hype n'est pas retombée grâce à Lauryn Hill, Kanye West, Jay-Z, Beyoncé, Moby, Depeche Mode ou encore Lady Gaga.

Depuis quelques années, Chunk King s'était installé encore plus grand, encore plus brillant à cette adresse. Mais, l'Abbey Road du rap a définitivement fermé ses portes en 2015.

### 37th STREET et 8th AVENUE

CALLIOPE STUDIOS / De La Soul

À l'origine, Chris Julian est un talentueux multi musicien / ingénieur de studio. En 1984, il ouvre Calliope Studios avec deux associés Fortunato Procopio et Joe Teig. Les débuts sont difficiles, Julian racontant qu'il propose alors une heure de studio à la moitié du prix de son concurrent le moins cher. Aussi, il réussit à attirer une belle brochette de talents de la scène hip-hop de la côte Est (en fait, ceux qui ont échappé à John King). Grâce à De La Soul, il touche le gros lot. L'album *3 Feet High And Rising*, que *Village Voice* n'hésite pas à décrire comme le *Sgt. Pepper's* du rap, marque les esprits lors de sa sortie en 1989. Large succès critique et commercial, il ne reste pas le seul classique à sortir du studio Calliope. A Tribe Called Quest (*People's Instinctive Travels And The Paths Of Rhythm*), Naughty by Nature, Stereo Mc's, PM Dawn et Dee Light (le charmant single *Groove Is In The Heart*) fréquentent les lieux. Le studio ferme en 1994 mais Chris Julian continue une belle carrière dans la musique de films et de spots publicitaires.



### 1411 BROADWAY / 39th STREET W

ROC NATION / La pieuvre de Jay-Z

Au dernier étage loge le siège de la tentaculaire Roc Nation créée par Jay-Z en 2008 après son départ de Def Jam. La firme a largement dépassé les frontières rap originelles et les espérances de son créateur. C'est aujourd'hui une monstrueuse machine d'entertainment qui englobe des partenariats avec Live Nation (les concerts), Universal (la distribution de disques, le cinéma) Three Six Zero Entertainment (*talent scout*, management) et Roc Nation Sport (basket, boxe). Le label musique distribue Jay-Z (*of course*) mais aussi Rihanna, Big Sean et Shakira.

### 584 8th AVENUE / 39th STREET W

THE MUSIC BUILDING / Airbnb pour musiciens

Il faut imaginer le plus grand complexe d'enregistrement du monde : soixante-neuf studios sur douze étages. On peut louer pour un jour, un

mois, un an pour répéter, enregistrer des démos ou simplement écrire. On peut aussi habiter au Music Building. Un Brill Building moderne en somme. (Sans exagérer quand même !) Madonna y a passé un temps fou au début de sa carrière à répéter sa musique, ses chorégraphies. À enregistrer ses premières démos aussi. Les témoins de l'époque se rappellent son énergie et sa force de travail hors du commun. Un reportage de VH1 la suit lors de son récent retour sur ces lieux. Elle explique qu'il n'y avait qu'un seul robinet aux lavabos, celui de l'eau froide et que la porte des toilettes *ladies* fermait bien mal. The Music Building est toujours actif.

**126 42nd STREET W**

TALENT MASTERS RECORDING STUDIO / It's a man's world

Si vous recherchez le studio où James Brown a enregistré « It's A Man's, Man's, Man's World », eh bien c'était ici. Le 16 février 1966, en seulement deux prises, dans un immeuble, aujourd'hui disparu, qui hébergeait Talent Masters Recording Studio. Il servait couramment de studio B pour Atlantic quand leur planning était trop chargé. Du coup « Groovin' » par The Young Rascals, quelques productions de Don Covay, The Drifters ou Solomon Burke sortent d'ici. Les Who ont également utilisé les lieux pour quelques sessions de « I Can See For Miles ».

**237 W 42nd STREET / 7th AVENUE**

B.B. KING BLUES CLUB
La maison du blues

Pendant près de dix-huit ans dans cet endroit plutôt cosy on a pu siroter un Jack Daniels et déguster un steak grillé devant un show de James Brown, Aretha Franklin, Etta James, Jay-Z, Al Green, Bo Diddley ou bien sûr B.B. King lui-même.

Le légendaire bluesman avait ouvert son premier club sur Beale Street à Memphis en 1994 avant Los Angeles, Nashville, Orlando et même... Las Vegas. Alors qu'il fait le plein tous les soirs, le B.B. King Blues Club de New York est obligé de fermer, victime de la hausse des loyers de Times Square. Le 29 avril 2018 c'est Buddy Guy qui a l'honneur d'officier pour le dernier des 6000 shows qui se sont succédé ici. B.B. King décède paisiblement dans son sommeil à quatre-vingt-neuf ans, le 14 mai 2015 victime d'un vieux diabète. Son cercueil descendra le long de Beale Street à Memphis en passant devant son club.

## 1501 BROADWAY / 43th STREET W

### PARAMOUNT BUILDING / La mémoire de Broadway

On a tous repéré ce vieil immeuble un peu effacé derrière les lumières de Times Square. On a tous levé la tête vers son horloge et surtout vers le globe qui la surplombe. Né en 1926, à lui seul, il représente la mémoire de ce qu'on appelait Broadway à l'époque où ce globe dominait le monde de l'entertainment. Cette immense salle de spectacle présente d'abord des films muets accompagnés en live par un orgue Wurlitzer aux sonorités remarquables. Puis à partir des années trente, tout en restant une salle de cinéma, elle accueille le gratin des big bands : Benny Goodman, Tommy Dorsey, Andrews Sisters et bien sûr Glenn Miller. Le Broadway de nos rêves, non ? Dans les années quarante, c'est tout bonnement la maison de Frank Sinatra. En décembre 1942, il anime le réveillon avec Benny Goodman. Et là, c'est la folie. La Beatlemania avant l'heure. Émeutes, cris et hurlements de jeunes new-yorkaises sous le charme d'"Ol' Blue Eyes". Bob Weitman, le boss, lui propose de prolonger une semaine. Puis, deux. Puis, il a droit à un véritable abonnement au Paramount. Un samedi, il fait même onze shows dans la même journée ! (Au même moment, au 44e étage, les éditions Fawcett Comics inventent la superhéroïne Captain Marvel.) À cette époque, le gratin new-yorkais a également pris l'habitude de se presser sur le tapis rouge pour assister aux plus brillantes avant-premières de films. Le

15 novembre 1956, une émeute salue la première mondiale des débuts d'acteur d'Elvis Presley, le controversé *Love Me Tender*. Juste avant de fermer les portes pour laisser la place à des bureaux, The Paramount accueille leur majesté les Beatles le 20 septembre 1964. The Fab Four, exténués, terminent leur première tournée US par un concert caritatif devant seulement 3 682 spectateurs. Mais à l'extérieur, ce sont cent mille fans qui les attendent en hurlant. Seul et dérisoire vestige de ces époques glorieuses, le rez-de-chaussée est aujourd'hui occupé par un Hard Rock Café. Le globe terrestre veille toujours sur Broadway.

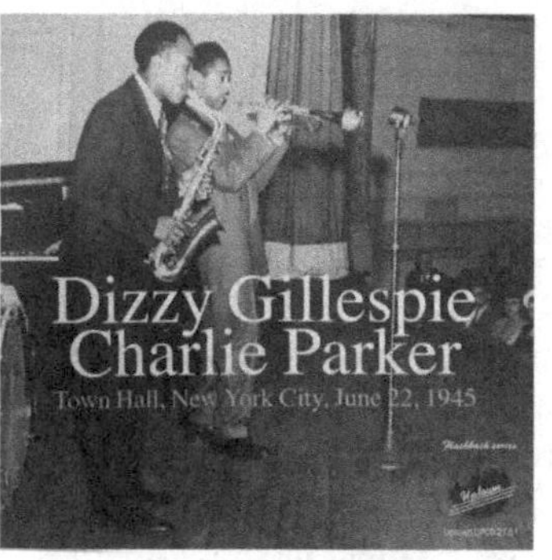


**123 W 43rd STREET / 6th AVENUE**
THE TOWN HALL / Le petit Carnegie Hall

On le compare souvent à Carnegie Hall. Comme lui, il a résisté aux promoteurs. Comme lui, il mélange avec bonheur les programmations de musiques classique, jazz et rock. Mais The Town Hall ne jouit pas du même prestige, malgré son excellente acoustique. Pourtant, Richard Strauss a fait partie des premières affiches en 1921 et le jazz y a vécu quelques très beaux moments. Le 22 juin 1945, notamment. Charlie Parker et Dizzy Gillespie livrent une époustouflante prestation be-bop avec Max Roach à la batterie dont un « Night In Tunisia » d'anthologie. Le concert est heureusement enregistré pour un album devenu classique. La prestation de Bob Dylan, le 12 avril 1963, est également enregistrée mais, pour des raisons obscures, Columbia ne la sortira jamais. Pourtant c'est le concert qui consacre Dylan comme un acteur majeur de la scène folk en dehors du microcosme de Greenwich Village, un mois avant la parution de l'album *Freewheelin'*. Lors d'une interview donnée à Oprah Winfrey en 2009 ici même, Whitney Houston se rappelle qu'elle a donné son premier concert au Town Hall à l'âge de quatorze ans.

**252 W 43rd STREET** – CLUB NEW YORK / Puff Daddy perd ses nerfs

Nous sommes le 28 décembre 1999 au Club New York. Sean "Puffy" Combs, le mogul du rap business fête, en toute simplicité, avec sa fiancée Jennifer Lopez, la sortie du premier album d'un de ses protégés, Shyne. À trente ans, Combs, plus connu sous le nom de Puff Daddy a déjà vécu plusieurs vies. Patron de Bad Boy Records, il a lancé The Notorious B.I.G., Craig Mack et Faith Evans. Il incarne le rap de la côte Est dans la sanglante rivalité qui l'oppose à la côte Ouest. Producteur, il a travaillé avec Mary J. Blige, Mariah Carey, Usher. Chanteur, il a déjà battu quelques records de ventes notamment avec son single *Can't Nobody Hold Me Down*, six semaines au sommet des charts en 1997. Bref, tout ce qu'il touche se transforme en or. Ce soir-là, réputé susceptible, il s'embrouille avec le patron du club. S'ensuit une bagarre. Des coups de feu sont tirés, trois personnes sont blessées. Tout le monde est embarqué par la police sous les flashs de paparazzis ravis. Jennifer Lopez est vite relâchée. Puff Daddy est libéré au bout de quelques jours. Seul Shyne paiera les pots cassés avec quelques années de prison.

### 400 W 43th STREET

L'enfance d'Alicia Keys

Alicia Keys a écrit : « J'ai grandi au milieu de nulle part ». Pas tout à fait exact, puisqu'elle a passé son enfance, ici, en plein Hell's Kitchen, qui, c'est vrai, dans les années quatre-vingt n'est pas le coin le plus chic de la Grosse Pomme. Quand la petite Alicia prend le bus pour rejoindre son école 116 E 33th Street, quand elle va prendre ses cours de danse ou de gymnastique, elle côtoie un environnement plutôt glauque entre sex-shops, dealers, seringues et prostituées, et porte en permanence un petit couteau dans la poche. Heureusement, son professeur de piano réside dans son immeuble. Elle étudie Chopin et Mozart plutôt que Ray Charles et Jerry Lee Lewis. Mais Broadway et ses lumières sont tout proches. Son père qui quitte le foyer quand elle a deux ans est afro américain. Sa mère est d'origine sicilienne. C'est elle qui élève harmonieusement Alicia dans cet environnement difficile. À l'adolescence, la future diva reste dans le quartier pour étudier à la Professional Performing Arts School 328 W 48th Street dont elle sortira brillamment diplômée à seize ans. Elle est déjà une pianiste accomplie, son style évoluant rapidement du classique au jazz puis vers le blues et la soul. Elle est

aimantée par Harlem et fascinée par les voix de Marvin Gaye, Curtis Mayfield, Nina Simone. Elle a déjà un manager, haut en couleur, Jeff Robinson, elle chante dans une salle de Harlem, The Police Academy League Center sur 124th Street W (qui n'existe plus aujourd'hui) et ne va pas tarder à signer pour Clive Davis chez Columbia. Mais elle veut encore se perfectionner en écriture et s'inscrit à la Columbia University. La gloire l'empêchera de finir son cycle d'études.

### 407 W 43th STREET / 9th AVENUE

THE SANCTUARY / L'invention du DJ moderne

Comment une église luthérienne bâtie en 1890 peut-elle devenir, en 1968, un club privé majoritairement gay, complètement décadent, avec une statue de Satan trônant en haut des escaliers ? Le DJ Francis Grasso officiant avec ses deux turntables Thorens TD 124 à la place même de l'autel ! Nous n'y étions pas, mais, certains proclament qu'ici, pendant quatre années délirantes, Francis Grasso a révolutionné le métier de DJ osant mixer Chicago et Led Zeppelin, James Brown et des rythmes africains, popularisant toutes les techniques que l'on utilise encore aujourd'hui et notamment le beatmatching. Le principe, inventé par le génial ingénieur Alex Rosner, permet de mixer en pouvant écouter au casque, indépendamment et avec des tempos différents, chaque titre. Bref, on n'a rien fait de nouveau depuis. Une brochette de *happy fews* (la capacité maximale était 346 personnes, mais ils étaient souvent près de 1000) a découvert une nouvelle forme de dance music follement moderne, assistant à la naissance d'une nouvelle génération de discothèques. À faire passer le futur Club 54 pour le Macumba de votre quartier. The Sanctuary a fermé ses portes le 5 avril 1972, victime de ses excès et de sa réputation de supermarché de la drogue. Grasso est mort en mars 2001, mais le bâtiment existe encore. (Dans le film *Klute* de Alan J. Pakula, un long plan séquence est filmé dans The Sanctuary.)

### 49 W 44th STREET

HOTEL IROQUOIS / I'm miserable now

Lors de ses premiers séjours à New York, James Dean loge dans une minuscule chambre dans l'Upper West Side. Plus tard, la gloire pointant son nez, il a l'habitude de descendre à l'Hotel Iroquois. L'hôtel existe toujours, une suite porte même son nom. Mais, pas de fantasme, le lit a été changé ! Pour votre culture, c'est ici que Johnny Marr le guitariste des Smiths a écrit « Heaven I'm Miserable Now », en une petite heure, sur sa Gibson ES-355 rouge, le 2 janvier 1984. Et que Joe Strummer de Clash aurait pondu une partie de « Rock The Casbah » (« *the King told the boogie-men you have to let that raga drop* ».) New Order avait également l'habitude de descendre ici.

**139-141 W 44th STREET** – HUDSON THEATRE / Steve Allen Show



À l'origine, ce théâtre programme des pièces de Broadway avant de devenir, à partir des années trente, un studio de radio et de télévision. C'est ici que Elvis Presley apparaît aux Américains dans le show de Steve Allen pour ABC, le 1er juillet 1956, la veille de l'enregistrement de « Don't Be Cruel » aux studios RCA. Les bons scores d'audience vont pousser Ed Sullivan à programmer Elvis dans son propre show, deux mois plus tard, avec la caisse de résonance que l'on sait. Longtemps transformé en salle de conférences, l'Hudson Theatre devrait retourner prochainement à sa vocation originelle, les Musicals.

**1 530 BROADWAY / 44th STREET W**

BOND INTERNATIONAL CASINO / Bingo pour The Clash

Ce n'est pas un casino mais un ancien grand magasin dont le deuxième étage est transformé en une salle de spectacle de 1 700 places. On est en mai 1981, les Clash l'un des groupes héros du punk londonien vient de sortir son triple album *Sandinista!*. Pour le promouvoir, huit concerts sont programmés ici à partir du 28 mai. Déjà bien pour un groupe qui n'est pas encore complètement populaire de ce côté-ci de l'Atlantique. Mais les places sont rapidement *sold out* et le nombre de tickets vendus dépasse la capacité légale de la salle. Les autorités s'en mêlent. Résultat, les Clash joueront dix-sept soirs consécutifs afin de répondre à la demande. La hype est énorme. Le groupe de Joe Strummer prend son véritable envol aux USA. Au fil du temps, Virgin Megastore puis Toy“R”Us occuperont successivement l'adresse.

### 321 W 44th STREET / 8th AVENUE

RECORD PLANT STUDIOS / DADDY'S HOUSE STUDIO

**La dernière soirée de Lennon**

Record Plant, l'un des plus fameux studios d'enregistrement de la ville, dans les années soixante-dix, a connu plusieurs heures de gloire. La première, quelque temps après son inauguration en mars 1968 : Jimi Hendrix bloque les lieux pendant deux mois pour accoucher du double album *Electric Ladyland*, pièce maîtresse de sa discographie. Le guitariste est un obsédé de la perfection. Il peut refaire les prises jusqu'à cinquante fois. Le créateur de « Voodoo Child » apprécie particulièrement le confort du studio où tout est conçu pour le plaisir des musiciens. Heureusement, car, sur cet enregistrement, il invite tellement de monde que l'ambiance tourne souvent à la foire. Hendrix s'inspirera du confort de Record Plant quand il construira son propre studio à Greenwich Village qu'il appellera... *Electric Lady*. Autre heure de gloire : le premier album des New York Dolls en avril 1973, produit en huit jours par Todd Rundgren avec l'ingénieur Jack Douglas qui deviendra une pièce maîtresse du Record Plant. À noter aussi le troisième album de Bruce Springsteen. Après deux premiers échecs commerciaux, The Boss n'a plus le droit à l'erreur. Sa maison de disques l'incite à tout changer : nouveau producteur, nouveau studio. C'est décidé, *Born To Run* va naître au Record Plant produit par Jon Landau. Bonne pioche ! Springsteen est un ultra-perfectionniste. Les sessions s'éternisent durant de longues heures (l'enregistrement du saxo de Clarence Clemons sur « Jungleland » dure seize heures !). Mais le résultat est grandiose. Le dernier évènement marquant est plus triste. C'est ici que John Lennon a passé sa dernière soirée enregistrant avec Yoko « Walkin' On A Thin Ice ». On connaît l'histoire. En sortant du studio, Yoko veut aller au restaurant, mais John préfère rentrer directement au Dakota. Lennon a souvent fréquenté l'endroit. Par exemple, le 31 octobre 1971, il a fait venir The Harlem Community Choir composé d'une trentaine de jeunes enfants de quatre à douze ans pour l'accompagner sur le single « Happy Xmas (War Is Over) ». « Walk This Way » de Aerosmith, « Time After Time » de Cyndi Lauper, « Heart Of Glass » de Blondie ou encore « School's Out » d'Alice Cooper sont sortis de ce studio fermé en 1987. Gary Kellgren et Christ Stone, les deux propriétaires ouvriront deux autres Record Plant sur la côte Ouest, à Los Angeles et Sausalito. Le studio de Puff Daddy, Daddy's House Studio, s'installe au deuxième étage en 1992. Il convie pas mal de ses poulains de Bad Boys Records à enregistrer ici. Notamment Notorious B.I.G., Mase pour son premier et *successful* album *Harlem World,* Jay-Z avec une partie de *In My Lifetime*, Usher pour son premier album, LL Cool J et bien sûr lui-même.

**57 W 45th STREET** – Godard film l'Airplane

Si l'on pense que les Beatles ont été les premiers à donner un concert sur le toit d'un immeuble, on a tout faux. On croit que les Rolling Stones sont les seuls musiciens filmés par Jean-Luc Godard ? Balivernes ! Il faut dire que l'histoire est peu connue. Au cœur de sa période mao/marxiste, le cinéaste suisse se lance dans un pamphlet comme il en a le secret : *One American Movie*. Le thème : la révolution américaine. Qui d'autre que le groupe culte californien Jefferson Airplane qui va sortir son hymne « Volunteers » peut symboliser la révolution musicale américaine ? Godard décide de le filmer, sans autorisation (on est révolutionnaire oui ou non ?) sur le toit de l'hôtel Schuyler le matin du 19 novembre 1968. La camera positionnée dans l'immeuble en face, nous montre Grace Slick et le reste du groupe transi de froid exécuter « House Of Pooneil Corner » avec moult focus sur l'étrange chapeau de Jack Casady. Une petite foule applaudissant se formant en bas, sur 45th Street. Bon, disons que ce n'est pas la meilleure performance scénique du groupe, ni la meilleure prise de son de l'histoire du cinéma. On en viendrait presque à remercier le NYPD qui vient déloger les artistes en douceur. *One American Movie* ne sortira jamais. L'hôtel et l'immeuble ont été rasés. Ce petit malin de Paul McCartney récupère l'idée deux mois plus tard, en faisant jouer une partie de l'album *Let It Be* sur le toit du siège de leur maison de disques Apple à Londres. Cette histoire-là est connue.

**128 W 4th Street** – PEPPERMINT LOUNGE

La naissance du twist

Il faut se rappeler quel phénomène planétaire était le twist, au début des années soixante ! Le monde entier s'est pris de passion pour cette danse consistant principalement à onduler des genoux tout en battant l'air avec ses bras. Au début, un hit plutôt excité de Chubby Checker « The Twist » met le feu aux charts. Grâce à la télévision, des millions d'Américains sont fascinés par la danse qui accompagne les prestations scéniques du bien

nommé Checker. Et comme une traînée de poudre, toute l'Amérique, d'est en ouest, se met à onduler des genoux en chœur. Au même moment, un minuscule club de Times Square, le Peppermint Lounge, invite Joey Dee and the Starlighters, un combo du New Jersey, pour une nuit twist. On danse comme des fous jusqu'à l'aube. La fête est dantesque. La presse s'en fait l'écho et du jour au lendemain Peppermint Lounge est proclamé temple mondial du twist. Toutes les stars de l'époque jouent des coudes pour entrer dans le saint des saints : Truman Capote, Liberace, bien sûr mais aussi Judy Garland, Shirley McLaine et même Jackie Kennedy, la première dame du pays. Très vite, le reste du monde est contaminé. L'Europe s'enflamme. Chubby Checker remet le couvert avec « Let's Twist Again ». Johnny Hallyday l'adapte dans la langue de ce pauvre Molière. Maurice Chevalier commet « Le twist du canotier ». La raison s'égare. Tous les hommes politiques (euh, non, sauf De Gaulle) y vont de leur petit pas de twist, passage obligé pour une réélection. Pendant ce temps, le Joey Dee du Peppermint Lounge surfe sur la célébrité du club pour sortir « Peppermint Twist », qui va faire sa fortune (n° 1 aux USA). Et puis, comme toute mode, le twist s'essouffle. D'autres danses se ruent alors sur le cadavre. The madison, the mashed potatoes ou encore the locomotion, feront bonne figure mais bien loin de l'original. Avant que le Peppermint Lounge ne ferme ses portes en décembre 1965, il recevra la visite des Beatles, le 9 février 1964, qui ont bien le droit de se défouler sur la piste de danse juste après leur passage au Ed Sullivan Show.

**1515 BROADWAY / 44th STREET W**

MTV / PLAYSTATION THEATER / Ladies and gentlemen…rock'n'roll

Avant on écoutait la musique. Avec l'arrivée de MTV on s'est mis à la regarder ! Le 1er août 1981, la chaîne MTV est lancée avec cette profession de foi : « *Ladies and gentlemen… rock'n'roll* ». S'ensuit un succès phénoménal basé sur la diffusion non stop de clips de plus en plus sophistiqués, présentés par de sémillants VJ's. Pour le meilleur et pour le pire. Le meilleur ce seront les fameux concerts Unplugged. Les artistes de premier plan venant interpréter leur répertoire en live, débranchant toute forme d'électricité. Au fil des années, la machine à clip va se mettre à programmer de véritables émissions et des séries capables de fidéliser la génération Y. On l'a compris, aujourd'hui, MTV est bien loin de sa promesse d'origine « *Ladies and gentlemen… rock'n'roll* ». Au deuxième étage, on trouve les studios et, au 44e étage, le siège social. À l'étage inférieur se situe une grande salle de concert qui a souvent changé de nom : après Nokia et Best Buy, c'est aujourd'hui le PlayStation Theater.

**222 W 45th STREET** – BOOTH THEATRE / Bowie est Elephant Man

En 1980, alors que « Ashes To Ashes » domine les charts, son auteur joue le rôle principal d'*Elephant Man* à Broadway. Les critiques sont élogieuses. Pendant trois mois et 157 représentations David Bowie donne la preuve qu'il est un formidable acteur. Lui, se contente de rappeler qu'il doit tout aux cours de mime de son ami Lindsay Kemp.

**645 9th AVENUE / 45th STREET**

SOUTHERN HOSPITALITY BBQ / Chez Justin

Pour information, sachez que Justin Timberlake possède des parts importantes de ce restaurant. Si vous êtes en quête d'une cuisine du sud avec pas mal de sauce et d'un copieux dessert au beurre de cacahuètes, c'est ici.

**2 W 46th STREET**

HARRY SMITH RECORDING STUDIO / L'ébauche de Sinatra

Harry Smith a ouvert le premier studio d'enregistrement indépendant de la côte Est à cette adresse en 1930. Le très jeune Frank Sinatra (à l'époque il avait un peu le physique d'un chat apeuré) originaire du New Jersey voisin, enregistre ici pour la première fois. La version historique de « Our Love », gravée ici, ne sortira jamais. Plus glorieux, le studio est aussi connu pour avoir hébergé pas mal des premiers enregistrements de Miles Davis dès 1947 et notamment « Donna Lee » avec le Charlie Parker All Stars mis en boîte le 8 mai de cette année. Si le studio a disparu depuis longtemps, l'immeuble existe toujours.

**205 W 46th STREET**

LUNT-FONTANNE THEATRE / Morrissey à Broadway

Ce joli théâtre de Broadway a accueilli un grand nombre de musicals depuis 1910 et les Ziegfeld Follies. On se rappelle du très réussi *Beatlemania* en 1979 avec de parfaits sosies des Fab Four, du succès de Motown The Musical en 2013 et de The Donna Summer Musical en 2018. Depuis cette date, le théâtre s'ouvre à des concerts rock en live avec Regina Spektor et plus récemment Morrissey, ex-Smiths. Morrissey à Broadway, un casting parfait !

**301 W 46th STREET** – THE SCENE / Jim Morrison titube

On a du mal à imaginer un club trash decadent rock'n'roll en plein Times Square au milieu des musicals de Broadway bien proprets ? Et pourtant il a existé grâce à Steve Paul dans le sous-sol d'un immeuble aujourd'hui détruit. Les Doors y ont donné parmi leurs plus glorieux concerts new-yorkais. Le Velvet était un habitué, tout comme Johnny Winter managé alors par Steve Paul. Les premiers concerts new-yorkais de Jimi Hendrix Experience se sont tenus ici les 3 et 4 juin 1967. Le 7 mars 1968, le guitariste, un habitué des lieux, invite sur scène un spectateur de marque : Jim Morrison. Sur « Bleeding Heart », le leader des Doors, copieusement aviné, tente de chanter de façon un peu pathétique. Janis Joplin, aussi présente ce soir-là, se dévoue pour l'éjecter de scène sans ménagement. Jimi, Jim et Janis mourront au même âge, vingt-sept ans, dans quelques années.

**145 W 47th STREET**

MIRA SOUND RECORDING STUDIOS / L'ombre de Shadow Morton

Mira Sound est alors l'une des annexes du Brill Builing (avec le studio de Dick Charles au 729 7th Avenue). On compose au Brill Building, et hop, dans la foulée, on enregistre direct dans le studio d'en face. Les choristes disponibles à ce moment-là feront l'affaire. Quelques jours après, le disque est dans les magasins prêt à partir à l'assaut victorieux des charts. Phil Spector, un gamin du Bronx, pas né de la dernière pluie, a déjà quelques hits à son actif comme producteur / compositeur. Dont « Pretty Little Angel Eyes » par Curtis Lee, enregistré ici. Ce génie du son est un malin. Il mise tout sur le nouveau phénomène à la mode : les *girl groups*. Deux ou trois jolies voix qu'on paie à la séance, une chanson fleurette pour teenager (« je l'aime, il ne m'aime pas, il en aime une autre... ») et bingo le tour est joué. Un beau jour de 1963, une certaine Estelle Bennett réussit à le joindre à son bureau d'Upper East Side. Elle se présente comme membre d'un groupe féminin The Ronettes. Il accepte de les auditionner aux studios Mira Sound et les enregistre illico pour un single, le transgressif « He Hit Me (It Felt Like A Kiss) ». Petit tour de rodage avant « Be My Baby » et avant que Spector s'expatrie à Los Angeles au Gold Star Studio, pour devenir le mythique producteur que l'on sait, inventeur du Wall of Sound (et épouser la sœur d'Estelle, Ronnie Bennett, la chanteuse du groupe). Il est également l'un des auteurs avec Jeff Barry et Ellie Greenwich de l'énorme hit de 1964, « Chapel Of Love » enregistré ici par The Dixie Cup. Mais le grand bonhomme du Mira Sound est le producteur George "Shadow" Morton et l'objet de ses fantasmes s'appelle les Shangri-Las. Ici pour ce girl group, il produit de véritables opéras pour teenagers : « Remember (Walkin'in The Sand) » (avec le jeune Billy Joel au piano) et, bien sûr, « Leader Of The Pack ». Vroom, vroom ! Plus tard, Morton sera derrière le très psychédélique « In A Gadda Da Vida » d'Iron Butterfly, prouvant ainsi qu'il est capable d'oublier ses vieilles recettes (ce que Phil Spector n'a jamais réussi à faire) Ce morceau, enregistré aux Gold Star Studio (tiens, tiens) un classique resté dans les annales possède deux caractéristiques : sa longueur de 17 minutes (la face entière de l'album) et le très long solo de batterie de Ron Bushy (qu'on peut trouver fort démodé aujourd'hui). L'album se vend à plus de dix millions d'exemplaires dans le monde. Ce n'est pas une surprise que Morton découvre à ce moment-là, Vanilla Fudge dont il produit les trois premiers albums. L'immeuble du Mira Sound a été détruit récemment.

**597 FIFHT AVENUE**

CHARLES SCRIBNER'S SONS BUILDING/Un job pour Patti Smith

C'est un fait, dans cette ville, on mène la vie dure aux librairies. Elles disparaissent les unes après les autres. Cette adresse a longtemps fait de la résistance avant de céder au chant des sirènes mondialistes. Dès la construction de l'un des plus beaux immeubles de la cinquième avenue au début du XIXe siècle, c'était déjà une librairie : Scribner Bookshop (depuis ici ont été publiés F. Scott Fitzgerald et Ernest Hemingway). Puis à partir des années quatre-vingt, Barnes & Nobles puis Brentano's défendent courageusement le territoire avant que Benetton ne vienne siffler la fin de la partie. C'est aujourd'hui le navire amiral de Sephora. À peine arrivée à New York, en 1967, la jeune Patti Smith travaille à la librairie Brentano's (586 5th Avenue) aujourd'hui disparue, puis enchaîne, quelques jours seulement, chez FAO Swartz (expérience désastreuse, qui peut imaginer Patti Smith vendant des petits oursons en peluche ?). Son troisième job est ici chez Scribner.

**112 W 48th STREET** – A&R RECORDING/The Girl From Ipanema





Dès le début des années soixante, à New York, les premiers disques de bossa nova circulent déjà en provenance directe de Rio de Janeiro toutefois réservés à une intelligentsia initiée. Puis, en 1963, *Jazz Samba* de Stan Getz et plus encore Quincy Jones avec *Soul Bossa Nova*, enregistré ici, mettent le fruit dans la Grosse Pomme. Toujours confiné à un cercle d'amateurs de jazz plutôt restreint. Jusqu'à ce qu'une fille arrive direct d'Ipanema. Mars 1963. Au quatrième étage de cet immeuble, dans les studios A&R, Stan Getz, saxophoniste américain, João Gilberto, guitariste, l'un des pères de la bossa nova, et sa femme, la chanteuse Astrud Gilberto enregistrent une nouvelle version d'un titre d'Antonio Carlos Jobim : « the Girl From Ipanema ». Cette session fait partie d'un album que Stan Getz est en train de graver avec Phil Ramone, propriétaire du studio, aux manettes. Au moment de choisir le single issu du 33-tours, c'est le coolissime « The Girl From Ipanema » qui est l'heureux élu. Il a la particularité d'être chanté en deux langues, portugais et anglais, pas forcément un atout sur un marché du disque américain plutôt protectionniste. À la surprise générale, le single et l'album font un triomphe, multi awardé. Parti à la conquête du monde pour devenir un standard, il ouvre en grand les portes de, ce que l'on appellera plus tard, la world music. A&R a accueilli Ray Charles (« Let The Good Time Roll »), Dionne Warwick (« Alfie ») et les enregistrements de quelques productions du label Bang Records dirigé par Bert Berns et crée avec les frères Ertegun et Jerry

Wexler de chez Atlantic. « Domino », « Brown Eyed Girl » et « Here Comes The Night » de Van Morrison, « I Want Candy » des Strangloves et « Kentucky Woman » de Neil Diamond. La gloire des studios A&R ne s'arrêtera pas sur ces coups de maître après son déménagement au septième étage du 799 7th Avenue dans une partie des anciens studios Columbia. Phil Ramone, devient alors l'un des producteurs les plus respectés des années soixante-dix (Paul Simon, Billy Joel) réussissant à attirer chez A&R un joli *who's who*. Le plus brillant étant Bob Dylan qui grave ici l'immense album de son retour *Blood On The Tracks* considéré par certains spécialistes comme son meilleur.

### 156 et 169 W 48th STREET

MANNY'S MUSIC / RUDY'S / Le graal des guitaristes

Si cette portion de 48th Street a longtemps été surnommée *music row*: Manny's Music et Rudy's y ont beaucoup contribué. Ces deux magasins d'instruments de musique, tout proches l'un de l'autre ont vu défiler le *who's who* du rock pendant plusieurs décennies. Manny's était le plus connu. Le 11 juillet 1965, Hendrix est venu craquer pour une Les Paul, une Epiphone Casino et un système Echoplex. Facture ? 2 000 $. Le vendredi 23 janvier 1974, jour de paie, Johnny Ramone a acheté sa première vraie guitare ici, une Mosrite bleue, et Dee Dee une basse Danelectro prouvant ainsi qu'ils savaient jouer d'un instrument. Pour 50 $ chacun. Lorsque Manny's a définitivement fermé ses portes en 2009, on a compté les autographes laissés par les clients. La liste était impressionnante : de Jimi Hendrix à Buddy Holly en passant par Bob Dylan, Pete Townshend, David Gilmour ou encore Johnny Cash ! Aux dernières nouvelles, le logo Manny's était encore visible sur la façade. Son voisin, Rudy's a jeté l'éponge lui aussi. Rudy Pensa, était plus qu'un simple vendeur d'instruments de musique. Il développait ses propres guitares avec l'aide de clients musiciens prestigieux dont Mark Knopfler de Dire Straits. Il s'est heureusement réinstallé dans Soho (461 Broome Street).

**168 W 48th STREET**

RIGHT TRACK RECORDING / MSR

Jusqu'à leur fermeture en juin 2016 pour cause de nuisance sonore, les quatre studios de MSR constituaient l'un des plus importants complexes d'enregistrement et de mastering de la ville. Avant 2008, le lieu était occupé par Right Track Recording, qui a vu Suicide enregistrer « Dream Baby Dream » produit par Rick Ocasek en 1979. Plus étonnant, Claude Nougaro a retrouvé une seconde jeunesse en fréquentant ce studio pour l'album *Nougayork* avec un certain Nile Rodgers à la guitare. Encore plus étonnant Trent Reznor, futur Nine Inch Nails, fut ingénieur (et aussi homme à tout faire) du studio au milieu des *eighties*.

**219 W 48th STREET**

WALTER KERR THEATER / Springsteen à Broadway





On pensait que Springsteen et Broadway étaient deux mots qui n'allaient pas très bien ensemble et pourtant... Pendant deux ans (2017-2018), The Boss se produit dans ce petit théâtre un peu rococo évoquant l'histoire de sa vie entrecoupée de quelques-uns de ses titres au piano ou à la guitare sèche. Initialement prévu pour durer cinq semaines en octobre 2017, il est reprogrammé trois fois jusqu'en décembre 2018 ! Les heureux spectateurs pouvant côtoyer leur héros en toute intimité tellement loin du gigantisme des habituels stades.

**723 SEVENTH AVENUE / 48th STREET W**

QUAD RECORDING STUDIOS / ASSOCIATED / 5 balles pour Tupac

Tupac Shakur est né dans East Harlem. Sacré cadeau de naissance ! On s'en doute, sa vie n'allait pas ressembler à un long fleuve tranquille. Par exemple, cette nuit du 30 novembre 1994 quand le rappeur a bien failli y laisser la peau, en plein cœur de Times Square, dans le lobby du studio Quad au dixième étage. Alors qu'il sort des ascenseurs, deux hommes l'attaquent pour lui voler ses bijoux. (oui, question bijoux, Tupac ne fait pas dans le discret). Il se défend. Des coups de feu partent. Tupac est touché à cinq reprises. Il s'en sort, mais cet *incident* marque le début de la légendaire rivalité qui va ensanglanter la scène rap plusieurs années durant. West coast *vs* East coast. Tupac est persuadé que ce n'est pas un simple vol, mais un contrat le visant personnellement. Il accuse ouvertement un autre rappeur, The Notorious B.I.G., d'en être complice. Bref, le ton monte et résultat des courses : du sang sur les murs et de la cervelle au plafond ! Randy "Stretch" Walker, associé et ami de Tupac est assassiné en 1995, Tupac, lui-même, est finalement abattu à Las Vegas en 1996. Même sort pour Notorious B.I.G. à Los Angeles en 1997. Comme le prophétisait Notorious B.I.G. : « You're Nobody (Til Somebody Kills You) ». Avant de s'appeler Quad, ce lieu hébergeait Associated Recording Studio. C'était l'un des nombreux endroits où les démos des chansons du Brill Building étaient enregistrées avant de devenir de vrais disques. Mais au-delà, des hits comme « Hang On Sloopy » des McCoys et « My Boyfriend's Back » des Angels ont été capturés ici. Quad est encore l'un des plus importants studios de la ville.

### 30 ROCKFELLER PLAZZA / 49th STREET W

NBC STUDIOS / Saturday Night Live, Jimmy Fallon, Wolfman Jack.

Attention, Saturday Night Live est une in-sti-tu-tion. On peut déprogrammer toutes les émissions de la télé américaine, toutes, même les plus légendaires, même les indécrottables, mais on ne touche pas, on ne touche pas au SNL. Souvent imité (n'est-ce pas *Les Nuls*) jamais égalé, il a fêté ses quarante ans en grande pompe en 2005. Ils étaient tous là (enfin, ceux qui sont encore en vie). Le principe est immuable : une série de sketchs complètement débridés : insolence, moqueries, vacheries en direct live. La magie tenant à la qualité des comédiens permanents et des invités. Dès le début, en 1975, SNL frappe au plexus. Alors inconnus, John Belushi, Dan Akroyd (futurs Blues Brothers), Chevy Chase et Bill Muray mettent le feu ! La suite sera plus chaotique avec des bas mais surtout des hauts de grande classe : Eddy Murphy, Billy Crystal, Will Ferrell, Adam Sandler ou encore Robert Downey Jr. Tous révélés ici. Parmi les *guests*, on a rameuté du lourd : Rolling Stones, Nirvana, David Bowie, Madonna, on en passe, et des (presque) meilleurs. (C'est devant l'entrée de l'immeuble sur Rockfeller Plazza que David Bowie donne un miniconcert le 16 juin 2002 en direct du « Today Show »). Aujourd'hui après vingt et un Grammy Awards, une seule chose n'a pas changé : l'émission est toujours en véritable direct dans le même studio 8H aux huitième et neuvième étages de l'imposant 30 Rock où siège la chaîne NBC. En dessous, au studio 6B, Jimmy Fallon présente *The Tonight Show*. On le sait, les grands networks américains NBC, CBS, ABC bataillent ferme pour

produire le meilleur late-night show en troisième partie de soirée avec la même recette: un présentateur charismatique et drôle assis derrière un bureau, un invité à forte personnalité et un musicien en live. Parmi eux, celui de Jimmy Fallon est sans doute le plus réussi. L'immeuble est également le siège de WNBC, la station de radio du groupe avec une longue histoire. Pour nous, on retiendra, au début des années soixante-dix, le passage éclair de Wolfman Jack, sans doute le plus fougueux DJ de l'histoire du rock. On se rappelle que ce furieux jouait son propre rôle dans *American Graffiti* de George Lucas. Son cri de ralliement: le tonitruant hurlement d'un loup. Sa patte: une voix nasillarde et stridente difficile à oublier. Il débute au Mexique mais c'est en Californie qu'il devient légendaire. À une époque, au début des *seventies*, il est diffusé par près de 2000 stations de radio dans le monde. WNBC New York le débauche en 1973 pour contrer la concurrente WABC. Ce n'est pas une réussite et c'est le début de la fin du DJ Wolfman Jack. Gérant dès lors sa légende, on voit sa charismatique corpulence et sa barbe sagement taillée traîner dans des films et dans des shows TV où il fait merveille. Quelque temps plus tard le Wolfman se retire en famille en Caroline du Nord où il meurt d'une crise cardiaque en 1995. L'immeuble possède un rooftop Top of the Rock avec une parfaite perspective sur la ville. (Entrée sur 50th Street). L'une des scènes les plus cocasses du film *Un jour à New York* (qui n'en manque pourtant pas) se déroule ici. Gene Kelly et Frank Sinatra habillés en marins.



### 1619 BROADWAY / 49th STREET W

THE BRILL BUILDING / La machine à écrire des hits

Fin des années cinquante. Imaginez un immeuble entièrement dédié à l'industrie musicale. À chaque étage, les auteurs-compositeurs les plus talentueux du pays. Chacun, dans un petit bureau meublé d'un piano comme seul outil de travail, avec une mission simple: pondre des tubes à la chaîne, cracher une flopée de n° 1. Ils ont à peine trente ans, sont bourrés de talents, ils travaillent en duo et signent: Gerry Goffin / Carole King, Jeff Barry / Ellie Greenwich, Jerry Leiber / Mike Stoller, Doc Pomus / Mort Shuman, Burt Bacharach / Hal David ou encore Barry Mann / Cynthia Powell. Seul Phil Spector travaille en free-lance. (Il possède d'ailleurs

1619 Broadway
The Brill Building

ses propres bureaux 440 EAST 62nd Street.) L'ardente compétition qu'ils se livrent pour atteindre les sommets des charts les pousse à aller toujours plus haut pour offrir des odes définitives et sucrées aux teenagers du monde entier. La plupart du temps, ils ne savent pas à qui leur composition est destinée. Elle est rapidement proposée aux agents et aux artistes par l'intermédiaire d'un éditeur musical, le puissant Aldon Music dirigé par Don Kirshner. Puis enregistrée instantanément dans l'un des trois ou quatre studios voisins. (Un film de 1996, *Grace Of My Heart* restitue parfaitement cette ambiance du Brill Building.) Levez la tête, regardez les fenêtres du Brill Building et écoutez: « Da Doo Ron Ron », « Be My Baby », « Loco-motion », « River Deep Mountain High », « Stand By Me », « Save The Last Dance For Me », « Walk On By ». « You've Lost That Lovin' Feelin' », « Hound Dog ». Toutes ces pépites sont sorties de cette incroyable machine à écrire des hits. Là, derrière cette magnifique porte d'entrée art-déco, heureusement intacte car classée aux monuments historiques. C'est logiquement ici que les producteurs de la série *Vinyl*, Martin Scorsese et Mick Jagger, ont choisi de situer le siège du label American Century. Jusqu'en 2014, le rez-de-chaussée du Brill accueillait Colony. Une légende de Broadway pendant soixante-quatre ans: disques par milliers de tous styles, jazz, comédies musicales, rock. Mais aussi (surtout) des tonnes et des tonnes de partitions. Finalement internet a fini par avoir sa peau.



### 1650 BROADWAY

ALDON MUSIC / ALLEGRO RECORDING STUDIO / L'homme à l'oreille d'or

Don Kirshner, l'homme qui transforme les productions du Brill Building en mine d'or, installe ses bureaux ici au début des *sixties*. Son job est simple: il s'occupe de trouver les artistes capables de propulser en haut des charts les merveilleuses compositions des orfèvres du Brill Building. Mais encore faut-il avoir l'*oreille d'or* comme le décrit le magazine *Time*. Il vend sa société Aldon Music en 1963 et se lance dans la production en créant ses propres labels. Il est à l'origine des Monkees, un groupe fictif qui possède son propre show et de l'énorme hit des Archies « Sugar, Sugar » en 1969. Au sous-sol, on trouve les studios Allegro qui servent, le plus souvent, à enregistrer des démos. Mais aussi quelques classiques comme la plupart des titres de Tommy James and the Shondells dont le bien nommé « Mony, Mony » ou encore ceux de Mélanie Safka dont le fameux « Bobo's Party », énorme tube en France.

### 1260 6th AVENUE / 50th STREET W

RADIO CITY MUSIC HALL / Show place of the Nation

Radio City Musical fait partie des rares endroits du quartier où le temps semble s'être arrêté aux meilleures heures de Broadway. La façade art-déco est la carte postale du New York de nos rêves. Radio City Music Hall, on t'aime. Au fait pourquoi Radio City pour une salle de spectacle ? Parce qu'à l'époque de sa création, la radio était reine en l'absence totale de téléviseurs. Et parce que toutes les stations de radio nationales avaient leur siège dans le quartier. Le premier show proposé dans cette (magnifique) salle de 6 000 places a lieu le 27 décembre 1932. Le plus ancien et le plus célèbre d'entre eux, celui qui fait la légende s'appelle *The Rockettes*. Avec le temps, la popularité de cette revue de *girls* en *frontline* n'attire plus que quelques provinciaux en goguette et touristes en mal d'exotisme. Mais elle tient encore la rampe au moment de Noël. Les premières de *Singing In The Rain*, *Un Américain à Paris* et *King Kong* se sont tenues ici et c'est dans le hall que Michael Corleone (Al Pacino) apprend qu'on a tiré sur son père dans la première édition du *Parrain* de Coppola. Appartenant aujourd'hui au groupe du Madison Square Garden, la salle propose beaucoup d'excellents concerts de jazz, rock et soul. Aretha Franklin était une habituée des lieux jusqu'à ses dernières années. La cérémonie de remise des Tony Awards (les Oscars du théâtre) s'y est très souvent tenue depuis 1997.

### 1260 6th AVENUE / 50th STREET W

PLAZZA SOUND STUDIOS / Studio punk

On sait peu que Radio City Music Hall possédait son propre studio d'enregistrement au huitième étage : Plazza Sound Studio. L'information ne mériterait que peu d'intérêt, si les Ramones n'y avaient pas enregistré leur premier album en février 1976 produit par Craig Leon en une semaine,

1260 6th Avenue
Radio City Music Hall

Blondie, leurs deux premières galettes en 1976 et 1977 et enfin Richard Hell & The Voidoids l'archi respecté « Blank Generation » en 1977. Quelques disques fondateurs. Plus tard, Sonic Youth y enregistrera son premier EP.

### 5th AVENUE / 50-51th STREET E

SAINT PATRICK CATHEDRAL / Yoko célèbre Warhol

Quelle perspective étonnante que cette jeune église néogothique (1879) dominée par des gratte-ciel qui la toisent de haut avec l'imposant Rockfeller Center et sa statue d'Atlas juste en face. De glorieux New-Yorkais ont été honorés d'une messe de requiem ici. Mais pas toujours ceux auxquels on s'attend. Pour Robert Kennedy qui fut sénateur de New York, c'est assez prévisible. Mais pour les joueurs de baseball des Yankees comme l'inégalé Babe Ruth et Joe Di Maggio (également époux de Marilyn), pour la chanteuse Celia Cruz, pour l'animateur TV Ed Sullivan (imaginons une messe de requiem pour Guy Lux à Notre-Dame de Paris...) ou pour Andy Warhol, c'est plus disruptif ! Enterré dans sa ville natale de Pittsburgh, une messe de souvenir est donnée ici en mémoire de l'artiste qui se revendique catholique, le 1er avril 1987. 2 000 personnes, gratin de célébrités triées sur le volet, loges VIP, photographes de *Vanity Fair*. Il ne manque que le tapis rouge. Yoko Ono fait l'éloge du défunt racontant comment Warhol l'avait soutenue, elle et son fils, à la mort de John Lennon.

### 1650 BROADWAY / 51th STREET W

IRIDIUM JAZZ CLUB / Les lundis de Les Paul

Les Paul était un fameux guitariste mais surtout un génial bricoleur qui a conçu la guitare électrique moderne dite « à corps plein ». Il a donné aux Gibson cette fameuse sonorité qui a comblé des générations de guitaristes, certaines d'entre elles portant même son nom. Pendant près de quarante ans, si on allait à l'Iridium Jazz Club sur Broadway, le lundi, on avait de fortes chances d'écouter Monsieur Les Paul en personne. Après une carrière bien remplie (il a inventé le magnétophone multipiste, a obtenu deux n° 1 dans les charts américain dont « How High The Moon » en duo avec sa femme Mary Ford), il a lâché le manche à quatre-vingt-quatorze ans en 2009. Il ne nous reste plus qu'à écouter Jimmy Page fervent utilisateur des Gibson Les Paul. L'Iridium Jazz Club est toujours actif, toujours sur Broadway.

## 222 W 51th STREET / 8th AVENUE

THE GERSHWIN THEATRE / David, John et Yoko

Il s'agit d'un des plus vastes théâtres de Broadway avec près de 2 000 places. Le show d'ouverture en 1972, alors que le théâtre s'appelait encore Uris Theatre, est un flop retentissant avec seulement sept représentations d'un opéra rock nommé dangereusement *Via Galactica*. On cite ce théâtre ici, car les fameux Grammy Awards, les Oscars de la musique, y ont fait une escale historique en 1975, présentés par Dean Martin et Sammy Davis Jr. John Lennon (flanqué de Yoko) et David Bowie font une apparition remarquée, mais c'est Stevie Wonder qui rafle la plupart des prix ne laissant que quelques miettes à Paul McCartney. Quelques mois plus tard « Fame » propulse David Bowie (accompagné par Lennon) au sommet des charts américains pour la première fois. Roland Petit mais aussi Rudoph Noureev, Enrico Macias mais aussi Frank Sinatra, Michel Legrand mais aussi Count Basie ont foulé la scène du cosmopolite Gershwin Theater qui continue à produire des spectacles renommés.

## 52nd STREET W – Swing Street



Le standard de Thelonious Monk « 52th Street Theme » a immortalisé cette partie de 52nd Street située entre la 5th et 7th Avenue. Pendant la prohibition, les clubs de jazz avaient fleuri à Harlem. On écoutait de la musique en buvant dans les sous-sols et pas grand monde se serait risqué à venir contrôler. Le cœur du jazz battait alors autour de W 133rd Street, baptisée Swing Street. Avec la levée des interdictions en 1933, le jazz, alors au sommet de sa popularité, peut vivre au grand jour (ou plutôt à la grande nuit). Les clubs se précipitent dans le centre de Manhattan à la rencontre d'un public plus large. La plupart s'installent sur 52nd Street, vite surnommée à son tour Swing Street et plus couramment "The Street". « 21 Club » (n° 21), « The Onyx » (35 puis 72), « Jimmy Ryan's » (53), « Downbeat » (66), « Three Deuces » (le préféré de Jack Kerouac) (72), « Kelly Stable » (137), « Hickory House » (144) et juste à l'angle avec Broadway, « Birdland » ouvert en 1949 (1678 Broadway) étaient les plus fameux. La vogue de Swing Street dure pendant près de deux décennies avant que les clubs ne se dispersent, façon puzzle, dans toute la ville. Aujourd'hui The Street ne swingue plus trop : les banques et les restaurants tiennent le haut du pavé.

## 135 W 52nd STREET

CENTURY SOUND STUDIO / Naissance d'Astral Weeks

Brooks Arthur, ancien ingénieur des studios A&R, ouvre ce petit studio à la fin des *sixties* emmenant certains artistes du label Bang et Neil Diamond.

« Sweet Caroline » est enregistré ici. Mais c'est surtout le chef-d'œuvre de Van Morrison *Astral Weeks* qui fait la fierté des lieux. L'Écossais est sorti de ses problèmes contractuels et enregistre dorénavant pour Warner Bros. À partir du 25 septembre 1968, entouré de musiciens de jazz dont le flûtiste John Payne et le bassiste Richard Davis, produit par Lewis Merenstein avec Brooks Arthur aux commandes, Van Morrison réalise une œuvre poignante et subtile, ovationnée par les critiques mais boudée par le public, un peu désarçonné par le créateur de « Gloria ». *Astral Weeks* est considéré aujourd'hui comme une œuvre majeure de l'histoire du rock. Dans ce même studio le Grateful Dead fait une infidélité à la Californie en venant enregistrer une partie de son deuxième album, *Anthem Of The Sun*. Peu satisfaits du résultat new-yorkais, ils reprennent à peu près tout de retour sur la côte Ouest.

### 1678 BROADWAY / 52nd STREET W

BIRDLAND / Pour Charlie Parker

Charlie Parker est déjà une icône quand son club ouvre sur Broadway à l'angle de Swing Street en 1949. Les propriétaires Morris et Irving Levy ont vu grand : une salle spacieuse dotée de 400 places au sous-sol de l'immeuble. Birdland devient *the place to be*, et toutes les grandes stars de l'époque ne manquent pas une occasion de se pavaner dans ses travées. Si Bird en personne y joue très souvent, tous les grands noms du jazz s'y précipitent aussi. Des enregistrements live font heureusement revivre ces moments qui deviennent ainsi éternels (*Live At Birdland*, John Coltrane). En août 1959, entre deux sets, Miles Davis fume une cigarette devant le club. Un policier blanc l'interpelle lui demandant de ne pas rester là. Le ton monte. Le policier menotte le trompettiste qui est frappé à la tête. Malgré les protestations des autres musiciens qui volent à son secours, il est embarqué au poste. L'incident fait les gros titres des journaux, préfigurant des scènes qui sont encore d'actualité soixante ans plus tard. Birdland ferme ses portes en 1965, pour les rouvrir au 315 W 44th Street, où il se tient, encore fringuant.

## 799 7th AVENUE / 52th STREET W

### COLUMBIA STUDIO A / A&R STUDIOS / Like A Rolling Stone

Columbia Records possédait plusieurs studios à Manhattan dans les années soixante et soixante-dix. Celui-ci, malheureusement détruit, est intimement lié à Bob Dylan. Il y pose son harmonica pour la première fois le 20 novembre 1961 lors de la première session de travail de son premier album. Il y reste fidèle jusqu'à *Blonde On Blonde*. Les 15 et 16 juin 1965, le futur prix Nobel de littérature enregistre le classique des classiques : « Like A Rolling Stone ». Tom Wilson produit, Mike Bloomfield est à la guitare et l'orgue est tenu par un certain Al Kooper. Ce dernier, guitariste de studio de vingt et un ans n'est pas prévu dans la séance. Mais le 16, il a la possibilité de faire un essai à l'orgue à la place de Paul Griffin qui s'est mis au piano. Sa prestation satisfait Tom Wilson et Dylan lui-même est emballé. C'est ainsi qu'il se retrouve dans la version définitive (la quatrième des quinze prises du jour) dans laquelle son jeu donne cette pâte si particulière à « Like A Rollin' Stone ». Le single sort rapidement, le 20 juillet. Vu la longueur du morceau (06'09), on est tenté de le couper en deux parties, face A et face B. Mais les réactions des journalistes l'ayant écouté en avant-première coupent court à cette idée. C'est le plus gros succès de la carrière de Dylan : n° 2 dans les charts US, juste barré par « Help » des Beatles. Le studio A est également intimement lié à Simon & Garfunkel qui y produit leurs premiers disques (« Mrs Robinson », « The Sound Of Silence ») sous la houlette du producteur Roy Halee (qui avait débuté comme ingénieur lors de la session de « Like A Rolling Stone »). Au palmarès du studio, citons également « Summer In The City » des Lovin Spoonful et « The Weight » par le Band. En 1969, le producteur Phil Ramone transfère ici son studio A&R poursuivant la saga avec Paul Simon en solo et Billy Joel (*The Stranger*). Bob Dylan enregistre une partie de son album du retour *Blood On The Tracks* chez A&R du 16 au 19 septembre 1974. (Mécontent du résultat, il complètera ces sessions dans un studio de Minneapolis). Il connaît bien ces lieux où il a réalisé ses premiers albums. Enfin, *Marquee Moon* le classique de Television produit par Andy Johns en 1977 est capturé ici, brut, dans les conditions du direct.

## 239 W 52th STREET

### ROSELAND BALLROOM / Tout, mais pas n'importe quoi

Roseland Ballroom a connu une destinée un peu chaotique ne sachant s'il était une piste de skating, une salle de danse académique, un club disco un peu chaud ou une salle de rock. Un peu tout ça à la fois en fait. Pour notre part, nous retiendrons la dernière version qui a vu pas mal de très

bons concerts. Jeff Buckley par exemple juste après la sortie de *Grace*, Beyoncé pour quatre nuits en 2011, AC/DC en 2003, Madonna en 2008, Björk en 1995. Le 30 avril 2000, Fiona Apple craque en live, pleure et quitte la scène pour ne pas revenir. C'est Lady Gaga qui clôt l'histoire du Roseland le 7 avril 2014 pour le dernier d'une série de six shows.

### 11 W 53th STREET / 5th AVENUE

MOMA / Et la musique ?

On ne peut que remercier la famille Rockfeller, à l'origine de la création du Museum Of Modern Art de New York. L'icône de la lignée, Nelson, implante ici, en 1939, ce qui est considéré comme l'un des plus importants musées d'art moderne du monde. L'exposition des œuvres de Picasso, cette même année consacre définitivement le peintre espagnol comme l'artiste majeur que l'on connaît. Outre le foisonnant département peinture (Van Gogh, Cézanne, Matisse, Lichtenstein, Warhol, Pollock etc.), MOMA présente des productions dans de nombreux domaines artistiques : la photographie, la sculpture, l'architecture, le design, le cinéma. *Guernica* l'hommage rendu par Picasso aux victimes de la guerre civile espagnole est resté au MOMA pendant trente ans. Comme demandé par le peintre, à la mort de Franco, l'œuvre est retournée à Madrid en 1981, au musée Reina Sofia. Les fameux 32 tableaux de Warhol, « Campbell's Soup Cans » passage incontournable de la visite, sont ici depuis 1962. Petit à petit, timidement, cette institution s'est ouverte aux « performances » diverses et variées. La plus célèbre étant celle de Marina Abramović. Au sixième étage, du 14 mars au 31 mai 2010, pendant 700 heures, l'artiste s'est assise sur une chaise. Les visiteurs venant, un par un, s'installer face à elle. Yoko Ono a livré *Voice Piece for Soprano & Wish Tree* en 2010, avant de se voir offrir une rétrospective de ses œuvres en 2015. Musée symbole de la pop culture, le MOMA, devrait s'ouvrir au rock, à la pop, au hip-hop. Ce qui n'est pas le cas. Si l'exposition Tim Burton a bien marché, celle consacrée à la chanteuse islandaise Björk a subi tellement de critiques, qu'il n'est pas sûr que l'expérience se renouvelle à court terme. Seule Patti Smith a pu réaliser une lecture de Genet entrecoupée de chansons à la guitare sèche en décembre 2016. Ce qui ne signifie pas que le MOMA ne suit pas l'air du temps. Par exemple, le musée a exposé la toute première création d'émojis datant de 1998 conçus par le designer japonais Shigetaka Kurita.

## 53th STREET W / BROADWAY

THE CHEETAH CLUB / Naissance de la salsa

Certains téméraires n'hésitent pas à proclamer que la salsa est née ici sur les cendres du Palladium Ballroom, le temple du mambo. Comme son nom l'indique, cette musique est le fruit d'un mix de cultures d'Amérique latine. Avec Porto Rico et Cuba comme épicentre. Tout au long du xx^e siècle, les flots migratoires vers New York et en particulier vers East Harlem (El Barrio) ont déversé des vagues de musiques et de danses plus colorées les unes que les autres (mambo, cha-cha-cha...) et les musiciens qui vont avec ! Dans les années soixante, de East Harlem surgit une nouvelle sonorité chargée en trombones et dopée aux bongos. La salsa. Un label se charge de fédérer les différents talents : Fania Records crée dans ce même quartier par Jerry Masucci et Johnny Pacheco. Le jeudi 26 août 1971, les chauds latins de Fania All Stars sortent de leur quartier et se produisent au Cheetah Club pour le premier et historique vrai grand concert de salsa. Les soirées du Cheetah sont déjà réputées chaudes bouillantes. Mais ce soir d'été caniculaire, le thermomètre explose le mercure. Avec ses 2 000 places, cet ancien garage transformé en club a de l'allure. Il préfigure déjà les discothèques des décennies suivantes aux lumières hypnotisantes. De Spanish Harlem, du Bronx, ils sont tous venus, agglutinés devant les portes, en plein Times Square. La soirée est ultra-homérique comme en témoigne l'enregistrement live qui fera l'objet de plusieurs albums et d'un film référence *Our Latin Thing*, répandant la popularité de la salsa au-delà de ses barrios. La salsa devra néanmoins attendre le 24 août 1973 pour connaître la consécration définitive. Yankee Stadium, 50 000 spectateurs enflammés. Ray Barretto, Willie Colon, Ruben Blades, Johnny Pacheco, ce jour-là, toutes les pointures des Fania All Stars marquent l'Histoire. Cheetah Club, qui fut le premier à monter la comédie musicale *Hair* à Broadway en décembre 1967, ne survivra pas aux années soixante-dix.

## 53th STREET W / BROADWAY – U2 WAY

La mairie de New York a voulu honorer U2 en baptisant une petite portion de 53rd Street W du nom du groupe irlandais. Ne cherchez pas la plaque, elle est perpétuellement volée !

**1 697 BROADWAY / 53th STREET W**

ED SULLIVAN THEATER / SIGMA SOUND STUDIOS / Le faiseur de stars

C'est ici que se tient, en direct, le Late Show de la chaîne CBS. Longtemps présenté par David Letterman qui en a fait un énorme succès, c'est maintenant David Colbert qui officie avec talent. En 1994, Madonna a donné une interview légendaire car sexuellement explicite à un Letterman tout décoiffé. La chanteuse avait enregistré son premier album dans cet immeuble. La division new-yorkaise des studios Sigma Sound de Philadelphie (oui, le Philly Sound) occupait alors un étage entier (là où les Village People ont aussi gravé l'inoubliable « YMCA »). Il a fermé ses portes au début des *nineties*. Cette salle est surtout célèbre pour avoir accueilli durant deux décennies The Ed Sullivan Show, le faiseur de stars. Il faut se remettre dans le contexte des années cinquante, quand la television, en N&B, a envahi les foyers américains, que le choix de chaînes est ultra-limité et que la zappette n'existe pas encore. Alors, rituel du dimanche soir, des dizaines de millions d'Américains, en famille, s'agglutinent devant le très populaire *Ed Sullivan Show*. Papa à gauche, maman à droite, au milieu le garçon près de papa et la fille près de maman. Chez les plus fous, l'un des quatre peut s'asseoir par terre. Le présentateur, Ed Sullivan, a une tête de majorité silencieuse, le corps légèrement penché, un peu voûté, son jeu de scène se limitant à chasser une mouche d'un vaste mouvement de bras, sur la gauche ou sur la droite, selon sa fantaisie. Mais les gens l'adorent et il propose un spectacle fort distrayant (magiciens, marionnettes, ventriloques, jazz-bands, chanteurs...). Et puis, brutalement, sans crier gare, le tranquille Ed Sullivan fait une première entrée tonitruante dans l'histoire du rock, le 9 septembre 1956, en invitant Elvis Presley. Presley, ce n'est pas sa tasse de thé, il le trouve un peu vulgaire et sa musique trop excitée. Mais, bon, quand il voit que tous les programmes concurrents font exploser les scores en l'invitant, il finit par céder. Bonne idée : ce dimanche-là, 60 millions d'Américains (et d'Américaines) (82,6 % de part d'audience, des chiffres à faire rêver TF1) assistent en live à la naissance du King. Il a suffi de trois morceaux, « Don't Be Cruel » « Love Me Tender » et « Hound Dog » pour que l'ancien camionneur de Memphis mette l'Amérique à ses pieds. Même Ed Sullivan, soulagé, s'avoue vaincu, décrétant « voilà un garçon comme il faut, nous n'avons jamais eu un tel plaisir à recevoir un grand nom dans ce show... ». Elvis revient encore deux fois dans le studio 50 de CBS. La dernière fois, briéfées par le producteur, les caméras ne filment Elvis the pelvis qu'au-dessus de la taille. En effet lors de ses deux premières prestations son jeu de jambes avait diablement choqué l'Amérique

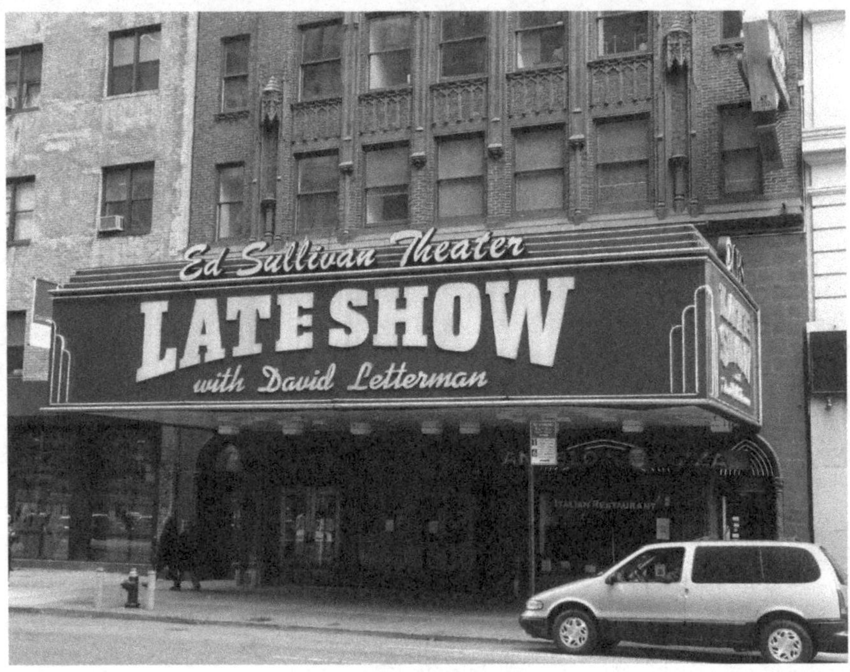


puritaine qui l'accusait même d'avoir glissé une bouteille de Coca-Cola dans sa poche pour accentuer sa virilité. Le dimanche 9 février 1964, Ed Sullivan frappe une nouvelle fois. 74 millions d'Américains renouvellent l'expérience avec la pépite venue d'outre atlantique : les Beatles. Tout est allé très vite. Les petits gars de Liverpool viennent de mettre l'Angleterre puis l'Europe à genoux. La Beatlemania est à son comble. Leur single « I Want To Hold Your Hand » est déjà n° 1. Il ne manque plus que la dernière estocade pour mettre l'Amérique KO. Ce jour-là, cinq titres (inaudibles car couverts par les cris des jeunes filles en pleurs) propulsent les Beatles comme un phénomène musical. La *Ed Sullivan touch* a encore frappé : le 4 avril, les Beatles placent cinq titres aux cinq premières places du hit-parade américain. Record pulvérisé, jamais battu ! Le 6 juin 1971, Ed Sullivan présente son show pour la dernière fois. Paul McCartney est de retour le 15 juillet 2009 pour un concert « surprise », juché sur le toit du porche. Devant une foule incrédule, il exécute des versions haut régime d'« Helter Skelter » et de « Back In The U.S.S.R. ». Le 21 juin 2010 Jay-Z et Eminem voudront faire la même chose. Devant le refus des autorités, ils exécuteront leur miniconcert sur le toit de l'immeuble.

**441 W 53th STREET / 10th AVENUE**

POWER STATION STUDIO / AVATAR STUDIO / THE POWERSTATION AT BERKLEE NYC / Disco factory

Ouh la la ! Le générique est incroyable. « Like A Virgin », « Le Freak », « Let's Dance », « We Are Family » ; « Born In The USA », « Whatever Gets You Thru The Night » : ce studio a enregistré le juke-box des années quatre-vingt. Ouvert en 1977 dans une ancienne usine électrique, le studio A du Power Station est vite devenu une référence. Il a alors peu d'égaux pour capter l'ampleur des percussions ce qui en fait la principale machine à hits de la période disco. Son créateur Tony Bongiovi, originaire du New Jersey et cousin de… Jon Bon Jovi, est obligé de vendre le studio à la firme Avatar en 1996. Elle s'empresse de le débaptiser pour lui coller son nom mais continue à attirer du beau monde. En 2017, changement de piste, le studio retrouve son nom d'origine en devenant la propriété de la ville de New York et du Berklee College of Music, la plus importante école de musique au monde. Basée à Boston elle souhaite s'implanter durablement dans la Grosse Pomme en proposant un choix particulièrement large de disciplines du flamenco au hip-hop en passant par le bluegrass et le metal.

**55 W 54th STREET / 6th AVENUE**

WARWICK HOTEL / Défilé de légendes

William Randolph Hearst fait construire cet hôtel en 1926 pour héberger ses amis d'Hollywood en villégiature dans la Grosse Pomme. Bien situé, à deux pas de Times Square, il est surtout pratique pour loger la maîtresse du magnat de la presse, l'actrice Marion Davis. Dans un joli penthouse, belle terrasse, vue imprenable sur la sixième avenue. Cary Grant occupera cette même suite pendant douze ans à partir de 1968. Elle porte dorénavant son nom. Mais c'est dans l'histoire de la pop culture que le Warwick a joué son rôle le plus intéressant. Lors de ses deux premiers séjours à New York (dont celui du Ed Sullivan Show), Elvis Presley dort ici. Les Beatles squattent tout le trente-troisième étage entre le 13 et 17 août

1965. Les Fab Four y donnent une conférence de presse remarquée lors de leur dernière tournée américaine. En 1967, du 13 au 16 juillet, Jimi Hendrix et son Experience logent ici. L'année suivante, il organise une petite sauterie dans sa chambre avec Mike Bloomfield. La direction de l'hotel lui demande d'éviter de revenir. Enfin, RCA a le bon goût d'héberger dans ces lieux le jeune David Bowie lors de sa première visite en ville en 1971. Le Warwick a subi pas mal de transformations au fil des ans, mais le mural de la salle à manger, œuvre de Dean Cornwell, a été heureusement préservé.

## 237 W 54th STREET / BROADWAY

BELL SOUND STUDIOS / HIT FACTORY BROADWAY / **Le préféré de Burt Bacharach**

Bell Sound fait partie des plus glorieux studios d'enregistrement de l'histoire de New York. Au deuxième étage, Studio B et C et au dernier étage l'immense studio A. Le préféré de Burt Bacharach avec son incomparable chambre d'écho maîtrisée par l'ingénieur du son Eddie Smith. Il y a produit une série de perles coécrites avec Hal David, notamment pour Dionne Warwick. Pour elle, le 18 août 1962, il a mis en boîte « Don't Make Me Over » l'une de ses nombreuses pépites. Et pour The Shirelles, « Baby It's You ». La cavalcade de hits produits ici est impressionnante. « Why Do Fools Fall In Love » de Frankie Lymon, « Let It Be Me » des Everly Brothers, « A Teenager In Love » de Dion and the Belmonts, « Rave On » de Buddy Holly, « I Only Have Eyes For You » des Flamingos, « Spanish Harlem » et « Stand By Me » de Ben E. King enregistrés lors de la même session. Bell Sound cède la place aux studios Hit Factory Broadway quelques années plus tard. À l'origine à la fin des années soixante, Hit Factory dirigé par Jerry Ragovoy était situé à Times Square 130 W 42nd Street. Studio minuscule où en direct de Détroit, les Stooges avaient enregistré leur premier album produit par John Cale. (Iggy Pop était alors tombé amoureux de Nico et l'avait ramené avec lui à Détroit). Puis, il avait déménagé 353 W 48th Street avant que le nouveau propriétaire Edward Germano, l'installe à la place du Bell Sound en 1975. Il le modernise et l'agrandit proposant ainsi quatre studios rutilants. Le premier client du Hit Factory Broadway est Stevie Wonder pour l'un des chefs-d'œuvre définitifs de la soul et de la musique en général : *Songs In The Key Of Life*. Les Stones pour *Emotional Rescue*, Bruce Springsteen pour *Born In The USA*, Paul Simon pour une partie de *Graceland* et John Lennon pour son dernier album, *Double Fantasy*, font partie des références d'un studio qui a marqué les années soixante-dix et quatre-vingt. Avant de fermer ses portes en 2002 pour migrer vers un immense com-

plexe d'enregistrement au 421 W 54th Street, il connaît une célèbre *fight* entre deux vieux ennemis, 50 Cent et Ja Rule en mars 2000. Ce jour-là, Ja Rule assez furieux que 50 Cent ait acheté les premiers rangs d'un de ses concerts pour faire croire que le public désertait ses prestations, lui écrase une enceinte sur le crâne. Hit Factory New York cesse définitivement son activité en 2005. Seul le légendaire Hit Factory de Miami reste encore bien vivant.



## 254 W 54th STREET / 8th AVENUE

STUDIO 54 / SCEPTER STUDIOS

The right discothèque, in the right town, at the right time

Bianca Jagger, dans une robe Halston rouge, montant à cru un étalon blanc conduit par des hommes nus, la peau recouverte de peinture dorée, fait son entrée au studio 54 au son de « Sympathy For The Devil ». Bianca fête son anniversaire, nous sommes le 2 mai 1977, le Studio 54 a ouvert huit jours plus tôt. Après cette définitive vision, a-t-on besoin de raconter l'histoire de la discothèque la plus célèbre du monde symbolisant à elle seule tous les excès des années soixante-dix et quatre-vingt ? Que le bâtiment a déjà une belle histoire musicale : une salle d'opéra dans les années vingt, puis un studio de télévision CBS et, en haut, Scepter Studios où le Velvet Underground a enregistré en avril 1966 une partie de son premier album celui avec la couverture à la banane (« produit » par

Andy Warhol avec l'ingénieur John Licata, il a également été capturé aux studios TTG à Hollywood). Que le premier disque programmé fut « Devil's Gun » de C.J. & Co. ? Qu'il n'y avait aucun tabou ni discrimination sexuelle ou raciale ? Que son élitisme faisait fuir le commun des mortels mais que la porte gardée par l'intraitable propriétaire Steve Rubell pouvait également éconduire du beau monde littéralement désintégré par un tel camouflet mais prêt à faire la fête au milieu de 54th Street ? Qu'il est difficile de statuer qui de Mick, Bianca, Jerry, Liza, Grace, Calvin, David, Elton, Diana, Truman, Margaret, Lou, Iman, Diane, Margaux, Brooke, Francesco, Mikhail, Amanda furent les plus assidus ? Qu'à l'entrée on a refoulé Nile Rodgers et Bernard Edward de Chic parce qu'on ne les a pas reconnus pendant que leur titre « Dance, Dance, Dance » passait en boucle sur le dance floor. Que parmi les éléments du décor conçu par Ron Doud, on trouvait une gigantesque cuillère de cocaïne se renversant mécaniquement dans les narines de la lune ? Que le logo avait été dessiné par Gilbert Lesser ? Que le soir de la première, Donald Trump est entré (prémonitoire), mais Warren Beatty et Frank Sinatra ont été éconduits ? Que c'est ici qu'Yves Saint Laurent a lancé *Opium* ? Qu'un film relatant son histoire est sorti en 1998 ? Mais tout peut s'arrêter, même pour *the right discothèque, in the right town, at the right time*. À la fin des années soixante-dix, les deux propriétaires Steve Rubell et Ian Schrager sont arrêtés pour malversation et le Club 54 ferme le 4 février 1980 pour rouvrir en septembre 1981. La fête va continuer, un peu forcée, mais l'esprit a définitivement quitté les lieux.

### 460 W 54th STREET / 10th AVENUE

SONY MUSIC STUDIOS / MTV unplugged

Ici, jusqu'en 2007, se dressait un énorme bâtiment en brique rouge abritant des studios d'enregistrement de disques et d'émissions radio et TV en live. La première de Who Wants To Be A Millionnaire? (Qui veut gagner des millions ?), par exemple. Ou beaucoup mieux, certains enregistrements de MTV Unplugged dont les légendaires éditions avec Nirvana et Bob Dylan. La plus célèbre locataire du studio son, a été Beyoncé. « Crazy In Love » vient d'ici, de même que les albums *Dangerously In Love* et *B Day*. Les bâtiments ont été rasés.

### 1710 BROADWAY / 55th STREET W

BAD BOY ENTERTAINMENT WORLDWIDE / Le QG de Sean "Puffy" Combs

Sean Combs *alias* Puff Daddy est à la fois rappeur, compositeur, producteur, acteur et président de label. Énorme vendeur de disques des années quatre-vingt-dix et deux mille, il est aussi un maillon de la fameuse rivalité entre les familles du rap de la côte Est et de la côte Ouest qui a fini dans le sang. Le nom du label qu'il a créé Bad Boys, est tout sauf mensonger. Inquiété dans l'assassinat de Tupac à Las Vegas, arrêté pour conduite sans permis, emprisonné avec sa fiancée Jennifer Lopez après une fusillade dans un club de New York ou pour avoir menacé le coach de football d'un de ses enfants, la vie de Puff Daddy est un roman. Ici se situe le siège social de son empire et de son label Bad Boys qui a signé Notorious B.I.G., Craig Mack, Faith Evans ou encore Danity Kane.

### 234 W 56th STREET

Le premier studio Atlantic

Après un bref passage au 301 W 54th Street, le jeune label Atlantic s'installe ici en novembre 1947. Il faut imaginer les conditions dans lesquelles les premiers hits Atlantic ont été enregistrés. Ici au cinquième et dernier étage, au-dessus du restaurant Patsy's, une minuscule pièce faisait office de bureau pour Ahmet Ertegun et Harb Abramson (le stock de disques étant au quatrième étage). Quand l'heure d'enregistrer vient (souvent le soir), on débarrasse les meubles pour laisser la place au micro et à la console tenue

par Tom Dowd. Alors Ray Charles, Ruth Brown, Clyde McPhatter, Big Joe Turner, s'y faufilent avec quelques musiciens et leurs instruments. Dans le cadre de ce légendaire Studio A-1, Ray Charles enregistre parmi ses plus belles pépites : « Mess Around », « Hallelujah I Love Her So », « Drown In My Own Tears », « Lonely Avenue » et « What'd I Say ». En 1956, Atlantic qui a besoin d'espace installe ses bureaux au 157 W 57th Street. L'immeuble n'existe plus, remplacé par une immense tour. Deux ans plus tard, il mute vers le nord dans son studio définitif.

### 610 W 56th STREET / 11th AVENUE
TERMINAL 5 / La fin des Beastie Boys

Ici, on est vraiment au « cul du cul de New York ». Au bout de 56th Street, Terminal 5 est une salle de plus de 3 000 places. Toute la nouvelle génération d'artistes américains indies a joué ici, de St. Vincent à The National. Le 4 mars 2008, les Beastie Boys ont donné leur dernier concert new-yorkais ici. C'était pour une œuvre de charité, principe dont le groupe était coutumier.

### 104 W 57th STREET – MOTOWN CAFE / Motorcity à NYC



Au milieu des années quatre-vingt-dix, on est en pleine folie des « lieux à thème ». Warner Brothers Store, Hard Rock Café, Planet Hollywood, Harley-Davidson Café, c'est à celui qui fera vivre avec le plus d'éclat un bout de sa légende. Motown, la machine à hits de Détroit n'a plus le glamour de ses années soixante, mais son histoire est encore bien vivante. En 1995, s'ouvre en grande pompe Motown Café. Whitney Houston, en personne, vient inaugurer les Smokey Ribs et les Supremes Cocktails. On boit dans des répliques de micros d'époque au milieu des costumes des Temptations et des robes des Vandellas en écoutant « Stop In The Name Of Love ». C'est kitch. Malheureusement l'histoire ne dure pas, la faute, sans doute au prix du m$^2$ de cette satanée 57th Street W.

### 154 W 57th STREET / 7th AVENUE – CARNEGIE HALL / Le sanctuaire

Le grand auditorium du Carnegie Hall (3 000 personnes) porte le nom du violoniste Isaac Stern, et il l'a bien mérité. Si le bâtiment n'a pas été rasé en 1960 lors du déménagement du Philarmonic Orchestra vers le Lincoln Center, c'est grâce à sa ténacité. (Mais impossible d'empêcher l'érection d'un immeuble commercial de soixante étages dans le même bloc). Imaginez un peu tout ce que Carnegie Hall a vu défiler pendant cent vingt ans. Musique classique, bien sûr et avant tout, avec The Philarmonic. Tchaïkovsky pour le gala d'inauguration en mai 1891, Gustav Malher comme chef d'orchestre, Maria Callas en 1957, Karajan en 1958. Depuis

1960, le jazz, le folk, la chanson, le rock ont pris le relais. Pour un musicien (étranger qui plus est) passer au Carnegie Hall est une consécration. Édith Piaf y a triomphé en 1956 et 1957, Charles Aznavour en 1963 (et souvent depuis), Jacques Brel en 1965 et 1967. Le 2 avril 1955, un grand concert hommage à Charlie Parker qui vient de mourir est organisé avec Billie Holiday, Lester Young, Stan Getz, Thelonious Monk, Sarah Vaughan et Dinah Washington. Judy Garland fit une éblouissante prestation en avril 1961, baptisée de façon un peu excessive « la plus grande nuit de l'histoire du show-business ». Miles Davis a laissé de légendaires souvenirs ici. Le rock a fait sa première apparition le 6 mai 1955 avec Bill Haley & His Comets. Depuis, les plus grands on fait trembler les murs : les Beatles lors de leur première tournée US le 12 février 1964. Les Rolling Stones pour leur premier concert new-yorkais le 20 juin 1964. Led Zeppelin en octobre 1969 (comment les lustres ont-ils résisté ?), Pink Floyd (en mai 1972, jouant quelques premiers extraits de *Dark Side Of The Moon*) et même les Doors (sans Jim Morrison, en exil à Paris). Chicago enregistre *Live*, son quatrième et *successfull* album, et R.E.M. y fait sa toute dernière apparition sur une scène le 11 mars 2009. Tout juste débarqué à New York, le 4 novembre 1961, Bob Dylan donne son premier vrai concert professionnel au Carnegie Chapter Hall (maintenant le Weill Hall), la petite salle annexe qui est, alors, située sur la façade ouest du bâtiment au 881 Seventh Avenue. Certains observateurs de l'époque comptent cinquante-trois personnes dans la salle. Un peu mieux, le 22 septembre 1962, on lui laisse dix minutes de scène dans le cadre d'un festival organisé par *Sing Out! Magazine*. Il a toutefois le temps de jouer pour la première fois « Hard Rain's A Gonna Fall ». Enfin, le 26 octobre 1963, il a droit à un véritable concert avec ses parents venus spécialement du Minnesota et un journaliste de *Newsweek* dans la salle. Dylan, dans son époque post Woodstock du début des *seventies*, vient souvent au onzième étage du Carnegie Hall pour prendre des cours intensifs de peinture (certaines mauvaises langues observant la couverture de *Self Portrait* diront que ce n'est pas du luxe). Le professeur Norman Raeben est réputé pour son exigence et sa précision, deux qualités que Dylan apprécie alors que sa vie privée est passablement agitée. (Son mariage avec Sara donne de sérieux signes de faiblesse). Dylan reconnaîtra que Raeben a joué un rôle important dans cette période charnière de sa vie qui conduit à l'enregistrement de l'album du retour *Blood On The Tracks*. Enfin, il faut citer David Bowie. Le Carnegie Hall a programmé un concert d'artistes interprétant les chansons de David Bowie pour le 31 mars 2016. La billetterie vient juste d'ouvrir quand la nouvelle de sa mort est annoncée. Naturellement, ce fameux concert se transforme illico en hommage de New York à Ziggy Stardust. Cyndi Lauper accompagnée du fidèle Tony Visconti lance la soirée avec une vigoureuse version de « Sufragette City ». Puis, Michael Stipe (« Ashes To Ashes »), Debbie Harry (« Starman »), Ricky Lee Jones (« All The Young Dudes »), The Wallflowers (le groupe de Jakob Dylan, « Heroes »), Cat Power (« Five Years »), les Flaming Lips, les Pixies, Laurie Anderson et Sean Lennon se succèdent.



### 311 W 57th STREET / 8th AVENUE

MEDIASOUND STUDIOS / You're the sunshine of my life

L'un des studios les plus cool de la ville selon les spécialistes des *seventies* et *eighties* occupe les locaux d'une ancienne église baptiste. La liste des artistes qui l'ont fréquenté est assez éclectique, de Lou Reed pour le très beau *New York* à Kool and the Gang qui ne jurait que par lui en passant par les Ramones pour leurs troisième et quatrième albums. De Stevie Wonder pour « You're The Sunshine Of My Life » et une bonne partie de l'album *Innervisions* à Van McCoy pour « The Hustle ».

**515 W 57th STREET** – Naissance de MTV

Le samedi 1er août 1981 à midi, depuis ce studio, MTV diffuse sa première émission. L'idée de son promoteur Robert W. Pittman est de réaliser avec la télévision dans les *eighties* ce que la radio avait réussi dans les *fifties* : devenir le média incontournable pour les teenagers. Une voix off proclame : « *ladies and gentlemen... rock'n'roll* » pendant qu'un astronaute de la mission Apollo 11 plante un drapeau sur le sol lunaire. Sauf que les couleurs du drapeau américain sont remplacées par le logotype MTV (il restera inchangé jusqu'en 2009 !) L'histoire retient que le premier clip diffusé est celui des Buggles avec le prémonitoire : « Video Killed The Radio Stars ». Dorénavant on n'écoute plus la musique, on la regarde et les DJ's s'appellent VJ's (videos jockeys) ! Bientôt le CD remplace le vinyle. C'est fait, le rock vient de rentrer dans la culture globale.

**745 FIFHT AVENUE / 58th STREET E** – Naissance de la teen presse

Plus grand monde se souvient aujourd'hui du magazine *16* créé à New York en 1957. Elvis en couverture pour le premier numéro. Pourtant il s'agit là du premier magazine pour ados, l'ancêtre de *Salut les copains*. Sa rédactrice en chef, ancien mannequin, Gloria Stavers a tout inventé. Les couvertures bigarrées, les accroches qui racolent, les posters à afficher dans sa chambre, les jeux concours, le courrier des fans. C'est elle qui a décidé que les plats préférés ou la marque de dentifrice étaient les seules vraies questions à poser aux idoles. En fait, *16* a inventé la presse pop. En fait Gloria Stavers fut la première journaliste pop. *16*, bi-mensuel

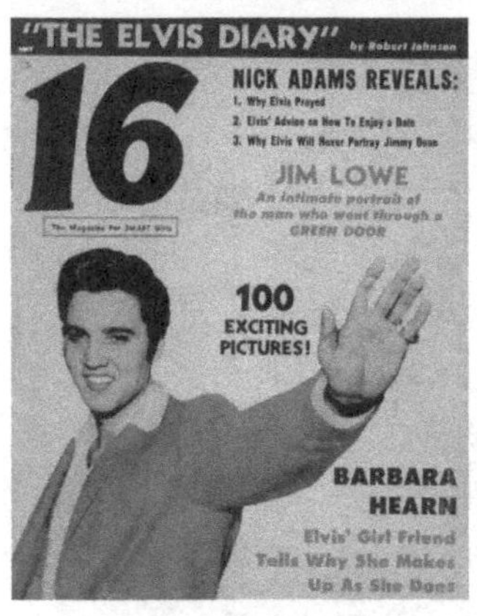


tiré à 250 000 exemplaires a joué un rôle fondamental dans le lancement de la Beatlemania aux USA. Il a littéralement porté la british invasion. Il a pratiquement fabriqué les Monkees, le premier boys band. Les photos de Jim Morrison prises par Gloria Stavers dans son propre appartement ont plus fait pour installer le chanteur des Doors en sex-symbol que toutes les opérations de RP réalisées par Elektra Records. Concurrencé par *Tiger Beat* mais aussi par la presse rock plus sérieuse comme *Rolling Stone*, 16 a résisté jusqu'en 1975 quand Gloria Stavers a claqué la porte. Elle est morte en 1983. Le magazine *Rolling Stone* a quitté San Francisco en 1977 pour installer son siège à cette même adresse, avec une terrasse sur Central Park. Les frissons sont dorénavant sur la côte Est et New York est son épicentre.

### 768 5th AVENUE / CENTRAL PARK SOUTH

THE PLAZZA / La première nuit des Beatles

Lorsque le 7 février 1964, les Beatles passent pour la première fois la douane des États Unis d'Amérique à l'aéroport JFK, ils oublient de déclarer une maladie fortement contagieuse : la Beatlemania. Née en Angleterre, elle vient de ravager l'Europe et voilà qu'elle gagne l'Amérique ! Les quatre garçons de Liverpool passent leur première nuit en sol américain, à l'Hôtel Plazza, construit en 1907 à l'architecture inspirée de la renaissance française (le même architecte a conçu, à deux pas, le Dakota où John Lennon sera assassiné seize ans plus tard). On assiste alors à des scènes d'hystérie collective jamais vues depuis le krach de 1929. Mais là, pas de vieux messieurs ruinés, mais plutôt des essaims de jeunes filles court vêtues qui poussent des cris stridents au milieu de pleurs suppliants. Pas moins de cinquante policiers sont réquisitionnés devant le Plazza. Le lendemain, les Fab Four tiennent une conférence de presse dans la salle de bal de l'hôtel. Question : « Allez-vous chanter pour nous ? » Réponse : « Non, on veut l'argent d'abord. » Puis, après une ballade promotionnelle dans Central Park voisin, on dîne au 21 Club de 52nd Street. Le dimanche 9 février 1964 après-midi, le groupe qui occupe une aile entière du douzième étage (chambres 1209 à 1216) va bientôt descendre et essayer de se frayer un chemin vers leur limousine à travers la foule agglutinée. Direction : la consécration mondiale, le passage en direct au show le plus populaire de la télévision américaine : The Ed Sullivan Show. La soirée sera consacrée à

la visite des plaisirs de la ville : The Playboy Club et le Peppermint Lounge sont au programme. Le lendemain, cap sur Washington. Quelques années plus tard, Bob Dylan, écrit « Dark Eyes » une chanson de l'album *Empire Burlesque* depuis une chambre du Plazza. En rentrant, le soir, il avait croisé « une femme, cheveux blond clair sur un manteau de renard, les yeux noirs cernés d'un eye-liner. Elle avait un genre de beauté qui n'est pas de ce monde ». Dans l'hôtel Plazza, alors le plus luxueux de la ville, Alfred Hitchcock a tourné quelques scènes de *La Mort aux trousses*, ouvrant la voie à beaucoup d'autres cinéastes. Le 28 novembre 1966, l'écrivain Truman Capote y organise un bal fastueux et devenu légendaire en l'honneur de la rédactrice en chef du *Washington Post*, Katharine Graham. Le thème : Black and White. Le *dress code* est strict : cravate noire, masque noir pour les hommes, robe blanche (ou noire), masque blanc pour les femmes. La liste des heureux élus que publie le *New York Times* le lendemain regroupe l'élite de la *upper class* mondiale. Warhol, bien sûr (son visage est déjà un masque), Sinatra, Agnelli, Rockfeller, Niarchos, Mailer, Garbo, Marlene, Vivian Leigh, Mia Farrow, Rose Kennedy. Le Plazza, qui a appartenu à Donald Trump dans les *nineties*, a été entièrement rénové à la fin des années deux mille.

## 160 CENTRAL PARK SOUTH

ESSEX HOUSE/Donny Hathaway, le grand saut

Essex House est l'une des enseignes lumineuses les plus connues de la ville. Elle trône au sommet des quarante étages d'un immeuble donnant sur Central Park South, et on l'aperçoit, sans mal, des points les plus reculés du parc. Le suicide de Donny Hathaway fait partie des moments les plus sombres de cet édifice. Donny Hathaway naît à Chicago, grandit à St. Louis et rencontre Roberta Flack à l'université de Howard. Le chanteur commence sa carrière en solo chez Atlantic avec quelques grands disques où sa voix, à la Stevie Wonder (et c'est un compliment), fait merveille. Malgré quelques réussites comme « The Ghetto », le succès le fuit un peu. Quand il décide de former un duo avec sa copine de fac, il connaît la gloire et le sommet des charts (« Where Is The Love » en 1972). Mais Hathaway est rattrapé par un vieil état dépressif qui s'accentue au fil des années. Début 1979, il semble aller mieux et commence les premières séances d'enregistrement pour un nouvel album en duo avec Roberta Flack. Le 13 janvier, son producteur trouvant qu'il redevient parano et irritable décide de suspendre les séances. Le soir, Roberta Flack l'invite à dîner dans son appartement du Dakota. De retour à son hôtel Essex House, Hathaway se jette de la fenêtre du quinzième étage. Sa toute dernière chanson enregistrée est cosignée par Stevie Wonder : « You're My Heaven ». L'hôtel a longtemps été la résidence de Bob Marley quand il séjournait à New York à la fin des *nineties*. Il y donnait ses interviews et même quelques showcases acoustiques. David Bowie a vécu avec sa femme Iman dans un appartement d'Essex House pendant dix ans. Quand ils sont partis s'installer sur Lafayette Street en 2002, ils ont laissé le piano aux heureux successeurs. Est-ce la raison pour laquelle cet appartement s'est vendu 6,5 millions de $ en 2017 ?

## 405 W 59th STREET / COLUMBUS AVENUE

CHURCH OF ST. PAUL THE APOSTLE
**Les funérailles de Billie Holiday**

Le 21 juillet 1959, quatre jours après son décès au Metropolitan Hospital, la messe de funérailles de Billie Holiday se déroule ici. Le *New York Times* en fait sa Une. Plus de 3 000 anonymes viennent rendre un dernier hommage. Certains ont pu se masser derrière le cortège de célébrités. La demi-sœur de Lady Day, Kay Kelly, est entrée aux bras du mari de la chanteuse Louis McKay. On reconnaît Benny Goodman et Teddy Wilson bien sûr. Et aussi Earl Grant, Gene Krupa, Mary Lou Williams, John Hammond et beaucoup d'autres. Sur certaines photos, on aperçoit le cercueil ouvert. Billie Holiday semble enfin sereine, robe et gants roses, un gardénia blanc accroché dans les cheveux. Les autres admirateurs se massent dehors. Embouteillage sur Columbus Avenue. Lady Day est enterrée dans le Bronx, au St. Raymond Cemetery, aux côtés de sa mère.

### 1 000 10th AVENUE / 59th STREET W

ROOSEVELT HOSPITAL / Urgence

On a tiré sur John Lennon sous le porche d'entrée du Dakota. Cinq balles à bout portant. Les policiers Steve Spiro et Peter Cullen sont les premiers sur place. Lennon est transporté dans une voiture de police jusqu'aux urgences du Roosevelt Hospital. Sur le dos de deux policiers, il est acheminé dans la salle d'opération et pris en charge par le docteur David Halleran. Mais l'ex-Beatles a perdu trop de sang. Quand le docteur Stephen Lynn a la douloureuse mission d'annoncer à Yoko la mort de John, elle s'effondre dans les bras de Jack Douglas, le producteur de *Double Fantasy* avec qui ils avaient passé la soirée. L'ancien bâtiment a été détruit dans les années quatre-vingt pour faire place à un nouvel hôpital.

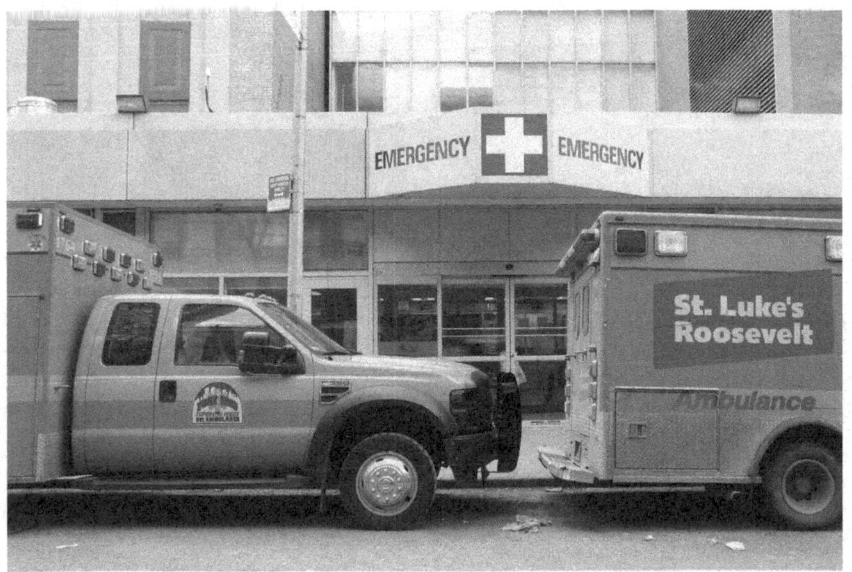

# UPPER EAST SIDE

*du sud au nord et d'ouest en est en partant de 5th Avenue*

On est en droit de se demander si le rock a sa place dans le quartier le plus huppé et le plus friqué de la Grosse Pomme. Là où les grandes familles milliardaires pètent dans la soie, là où les plus belles enseignes de luxe se battent pour avoir une vitrine sur Madison Avenue, là où les chères petites têtes blondes entament leur vertigineux parcours scolaire. La réponse est positive. Et pas seulement parce que les meilleurs hôpitaux de la ville, ceux qui ont accompagné certains de nos héros dans l'au-delà, sont ici. Ce quartier a également vu, entre autres, la rencontre entre Ronald Reagan et Michael Jackson, les maisons de Madonna et de Andy Warhol, la mort de Billie Holiday et de Charlie Parker, la première sortie new-yorkaise des Doors et de Cream, Debbie Harry en *bunny* et la légendaire rencontre entre Dylan et les Beatles.

**117 E 57th STREET** – THE GALLERIA/Tears in Heaven

Le 21 août 1986, Connor, le fils du guitariste britannique Eric Clapton fait une chute mortelle d'une fenêtre du 53e étage de cet immeuble. Durant sa longue liaison avec Patty Boyd, l'ex-femme de George Harrison, Clapton n'avait pas réussi à avoir d'enfant. Connor, né d'une passade avec Lory del Santo, avait quatre ans et demi. Il séjournait avec sa mère dans l'appartement d'un ami. Clapton qui n'avait jamais vraiment élevé son fils était en train de renouer avec lui. Ils avaient passé ensemble la journée de la veille. Ce tragique évènement inspirera le hit « Tears In Heaven ».

**154 E 58th STREET** – RKO THEATER/Première Cream

Ce joli théâtre, qui n'existe plus aujourd'hui, a accueilli le premier concert de Cream aux États-Unis le 25 mars 1967. Pour l'occasion Eric Clapton a sorti sa plus belle guitare, la célèbre "The Fool", une Gibson SG de 1964, décorée par le collectif du même nom. Premier concert d'une grande histoire d'amour entre le public américain et le groupe anglais. Ce même jour, les Who jouent dans le même théâtre pour une série de shows présentés par le DJ Murray the K. Belle époque ! L'endroit fermera quelques mois plus tard.

**5 E 59th STREET** – THE PLAYBOY CLUB/Blondie bunny

Avant le succès et la gloire, juste avant le CBGB, Debbie Harry, la future chanteuse de Blondie, est « *bunny* » dans l'un des plus fameux clubs pour gentlemen de la ville : The Playboy Club. Depuis, il a déménagé un peu plus bas sur Midtown.

**EAST 59th STREET** – Feeling Groovy

Natifs du Queens, Paul Simon et Art Garfunkel ont écrit « The 59th Street Bridge Song » (plus connue sous son petit nom : « Feelin' Groovy ») en 1966. Si, si, vous connaissez. Rappelez-vous des premiers mots : « *Slow down, you move too fast* ». 59th Street Bridge est le surnom donné au majestueux Queensboro Bridge. Inauguré le 30 mars 1909, il relie Manhattan au Queens en s'appuyant au passage sur Roosevelt Island. Dans le film *Spider Man* de Sam Raimi, on voit le Green Goblin précipiter Kirsten Dunst du haut du pont. Spider Man est devant ce choix cornélien : la sauver ou secourir les passagers du téléphérique de Roosevelt Island. *Damned!* La scène a, paraît-il, été tournée en studio !

**308 E 59th STREET** – ONDINE/Première sortie des Doors

Dans son autobiographie, Andy Warhol s'étend plutôt longuement sur cette discothèque restaurant ouverte en 1965. Plutôt sagement fréquentée par les *beautiful people* de l'époque (on est dans l'Upper East Side). Les filles sont jolies, les jupes sont courtes. Edie Sedgwick y passe ses nuits. La piste de danse est minuscule, on est bien loin des futurs immenses halls-à-danser des années soixante-dix. Jimi Hendrix (qui ne s'appelle pas encore ainsi) hante les lieux quémandant la possibilité de monter sur scène (comme il le demande un peu partout à l'époque). Mais le fait marquant d'Ondine concerne les Californiens, les Doors. Alors au début de leur carrière (leur premier album sortira dans quelques semaines) ils font là leur première sortie new-yorkaise le 1er novembre 1966. Et reviendront à plusieurs reprises. L'autre fait marquant concerne Buffalo Springfield. Qui joue quelques nuits ici début 1967. Otis Redding les rejoint sur scène sur « In The Midnight Hour ». Sans doute, un moment de grâce. On raconte que Stephen Stills (déjà irascible) se serait battu avec son bassiste Bruce Palmer ce soir-là. Le club ferme quelque temps plus tard sans qu'il y ait un rapport de cause à effet...

## 502 PARK AVENUE / 59th STREET EAST

DELMONICO HOTEL / Ringo, tu fumes ?

Fin 2011, le futur président des États Unis, Donald Trump, enrichit sa jolie collection d'adresses new-yorkaises en achetant l'Hotel Delmonico pour 115 millions de $. On est d'accord : l'information n'a aucun intérêt. Sauf si l'on se rappelle que cet hôtel de trente-deux étages fut le théâtre d'une des grandes légendes de l'histoire des Beatles. Le 28 août 1964, en pleine tournée US, les Fab Four logent à l'Hotel Delmonico, sur Park Avenue. La journée a été chargée : conférence de presse dans la salle Crystal Ballroom de l'hôtel, puis concert hystérique devant 18 000 personnes au Forest Hills Stadium. De retour au Delmonico, ils rencontrent pour la première fois une autre icône du rock, Bob Dylan, grâce à un ami commun, Al Aronowitz. Pendant que Mal Evans, l'homme à tout faire va dégoter quelques bouteilles de vin, le créateur de « Mr. Tambourine Man » propose une autre façon de décompresser. Avec la dextérité de l'habitué, il roule une cigarette de cannabis et la tend aux Anglais. John, Paul, George, Ringo et leur imprésario Brian Epstein sont obligés d'avouer, piteusement, à un Dylan incrédule, qu'ils n'ont jamais vraiment fumé. Un peu, à Hambourg, mais sans effet notable. Téméraire, John s'y colle en premier. Puis, il tend le joint à Ringo qui, sans doute distrait, oublie de le passer au suivant, devenant ainsi le premier Beatles complètement stone. S'ensuivent plusieurs heures de ricanements béats des membres du plus célèbre groupe du monde, sous les yeux blasés d'un Dylan rompu à l'exercice. La Crystal Ballroom est la scène du premier concert du Velvet Underground sous

l'ère Warhol et avec Nico. Le 13 janvier 1966. Celui qui a l'idée d'inviter le groupe à l'occasion du congrès des psychanalystes new-yorkais est sans doute un bon client de cette honorable profession. Ces messieurs en smoking et ces dames en robe longue ne sont manifestement pas prêts à subir une telle agression. « Torture », « cacophonie » « outrageant » « ridicule » constituant les réactions les plus tolérantes du corps médical atterré par la prestation. Quant à Lou Reed, il est sans doute ravi de pouvoir se venger des séances d'électrochocs subis dans sa jeunesse. Le 14 août 1966, les Doors sont honorés dans cette même Crystal Ballroom pour la première place de leur single « Light My Fire » dans les charts US. Comme d'habitude, Jim Morrison finit la soirée ivre mort en lançant des glaçons à la tête des invités et en brisant des bouteilles de grands crus. Dans la voiture qui le conduit dans un club voisin, il jette par la fenêtre le cadeau offert par Andy Warhol, un magnifique téléphone customisé. Ed Sullivan, le célèbre animateur de CBS qui « lança » Elvis et les Beatles aux USA, a habité ici de 1944 à sa mort en 1973. Tout comme la reine des nuits parisiennes, Régine qui s'est installée dans les années soixante-dix quand elle a ouvert l'un de ses Regine's au rez-de-chaussée du Delmonico. Les Américains sont tous d'accord sur un point : c'est elle qui a inventé la discothèque moderne, à Paris, rue de Seine, dans les années cinquante en passant elle-même les disques.





### 10 E 60th STREET

**THE COPACABANA / Au sous-sol, Sam Cooke atteint des sommets**

À part le Studio 54, quel autre club peut rivaliser avec The Copa dans l'histoire des nuits de la ville qui ne dort jamais ? Son promoteur, dans les années quarante, s'appelle Frank Costello. Oui, oui c'est ça, l'un des parrains de la mafia. (D'ailleurs, chaque fois que l'un des membres du Rat Pack de Sinatra vient en ville, il fréquente les lieux). Le duo comique, Dean Martin / Jerry Lewis fait un malheur dans les années cinquante. Il y produit même son ultime show le 25 juillet 1956. Avec sa décoration d'inspiration brésilienne, le Copa est vite devenu *the place to be* de la population blanche en goguette, les Noirs étant interdits d'accès jusque dans les années cinquante ! Et pourtant, quelques-uns des plus importants albums live de la musique soul ont été enregistrés dans ce sous-sol de l'hôtel Fourteen. Avant de se faire assassiner dans un motel californien, Sam Cooke y a capté une pépite soul : *Live At The Copa* en juillet 1964 (dans le Top 5 des plus grands albums live de l'histoire de la soul). Un peu plus tard, en 1965, Diana Ross et ses Supremes au faîte de leur gloire, reprennent l'idée et rendent même hommage au défunt Sam Cooke avec un formidable medley de ses principaux hits (*The Supremes At The Copa*). Le club apparaît dans de nombreuses scènes de cinéma. Martin Scorsese pour deux films, *Raging Bull* et *Les Affranchis*, Francis Ford Coppola pour *Le Parrain*, Woody Allen avec *La Rose pourpre du Caire*. Quand le Copacabana déménage à Times Square en 1992, sa gloire est déjà derrière lui. Même « Copacabana (At The Copa) », l'immense succès de Barry Manilow, qui lui est dédié en 1978, n'y a rien fait.

### 540 PARK AVENUE / 62th STREET E

REGENCY HOTEL / Mort de Jonathan Melvoin

Son père Mike Melvoin faisait partie du Wrecking Crew, les requins de studio de Los Angeles des années soixante et soixante-dix. On peut entendre son piano sur *Pet Sounds* des Beach Boys ou encore sur la version de « Stand By Me » par John Lennon. Sa sœur Wendy Melvoin était guitariste au sein de Revolution, le groupe de Prince de la grande époque et plus tard, de Wendy & Lisa avec Lisa Coleman. Aussi, est-il naturel que Jonathan Melvoin soit devenu musicien lui aussi, d'abord au sein du groupe punk The Dickies, avant de s'investir aux côtés de Prince et sa Family. On l'entend notamment sur la version originale de « Nothing Compares 2 U ». Dans les années quatre-vingt-dix, il accompagne au clavier les Smashing Pumpkins sur scène. Il est justement avec Jimmy Chamberlin, le batteur des Smashing Pumpkins, dans une chambre de l'hôtel Regency, quand il succombe à une overdose d'héroïne à trente-quatre ans, le 12 juillet 1996. Prince lui dédie « The Love We Make » sur l'album *Emancipation*.

### 16 E 63th STREET

L'appartement d'Edie Sedgwick

L'égérie la plus célèbre de Andy Warhol habite ici dans les années soixante. En décembre 1965, John Cale du Velvet Underground vient habiter chez Edie Sedgwick pour une courte idylle. Quelque temps après, Bob Dylan tombe amoureux d'elle au Chelsea Hotel. Là encore, la relation ne dure pas. Accro à l'héroïne et au speed, cette *poor little rich girl* meurt d'un abus de médicaments à vingt-sept ans, le 15 novembre 1971. Quelque temps après, sort le film *Ciao! Manhattan* qui relate son quart d'heure de gloire et sa sombre histoire.

**57 E 66th STREET** – La maison de Andy Warhol

Lorsque sa mère meurt en 1974, Andy Warhol achète cette maison au cœur du très chic Upper East Side, pour 310 000 $. Bien éloigné de ses Factory successives qui se tenaient plus au sud de Manhattan. Cinq étages, douze pièces, quatre chambres, six cheminées, l'air conditionné et un ascenseur intérieur dans un décor art déco plutôt sage. Il y reste jusqu'à la fin de sa vie en 1987. La maison est achetée plus tard par Tom Freston le CEO de MTV pour près de 7 millions de $. Une discrète plaque apposée sur la façade rappelle aux passants l'histoire de ce bâtiment.

**1275 YORK AVENUE / 67th STREET EAST**

MEMORIAL SLOAN-KETTERING CANCER CENTER / Levon Helm et Danny Federici

Le 19 avril 2012, c'est ici que s'éteint Levon Helm finalement battu par un cancer de la gorge à soixante et onze ans. Il n'était pas uniquement le batteur du Band, il était également *lead vocal* sur un grand nombre de morceaux comme « The Weight » ou « The Night, They Drove All Dixie Down ». Il est enterré à Woodstock où il vécut une large partie de sa vie. Dans ce même hôpital, Danny Federici, le discret clavier du E Street Band de Bruce Springsteen, s'est éteint le 17 avril 2008 à cinquante-huit ans. Dans la *guest list* de ce sinistre endroit, il faut également citer Ricky Wilson, guitariste des B-52's, décédé des suites du sida, le 12 octobre 1985. Ce groupe atypique, au look délicieusement rétro (la choriste, sœur de Ricky Wilson, a une gigantesque choucroute sur la tête) venait d'Athens en Georgie. À la fin des années soixante-dix, il avait émigré à New York et joué son premier concert au Max's Kansas City avant de connaître quelques hits comme « Rock Lobster » et « Planet Claire ».

**1157 THIRD AVENUE / 68th STREET E**

Barbra Streisand en route pour la gloire

La jeunesse de Barbra Streisand, originaire de Brooklyn, n'a pas vraiment été une partie de plaisir. La famille tire le diable par la queue, le père meurt quand elle n'a pas encore deux ans. Quand les premiers cachets tombent, la chanteuse migre vers Manhattan, squattant les studios d'amis ou de *boy friends*. Grâce à son apparition dans un musical de Broadway, elle peut s'installer ici, dans un minuscule appartement. Une seule fenêtre, la baignoire est dans la cuisine. Image d'Épinal de vache enragée. Elle a vingt ans et bientôt son amoureux vient la rejoindre. Il s'appelle Elliott Gould. Problème, l'acteur est très grand et il n'y a pas de place pour un lit double place. Patience, patience : dès 1963, le couple, maintenant marié et célèbre, s'installe dans un duplex de l'autre côté du parc au 320 Central Park West, un chic immeuble art déco.

### 525 68th STREET EAST

NEW YORK PRESBYTERIAN HOSPITAL / La dernière performance de Andy Warhol

Le 21 février 1987, Andy Warhol, qui a une phobie des médecins et des hôpitaux, est admis pour une opération relativement bénigne à la vésicule biliaire au Presbyterian Hospital. Il a longtemps repoussé cette opération qu'il redoute. Au Baker Pavilion, chambre 1204, il s'enregistre sous le faux nom de Bob Roberts. L'intervention se déroule normalement. Mais le lendemain matin, dimanche, à 6 h 30, il meurt dans son sommeil d'une attaque cardiaque. Il est enterré religieusement et dans l'intimité le 26 février dans sa ville natale de Pittsburgh où un musée lui est consacré. New York lui rend hommage quelques jours plus tard à la cathédrale St. Patrick.





### 420-424 E 71th STREET – SOKOL HALL / Le Velvet fait de la gym

Drôle d'endroit. Le Sokol est un mouvement sportif tchèque né au XIXe siècle prônant les valeurs nationalistes. Il a essaimé des petits « Sokol » à l'étranger et notamment à New York où il choisit de s'installer dans ce bâtiment longtemps dirigé par Marie Provaznikova (cette gymnaste coach de l'équipe olympique tchèque aux J.O. de 1948 avait profité de l'évènement pour s'exiler à l'Ouest). En fait, ce qui nous intéresse ici, c'est la salle de gymnastique cachée derrière cette façade austère qui n'a pas bougé depuis cent vingt ans. Andy Warhol, fils d'exilés tchèques (Warhola) a retenu ce lieu exotique pour ses poulains le Velvet Underground pour plusieurs concerts en avril 1967. Lui-même est absent, retenu à Cannes avec Nico pour le festival du film. Pas grave, le 30 avril, pour la dernière date, le groupe joue un set mémorable et haut en couleur, faisant exploser la devise du Sokol : « Un esprit sain dans un corps sain ». Aujourd'hui, on peut encore aller user son survêtement au Sokol Hall.

### 132 E 72th STREET – George Gershwin

De 1933 à 1936, le compositeur George Gershwin habite ici pendant les dernières années de sa vie new-yorkaise. Son frère aîné, Ira, habite juste en face au 125. Auteur de standards de comédies musicales de Broadway comme « Summertime » ou « I Got Rhythm », il a également signé l'inoubliable *Rhapsody In Blue* (joli palmarès !). Gershwin est mort en Californie en 1937. En passant devant le bâtiment, il est fortement conseillé d'écouter « Summertime » dans la version de Janis Joplin.

**530 E 72th STREET** – Le penthouse de Sinatra

Natif du New Jersey, Frank Sinatra passait plus de temps en Californie qu'à New York. Mais quand il faisait escale par ici, il jouissait d'un agréable pied-à-terre avec vue sur East River. Celui-ci a dû connaître quelques mémorables *parties* avec The Rat Pack, dont l'un des jeux préférés consistait à jeter les verres de champagne par le balcon en essayant d'atteindre les voitures filant sur FDR Drive, vingt-trois étages plus bas. Quelle rigolade ! Ol'Blue Eyes a vendu ce penthouse à son médecin en 1972.

**322 E 73th STREET** – Le repaire des Cramps

La légende raconte que le couple Lux Interior (Erick Lee Purkhiser) et Poison Ivy (Kristy Marlana Wallace) s'est rencontré en auto-stop sur une route de Californie en 1972. Début d'une longue histoire interrompue par la mort de Lux en 2009. Leur premier concert se tient au CBGB le 1er novembre 1976, en première partie des Dead Boys. Leur style rockabilly punk mâtiné de twangle guitare n'obtient pas un franc succès, mais on les retrouve quand même très vite au Max's Kansas. Leurs premiers disques sont enregistrés à Memphis aux studios Ardent, notamment le formidable « Human Fly » produit par Alex Chilton. Au début des années quatre-vingt, les Cramps s'installent en Californie et gèrent une carrière de groupe « culte » notamment en Europe.





**35 E 76th STREET / MADISON AVENUE**

HOTEL CARLYLE / Michael Jackson et Ronald Reagan

La liste des *high level people* ayant séjourné dans cet hôtel art déco de trente-cinq étages construit en 1930, est sans égale à New York. L'histoire la plus connue est naturellement liée au Président John Kennedy. Habitué des lieux (34e étage) avant et pendant sa présidence, on dit que c'est ici qu'il rencontrait, en cachette, Marilyn Monroe chaque fois que leur présence dans la Grande Pomme coïncidait. On raconte également que Ronald Reagan fit la connaissance de Michael Jackson dans le hall d'entrée. *Thriller!* Tous les présidents américains depuis Truman ont logé ici. Même Nicolas Sarkozy (qui n'est pas Américain, mais qui était président) descend ici quand il vient à New York. On peut le surprendre traversant le lobby en tenue de jogging rejoignant le parc tout proche. Quant à Lady Diana, elle n'était pas présidente, mais elle ne manquait pas de descendre au Carlyle

d'autant plus que Madison Avenue et ses boutiques, les plus luxueuses de la ville, sont à côté. Une légende veut qu'un habitué de l'hôtel ait eu la chance de se retrouver seul avec la Princesse de Galles dans l'ascenseur. À peine remis de ses émotions, voilà de nouveaux passagers qui débarquent à l'étage au dessous: Steve Jobs et Michael Jackson s'engouffrent à leur tour. Les échanges d'amabilité ne durèrent que le temps de la descente et lorsque le liftier, dans un état second, libéra tout ce petit monde au rez-de-chaussée, chacun partit de son côté comme si de rien n'était. Aujourd'hui, c'est le Prince Charles et Camilla, le Prince William et Kate qui descendent à leur tour dans le palace. Le Carlyle était le refuge des stars du Hollywood de la grande époque en goguette dans la Grande Pomme. Steve McQueen ne serait pas descendu ailleurs et George Clooney perpétuait la tradition avant d'acheter un pied-à-terre pas loin d'ici. En parlant de tradition, le producteur Phil Spector avait la surprenante habitude de menacer les gens avec des armes à feu. John Lennon n'en était toujours pas revenu quand au cours d'une séance d'enregistrement il s'est retrouvé avec un pistolet sur la tempe. Lara Clarkson non plus, puisque le pistolet, que Spector lui a enfoncé dans la bouche, l'a tuée sur le coup. Au cours du procès qui s'en-suivit, un témoin est venu raconter que le génie du son l'avait contraint avec un colt à le suivre dans sa suite du Carlyle! Woody Allen, habitant à côté, ne loge pas au Carlyle. Mais en grand admirateur du lieu, il vient jouer de la clarinette tous les lundis soir avec le Eddy Davis New Orleans Jazz band au Café Carlyle. Allen a d'ailleurs tourné une scène de *Hanna et ses sœurs* dans ce même café.



## 100 E 77th STREET

LENOX HILL HOSPITAL / Karen Carpenter en traitement

Dans les *seventies*, les Carpenters sont l'un des groupes les plus populaires du pays. Méprisées par l'intelligentsia rock, car trop sucrées, leurs chansons sont pourtant des petites merveilles. Moqués car trop propres sur eux, trop bien coiffés, Richard et Karen Carpenter incarnent la majorité silencieuse blanche (horreur, ils sont copains avec Richard Nixon). Pourtant la voix de Karen est l'une de celles que l'on n'oublie jamais. Après une cascade de hits – « Close To You » (sublime reprise de Burt Bacharach), « Yesterday Once More », « Top Of The World » –, Karen Carpenter va progressivement glisser vers une anorexie. Depuis sa Californie natale, elle vient à New York, dès décembre 1981, suivre un premier traitement auprès des docteurs Levenkron puis Bernstein au Lenox Hill Hospital. Malheureusement, cette maladie est difficile à vaincre. On croit pourtant à la guérison quand elle revient passer une longue période ici à l'automne 1982. Elle a repris du poids quand elle quitte l'établissement le 8 novembre. Mais son cœur, éreinté de fatigue, cesse de battre le 4 février 1983. Lenox Hill Hospital a vu naître Lady Gaga et Blue Ivy, la fille de Beyoncé et Jay-Z. Il a vu mourir Ed Sullivan. Et Dashiell Hammett. Usé par la tuberculose, par la chasse aux sorcières du sinistre McCarthy et plus sûrement par l'alcool et les cigarettes, l'auteur du *Faucon maltais* s'est éteint des suites d'un cancer des poumons, à soixante-six ans, le 10 janvier 1961. En tant qu'ancien combattant des deux guerres mondiales, il est enterré au cimetière militaire d'Arlington à Washington, non loin du soldat inconnu. Ironique, quand on sait qu'il a enduré six mois de prison pour connivence communiste dans les années cinquante.





**152 E 81st STREET** – La maison de Madonna

En 2010, quand Madonna est rentrée en Amérique après avoir quitté, dans l'ordre, son mari puis Londres, elle s'est installée à New York. Pour résidence, son choix s'est porté sur cette coquette maison à 32,5 millions de $. Quatre étages, vingt-six pièces, dont deux cuisines, treize chambres, deux bibliothèques, deux garages et un jardin de 300 m², de quoi vivre

au large avec ses trois enfants. Dès son arrivée, la Madone a entrepris de gros travaux dont la création d'une terrasse sur le toit et une sécurisation ultra-renforcée des lieux.

### 995 5th AVENUE / 82th STREET EAST

**Le dernier souffle de Charlie Parker**

Le 9 mars 1955, c'est un Charlie Parker fatigué, usé, au bout du rouleau qui débarque chez Nica, surnommée « la baronne du jazz » dans sa résidence de l'hôtel Stanhope. Kathleen Annie Pannonica Rothschild dite Nica, est issue de la branche anglaise de la richissime famille du même nom. Artiste dans l'âme, totalement anachronique dans l'univers stéréotypé de son rang, elle épouse néanmoins, en 1935, un militaire, Jules de Koenigswarter, strict, rigide et policé. Pendant la guerre, le couple est très actif, lui sur le front, elle dans la résistance. À la fin des années quarante, ils s'installent avec leurs six enfants dans un New York bouillonnant. Nica se prend d'une folle passion pour le jazz et ses musiciens. Le couple n'y résiste pas et Nica s'installe seule (avec ses chats) à l'hôtel Stanhope sur la cinquième avenue, juste en face du Metropolitan Museum. Désormais elle va consacrer sa vie, son temps et ce que sa famille a accepté de lui laisser comme fortune, à aider les musiciens de jazz. Charlie Parker n'est pas le premier à trouver refuge au 995 5th Avenue. Comme lui, Thelonious Monk, Bud Powell et tant d'autres ont leurs habitudes ici. Entre deux soins psychiatriques, Monk alterne les séjours ici et dans la propriété de Nica au nord de New York. Ce jour de mars, Charlie Parker se sent mal. Ses ulcères lui jouent de sales tours. Il ne compte pas rester chez Nica,

juste la saluer, avant de rejoindre Boston où un concert l'attend. Mais il se met à vomir du sang. Le médecin appelé interdit au musicien de prendre la route et ordonne une hospitalisation. Charlie Parker refuse mais accepte de rester chez son amie qui le soigne avec attention. Deux jours après, le malade se sent un peu mieux et le médecin est raisonnablement rassuré. Le samedi 12 mars, Parker s'installe même sur un fauteuil et regarde le Dorsey Brother's Stage Show à la télévision. Il est pris d'un vrai fou rire quand l'un des jongleurs rate son numéro. Mais le rire se transforme en horrible quinte de toux. Il a à peine le temps de se lever pour chercher de l'air qu'il s'écroule, foudroyé. Bird le plus grand saxophoniste de l'histoire du jazz vient de rendre son dernier souffle. Il a seulement trente-cinq ans.

### 1076 MADISON AVENUE / 81st STREET E

FRANK E. CAMPBELL THE FUNERAL CHAPEL

Les funérailles de The Notorious B.I.G.

Le 18 mars 1997, dix jours après son assassinat à Los Angeles, les funérailles de Notorious B.I.G. se tiennent ici. La cérémonie est suivie par 350 personnes dont Mary J. Blige, Busta Rhymes, Queen Latifah, Run-DMC et Naughty by Nature.



### 205 E 86th STREET / 3rd AVENUE – THE CORSO / Là où habite la salsa

En dehors de Spanish Harlem, voici peut-être le lieu qui symbolise le mieux la salsa à New York. Au deuxième étage, dès le début des années soixante-dix, c'est la maison de Ray Barretto, Tito Puente, Johnny Pacheco, Tito Rodriguez, Machito et autres Hector LaVoe. Bref ce que l'on fait de mieux dans le genre, la crème de la crème, le haut du panier. Tony Raimone, le patron à l'impeccable costard blanc tient la maison d'une main de fer et Marty Arrett, le maître de cérémonie est respecté par toute la communauté. Dès le mercredi, les choses s'intensifient à l'approche du week-end, les nuits sont longues et les petits matins fatigués. Le 18 avril 1975, le club connaît la réconciliation scénique et historique de Tito Puente et Vicentico Valdès, brouillés depuis 1954. Ce qui n'est pas rien. The Corso a fermé ses portes au milieu des années quatre-vingt.

### 159 E 87th STREET / LEXINGTON AVENUE

UES FIREHOUSE STUDIO / L'atelier caserne de Warhol

Lorsque Andy Warhol, encore peu connu, loue son premier atelier dans cette ancienne caserne de pompier en 1962, il paie 150 $ de loyer mensuel (le contrat de location d'origine s'est vendu 13 500 $ en 2015 chez Sotheby!) Aujourd'hui, ce bâtiment d'un étage chargé d'histoire vient de trouver preneur pour 10 millions de $ (vendu par le galeriste français Guy Wildenstein qui y entreposait une partie de sa collection). Un peu plus de deux ans plus tard, Warhol s'installe dans sa Silver Gallery sur la 47th Street East.

**1342 LEXINGTON AVENUE / 89th STREET E** – Andy et sa maman

En 1959, l'inconnu Andy Warhol fait venir sa maman de son natal Pittsburgh. Ils s'installent ensemble dans cette maison. L'artiste travaille ici. Dans quelque temps, manquant de place, il louera un atelier dans une ancienne caserne voisine avant de fonder sa première Factory. Warhol quitte la maison à la mort de sa mère en 1974 pour s'installer un peu plus bas dans l'Upper East Side.

**1 E 91st STREET / FIFHT AVENUE**

CONVENT OF THE SACRED HEART / La jeunesse de Lady Gaga

Oui, oui, qui l'eut cru, Lady Gaga a grandi dans un très chic établissement catholique au cœur du très chic Upper East Side ! À huit ans, elle donne déjà ici un récital au piano et quand elle proclame à qui veut l'entendre, qu'elle va devenir une superstar, toutes ses copines BCBG rigolent bien. Les sœurs Hilton sont également scolarisées ici.





**FIRST AVENUE 1901 / 97th STREET EAST**

METROPOLITAN HOSPITAL / La mort de Billie Holiday

« Ma chérie, je mourrai bientôt à New York, entre deux flics » confie Billie Holiday à Françoise Sagan lors de son dernier séjour en Europe, quelques mois avant sa mort. La lucide prophétie n'est pas trop difficile à formuler tant la chanteuse avait usé sa santé, jusqu'à la corde, dans une infernale descente narcotique et alcoolisée. Le 31 mai 1959, on l'a enfin transportée dans cet hôpital pour soigner une cirrhose et des troubles cardiaques. Son entourage a mille fois essayé de stopper ses multiples addictions, en vain, puis l'a encouragée à se faire hospitaliser. Le 12 juin, la police, qui la traque de longue date, n'hésite pas à l'arrêter dans son lit pour usage d'héroïne et poste même des policiers devant sa chambre. Lady Day cesse de lutter le 17 juillet à 3 h 10 du matin. À son ex-mari, seul héritier, elle ne laisse que 1 345 $ (mais six mois après, ses royalties sont déjà de 100 000 $ !). À nous, elle laisse sa discographie, le plus bel héritage possible.

# CENTRAL PARK

*du sud au nord et d'ouest en est*

Les trois cents hectares de Central Park sont propices aux rassemblements musicaux estivaux. Les plus grandes personnalités du rock ont foulé les pelouses de Rumsey Playfield, de Great Lawn et la patinoire Wollman Rink devant des foules record. Quand les Beatles, Jimi Hendrix ou les Doors avaient besoin de photos promotionnelles ils choisissaient les allées, tunnels et statues du parc comme décor. C'était le lieu de balade préféré de John et Yoko, qui, en voisins, y venaient en toute simplicité, jamais importunés par les new-yorkais. C'est ici que Yoko Ono a choisi de créer Strawberry Fields, un petit jardin à la mémoire de son mari.

**CENTRAL PARK CENTER DRIVE / 65th STREET EAST PLAYMATE ARCH**

The Ramones au parc

Pour la photo de couverture de leur huitième album, les Ramones voulaient retrouver une ambiance à la *Orange mécanique*. La fameuse scène du gang dans le tunnel londonien. Pour cela, le photographe George DuBose a trouvé que Playmate Arch au sud de Central Park serait parfait. Et il avait plutôt raison, l'effet est réussi. Le nom Playmate ne fait pas du tout référence à ce que vous croyez. C'est simplement un tunnel construit pour relier deux *playgrounds* The Dairy et The Carousel.

**CENTRAL PARK** – INSCOPE ARCH / Linda capture les Doors

Avant de rencontrer Paul McCartney, Linda Eastman est une photographe réputée dans l'univers rock de New York. Elle est la première femme à voir l'un de ses clichés retenu pour la couverture du magazine *Rolling Stone*. Elle aime bien le décor de Central Park pour ses prises de vues. Avec les Doors, elle choisit l'entrée de ce tunnel et pour Jimi Hendrix, elle préfère le faire grimper sur la statue d'*Alice au pays des merveilles*. Et puis un jour, sa rédaction l'envoie à Londres couvrir le lancement du nouvel album des Beatles *Sgt. Pepper's*. La suite fait partie de l'Histoire.

**CENTRAL PARK / 67th STREET W**

TAVERN ON THE GREEN / Happy birthday John

Pour les trente-six ans de John Lennon, Ringo Starr lui avait préparé une délicieuse surprise. Cherry Vanilla, ex-performeuse de l'équipe de Andy Warhol, alors attachée de presse de David Bowie, était venue jouer un extrait de *Roméo et Juliette* dans l'appartement du Dakota. Pour ses trente-huit ans, le 9 octobre 1978, Lennon choisit une célébration plus classique avec un simple repas au restaurant Tavern On The Green dans

Central Park. Son fils Sean qui est né à la même date est naturellement de la partie avec quelques copains. Il fait très beau ce jour-là, John et Yoko ont rarement paru plus heureux. Ils reviendront parfois, le propriétaire étant un ami. Tavern On The Green existe toujours même s'il a beaucoup perdu de sa superbe.

### CENTRAL PARK/830 5th AVENUE

WOLLMAN RINK/Schaefer Music Festival

Pour pas mal d'Européens, la patinoire de Central Park rappelle certaines scènes hypra lacrymales du film *Love Story*. Pour les New-Yorkais, c'est un réel plaisir de venir patiner ici durant les hivers rigoureux. Surtout depuis qu'un généreux mécène nommé Donald Trump a effectué de remarquables travaux d'embellissement à condition que son nom y soit associé. La neige fondue, l'été venu, le lieu a d'abord accueilli des concerts de jazz (Billie Holiday, Dizzy Gillespie) puis, de 1967 à 1981, des concerts de musique où le rock est particulièrement honoré. Grâce aux puissants sponsors, le brasseur Schaefer puis le soda Dr Pepper, le prix des places est très accessible. Aussi le nombre de spectateurs peut facilement dépasser les 5 000. Tous les soirs de juin à juillet, des dizaines de top stars tiennent l'affiche: Jimi Hendrix (1967), les Who (1968), Sly & the Family Stone (1969) Joni Mitchell (1968/1969), Miles Davis et Thelonious Monk à la même affiche (7 juillet 1969/1975), Led Zeppelin (1969), The Band (1970/1971), Allman Brothers Band (1971), les Doors sans Jim Morrison *of course* (1972), ZZ Top (1974), Bruce Springsteen (3 août 1974, sa version de « Rosalita » les a tous rendus fous), Bob Marley & The Wailers (1975).

Le 11 août 1979, Patti Smith a joué l'un de ses derniers concerts avant sa fameuse retraite à Détroit. Nina Simone, Carly Simon, Blood, Sweat and Tears, Melanie et B.B. King étaient des abonnés, présents pratiquement chaque année. En 1981, pour cause de plainte des voisins, le festival s'exile plein ouest, Pier 84. À la place, c'est maintenant un parc d'amusement pour les enfants, Victorian Gardens, géré par... Trump Organisation.

### RUMSEY PLAYFIELD / 71st STREET EAST

CENTRAL PARK SUMMERSTAGE / Voilà l'été !

Depuis 1990, les concerts gratuits de Central Park se tiennent sur Rumsey Playfield à hauteur de 71st Street. Ces *summerstage performances* sont très attendues des New-Yorkais qui viennent en nombre de mai à septembre assister à des spectacles d'opéra, de danse, de lectures (Toni Morrison en 2007) et bien sûr de musique. On voit défiler le meilleur de la soul (dernière prestation de Curtis Mayfield en 1990), du rap (Beastie Boys) et du rock (Sonic Youth en 1992, Vampire Weekend). Ce festival a vu le grand retour sur scène de Patti Smith le 7 août 1993. Elle avait quitté le monde de la musique et New York pour vivre à Détroit avec son mari Fred "Sonic" Smith et ses deux enfants Jackson et Jesse Paris. Ce n'est pas à proprement parler un concert mais plutôt une lecture, néanmoins, c'est un triomphe. En 1999, un rassemblement est organisé en hommage à Joni Mitchell qui monte sur scène pour le rappel.



### CENTRAL PARK / 72nd STREET WEST

STRAWBERRY FIELDS / L'hommage de Yoko à John

John Lennon et Yoko Ono étaient très attachés à Central Park bordant l'immeuble du Dakota. Un clip pour le single *Mind Games* et la photo du verso de pochette de l'album *Milk And Honey* les montrent flânant dans ses allées et enlacés sur un banc. Les New-Yorkais avaient d'ailleurs l'habitude de les croiser, en évitant bien de les importuner. Yoko a voulu rendre hommage à son mari en lui dédiant un petit jardin dans un coin du parc qu'il chérissait particulièrement. Elle l'a baptisé « Strawberry Fields ». L'architecte en chef de Central Park Conservancy, Bruce Kelly, a conçu un mémorial noir et blanc avec des mosaïques offertes par la ville de Naples. Il porte le nom d'une autre chanson emblématique de l'ex-Beatles « Imagine ». De son appartement du sixième étage du Dakota, Yoko peut ainsi apercevoir Strawberry Fields où chaque année, le 8 décembre et le 9 novembre, les fans fidèles viennent célébrer la mort et la naissance de Lennon en déposant une fleur ou une... *apple*. Le plus fidèle et le plus célèbre d'entre eux s'appelait Gary Dos Santos, auto-surnommé "The

Mayor of Strawberry Fields". Pendant vingt ans, et jusqu'à sa mort en 2013, il a veillé à la tranquillité du mémorial accueillant les visiteurs avec un discours sur la vie de l'ex-Beatles et vivant de leur générosité.

## CENTRAL PARK / 74th STREET EAST

### ALICE IN WONDERLAND STATUE

En 1959, pour faire plaisir aux petits New-Yorkais, le philanthrope George Delacorte a commandé, à l'espagnol José de Creeft, cette sculpture représentant Alice entourée de quelques-uns de ses amis les plus fidèles. L'histoire s'arrêterait là si Jimi Hendrix et son Experience n'avaient pas décidé de prendre la pose, juchés sur l'édifice entouré d'enfants. Hendrix adorait cette photo prise par Linda Eastman en 1967. Il la voulait même en couverture de son album *Electric Ladyland*. La maison de disques en a décidé autrement, mais cinquante ans plus tard, la couverture du coffret célébrant l'anniversaire de l'album s'en est souvenu. Beaucoup de photos de nos artistes favoris ont été prises dans Central Park, souvent pour des opérations promotionnelles : les Beatles, Bob Dylan (par Richard Avedon), les Cream, les Doors (par Linda Eastman), Bruce Springsteen & The E. Street Band, Kiss, les Young Rascals, Lovin' Spoonful, Grateful Dead et même Genesis.

## CENTRAL PARK EAST / 79th STREET EAST

### MINER'S GATE / Pretzel Logic

New York et en particulier Central Park sont réputés pour leurs marchands ambulants de bretzels, ces sortes de pain aux formes nouées, originaires d'Allemagne. Le plus célèbre d'entre eux orne la couverture de l'album *Pretzel Logic* de Steely Dan. La photo est prise devant l'une des portes d'entrée de Central Park, Miner's Gate située à la hauteur de 79th Street East côté 5th Avenue. Le marchand est posté devant l'inscription Miner's Gate gravée sur le muret.



## CENTRAL PARK / 79-85th STREET EAST

### THE GREAT LAWN / Simon & Garfunkel, réunion dans le parc

Simon et Garfunkel ont formé l'un des plus célèbres duos des années soixante. Leurs voix se mariant parfaitement sur les subtiles compositions de Paul Simon. Le succès a atteint son apogée au début des années soixante-dix avec le multiplatiné *Bridge Over Troubled Water*, marquant aussi la fin de leur association. Simon se lance dans une très réussie carrière solo, le discret Art Garfunkel se dirigeant plutôt vers le théâtre et le cinéma. Mais, quelques années plus tard, après un changement de label, la trajectoire de Paul Simon commence à donner des signes de faiblesse. Aussi, lorsque le promoteur Ron Delsener, spécialiste des mégas concerts dans le parc (Pavarotti, Streisand) leur propose de reformer le duo pour une unique prestation caritative, au cœur de Central Park, ils acceptent, avec enthousiasme. Le public, en manque de Simon et de Garfunkel va leur faire un triomphe dépassant toutes les espérances. Le 19 septembre 1981 vers 18 h 30, malgré un ciel capricieux, près de 500 000 personnes (300 000 prévues) se pressent sur The Great Lawn, la plus grande étendue d'herbe de Central Park avec vue imprenable sur les immeubles de Central Park West et South. Le maire Ed Koch, introduit le groupe qui

entame l'un de ses plus grands hits « Mrs. Robinson », la bande originale du film *Le Lauréat*. La soirée s'annonce délicieuse entre les grands classiques du duo (« The Sound Of Silence », « The Boxer », « Bridge Over Troubled Water ») et les hits de la carrière solo de Paul Simon (« 50 Ways To Leave Your Lover », « Late In The Evening » « Me And Julio Down By The Schoolyard »). Un moment inoubliable pour les heureux présents, les autres pouvant se rabattre sur le double album du concert qui sort le 16 février 1982 et obtient un succès mondial, notamment en France (disque de diamant). Cinq jours plus tard, la chaîne câblée américaine HBO retransmet le concert puis le sort en vidéo dans la foulée. Elton John (13 septembre 1980), Paul Simon en solo (15 août 1991), Bon Jovi (12 juillet 2008) connaissent aussi la griserie du Great Lawn. Diana Ross a dû s'y reprendre à deux fois. Son concert du 21 juillet 1983 n'a pas pu atteindre son terme, la faute à un orage carabiné. Elle promet à ses fans de revenir le lendemain et tient parole. Le plus grand événement de Central Park reste sans doute la Marche pour la paix et le désarmement du 12 juin 1982. Ce jour-là, près d'un million de personnes manifestent entre le siège des Nations unies et Central Park pour atteindre The Great Lawn et passer la soirée avec Jackson Browne, l'infatigable Joan Baez (*who else?*), Linda Ronstadt, Bruce Springsteen et James Taylor. Plus cocasse, quelques années plus tard, le 5 mai 1984, on peut voir Chrissie Hynde, la chanteuse des Pretenders et Jim Kerr, le leader de Simple Minds se promener en calèche, habillés en mariés. Elle, en tailleur blanc, lui en costume jaune, ils sortent juste de la célébration tenue secrète jusqu'au dernier moment (même pour le père du jeune enfant de Chrissie Hynde, le chanteur des Kinks, Ray Davies).

## CENTRAL PARK / 82nd STREET WEST

DIANA ROSS *Playground* / Promesse tenue

Le 21 juillet 83, le concert de Diana Ross sur le Great Lawn a dû être abrégé suite à une tempête. Elle promet aux 500 000 fans désespérés de revenir le lendemain. Elle le fait et, en plus, s'engage à faire quelque chose pour le Park. Promesse tenue, en 1986, la diva de Motown, ex-leader des Supremes offre ce beau *playground* aux New-Yorkais. Qu'elle a aperçu depuis son appartement de Beresford Residence au 211 Central Park West.

## 110th STREET EAST / 5th AVENUE – Sir Duke statufié

À la porte de Harlem, le grand Duke Ellington possède sa statue de bronze. Immortalisé, debout devant son piano. Une œuvre signée du Californien Robert Graham, longtemps compagnon de l'actrice Anjelica Houston.

# • UPPER WEST SIDE •

*du sud au nord et d'est en ouest en partant de Central Park*

Il est tentant d'opposer Upper East Side et Upper West Side. D'opposer le paraître et l'être. La forme et le fond. Le superficiel et le cultivé. Mais ce serait trop simple d'oublier que le musée Guggenheim et le Met sont situés à l'est… Alors d'où vient cette réputation ? À la proximité de Columbia University ? À la présence du Lincoln Center avec certaines des meilleures compagnies de danse, des meilleurs orchestres, des meilleurs opéras de la planète ? Au fait que les plus talentueux artistes préfèrent habiter sur Central Park West à commencer par John Lennon (et à l'exception de Woody Allen) ? Au nombre (encore) élevé de librairies ? À la présence du musée d'histoire naturelle ? Sans doute un peu de tout cela, une ambiance, un air du temps. C'est aussi ici, que sont morts John Lennon et Joey Ramone, qu'Aretha Franklin a enregistré ses plus beaux titres, qu'est né « Rock Around The Clock », que Miles Davis, Billie Holiday et Thelonious Monk ont choisi d'habiter, à deux pas de Harlem.

**1841 BROADWAY / 11 W 60th STREET** – Atlantic Studios

Atlantic vient de connaître une décennie de succès en popularisant dans le monde entier le rhythm'n'blues jusqu'alors confiné à une minorité, avec Ray Charles collectionnant les hits, de « I've Got A Woman » à « What'd I Say », quand ils déménagent le siège et les studios du label à cette adresse en 1959. La société fondée par deux fils de l'ambassadeur de Turquie aux États-Unis, Ahmet et Nesuhi Ertegun, est en passe de devenir l'une des plus fameuses maisons de disques de l'histoire de la musique américaine. Du jazz à la soul en passant par le rock, Atlantic embrasse tous les courants musicaux des années quarante aux années quatre-vingt-dix avec un succès sans limite. Dans les nouveaux studios Atlantic, on trouve les derniers 8-pistes Ampex, laissant loin derrière tous leurs concurrents y compris les Britanniques d'Abbey Road. Dès lors, on va se presser pour enregistrer ici avec le trio de talentueux producteurs et ingénieurs du son maison, Jerry Wexler, Arif Mardin et Tom Dowd. Le premier des trois façonne le son Atlantic dans les années cinquante pour Ray Charles ou les Drifters. Devenu associé des Ertegun, il a le coup de génie de signer Aretha Franklin qui n'arrivait pas à trouver le succès chez Columbia. « Respect », « Chain Of Fools », « Think », « I Say A Little Prayer », une majorité des grands classiques d'Aretha sont gravés au deuxième étage de cet austère bâtiment de brique, produits par Jerry Wexler, arrangés par Tom Dowd et Arif Mardin. « Sunshine Of Your Love », « White Room », « Spoonfull » de Cream, « Sweet Jane » du Velvet Underground, « Killling Me Softly With His Song » de Roberta Flack, *Giant Steps* et *My Favorite Things* de John Coltrane sont également nés dans ce studio. Dans la fratrie Ertegun, Nesuhi s'occupe du jazz. Son carnet de bal, bien rempli, comprend

Charles Mingus, John Coltrane, Modern Jazz Quartet, Les McCann. Ahmet Ertegun est, quant à lui, entré dans l'histoire de la musique pour avoir découvert Ray Charles, donné à Aretha Franklin ses lettres de noblesse, signé Cream, Led Zeppelin, Crosby, Stills, Nash & Young (entre autres) et crée Rolling Stones Records au début des années soixante-dix. *What else?* Ahmet Ertegun n'est pas seulement doté d'un sacré flair, il n'est pas seulement un efficace homme d'affaires, il adore surtout sincèrement la musique et les musiciens, qui le lui rendent bien. Tous ceux qui l'approchent lui vouent un culte respectueux. Pour en juger, il fallait assister à l'hommage qui lui a rendu le festival de Montreux en juin 2006, où Robert Plant, Nile Rogers, Stevie Winwood, Stevie Nicks, Ben E. King et bien d'autres, remercient Monsieur Atlantic. Une dernière fois, car six mois plus tard, au Beacon Theater de New York, alors qu'il se trouve dans les coulisses du concert des Rolling Stones, filmé par Martin Scorsese pour le documentaire *Shine A Light*, il fait une mauvaise chute et décède quelques jours après. L'empreinte qu'il a laissée sur Led Zeppelin est telle que le 10 décembre 2007, le groupe qui s'était toujours refusé à se reformer jusqu'alors, le fera pour un seul et unique concert en son hommage.

**70 LINCOLN CENTER PLAZZA / BROADWAY / COLOMBUS AVENUE** – LINCOLN CENTER

Ici, sur le site où fut tourné *West Side Story*, sont regroupées certaines des plus prestigieuses compagnies artistiques de la ville, donc des États-Unis, donc de la planète. Quand on est sur l'esplanade centrale, on contemple, à gauche, The New York City Ballet, à droite, The New York Philarmonic et au fond The Metropolitan Opera. The Metropolitan Opera s'est installé ici, le 16 septembre 1956. C'est une authentique institution lyrique par l'éclat de ses distributions et par le nombre de ses productions. Toutes les stars de l'opéra ont au moins une fois foulé sa scène et son nombre de premières ne se compte plus. Le bâtiment est à fois imposant et sobre, reconnaissable à sa façade aux cinq arches et à son hall orné de deux fresques de Marc Chagall. La salle peut accueillir près de 4000 spectateurs. Les Who ont eu l'honneur d'y jouer leur opéra rock *Tommy* deux soirs de suite en juin 1970. Les MTV Video Awards, ont été décernés ici

en 1999 et 2001. Accolé au Metropolitan Opera, à l'angle de 62nd Street, se trouve David H. Koch Theater. C'est l'antre du New York City Ballet, compagnie définitivement liée à George Balanchine et à Jerome Robbins. Conçu en 1964 par l'architecte Philip Johnson, il porte dorénavant le nom d'un généreux industriel républicain qui s'est engagé à restaurer et entretenir le bâtiment. Enfin, le bâtiment qui héberge le New York Philarmonic porte, lui aussi, le nom d'un mécène que l'on connaît bien. Celui du mogul du disque et du cinéma, David Geffen (Asylum Records et Dreamworks) qui a offert 100 millions de $ en 2014. Longtemps résidant du Carnegie Hall, le Philarmonic est l'un des plus prestigieux orchestres de la planète. La liste de ses chefs successifs est un véritable *who's who* de la musique classique : Malher, Toscanini, Bernstein, Boulez, Masur, Maazel... En ce qui nous concerne, on peut quand même citer Aretha Franklin, Ray Charles ou encore les Supremes. Pas mal non plus.



### **1941 BROADWAY** – ALICE TULLY HALL / Lou Reed en solo

Alice Tully Hall accueille chaque année le New York Film Festival ainsi que les spectacles de la prestigieuse Julliard School. Dans cette salle, Lou Reed a joué son premier concert en solo le 1er février 1973. Il avait quitté le Velvet Underground en 1970, sur un coup de tête, après un concert au Max's Kansas City, et était reparti vivre chez ses parents. Convaincu par Lisa Robinson de revenir à la musique, l'Angleterre et David Bowie lui offrent le salut. Le futur Ziggy produisant l'album de son retour *Transformer*. C'est également la salle du dernier concert de Sister Rosetta Tharpe, le 26 juillet 1972, un an avant sa mort. C'est au Damrosch Park voisin qu'on a célébré le souvenir du défunt Lou Reed en présence de Laurie Anderson, David Johansen et Lenny Kaye le 30 juin 2016.

**36 W 62th STREET** – HURRAH / Sid Vicious fait le coup de poing

Ce jour de décembre 1978, Sid Vicious, ex-Sex Pistols est libéré de la sinistre prison de Rickers Island (oui la même que celle de Dominique Strauss-Kahn). Il vient de purger une courte peine pour le meurtre de sa fiancée Nancy au Chelsea Hotel. Il décide d'arroser cette heureuse sortie au club Hurrah. Là, il tombe sur Todd Smith, le frère et accessoirement roadie de Patti Smith. L'histoire raconte que Vicious (punk anglais) glisse un mot à l'oreille de la fiancée de Smith (punk américain). Ce dernier apprécie moyennement et le fait savoir. Le bassiste des Pistols s'empare alors d'une bouteille de Heineken et l'affaire s'envenime sévèrement. Résultat : retour à la case Rikers Island pour deux mois, avant l'overdose fatale. Ce club est aussi entré dans l'histoire du rock pour avoir accueilli le premier concert new-yorkais de New Order et le tournage du clip « Fashion » de David Bowie en 1980. Hurrah a fermé ses portes cette année-là.

**63rd STREET W 243** – L'appartement de Thelonious Monk

En 1922, quand il a cinq ans, les parents de Thelonious Monk s'installent à New York dans cet imposant immeuble de briques bâti en 1907. Un an plus tard, il apprend le piano, puis commence à jouer de l'harmonium à l'église de son quartier. À la fin de l'adolescence, c'est dans les clubs de jazz de Harlem qu'il confirme ses précoces talents. Il enregistre pour la première fois en 1941 pour Blue Note. Le compositeur de « Round Midnight » habitera la plus grande partie de sa vie à cette adresse. En hommage au musicien, un segment de 63rd Street se nomme « Thelonious Sphere Monk Circle » depuis 1984.

**19 W 68th STREET** – James Dean avant la gloire

En 1953, juste avant la gloire, James Dean a quitté la Californie pour forcer le destin en venant suivre les cours de l'Actor's Studio à New York. (C'est la période de sa vie que relate le film *Life* d'Anton Corbijn sorti en 2015). Il s'installe au cinquième étage de cet immeuble. Le studio est minuscule, la salle de bains est dans les parties communes. Il y a juste la place pour un lit et un bureau. C'est l'époque où le photographe Dennis Stock le suit comme son ombre. Grâce à lui, on a le témoignage du futur héros de *La Fureur de vivre* assis devant son petit bureau. Bientôt c'est la rencontre avec Elia Kazan, *À l'est d'Éden*, le début d'une légende plutôt rock'n'roll.

**70 W 68th STREET** – JOANNE TRATTORIA / Chez les Germanotta

Le père de Lady Gaga, Joseph Germanotta a ouvert ce restaurant… italien en 2002. Sa fille a voulu prendre une participation et il a accepté. Du coup, l'endroit porte le second prénom de la star : Joanne. Sinon, rien à signaler.

**70th STREET W / BROADWAY / AMSTERDAM AVENUE**

SHERMAN SQUARE / Panique à Needle Park

Dans les années soixante et soixante-dix, avec son voisin Verdi Square, cette petite parcelle d'herbe est un haut lieu du trafic et de la consommation de drogue. C'est ici que Jerry Schatzberg tourne son oppressant *Panique à Needle Park* avec Al Pacino sorti en 1971 (La légende veut que le réalisateur ait d'abord pensé à Jim Morrison pour interpréter le rôle principal).



**135 W 70th STREET** – PYTHIAN TEMPLE / Rock Around The Temple

Cette étonnante façade kitchissime au style égypto art déco cache une histoire assez peu banale. Au début, en 1927, elle héberge les réunions de l'ordre des chevaliers de Pythias établi par un certain Justus H. Rathbone. Les chevaliers commençant à se faire rares, il est décidé de louer une partie de l'immeuble à la maison de disques Decca dès les années quarante. La salle de réunion du troisième étage est aménagée en un vaste studio d'enregistrement. Le 12 avril 1954, Bill Haley et son groupe les Comets y enregistrent leur premier disque pour Decca. Bingo, c'est « Rock Around The Clock », considéré par beaucoup comme le tout premier disque de rock'n'roll (« Shake Rattle And Roll » de Big Joe Turner est enregistré le même mois pour Atlantic et Presley ne gravera son premier single qu'en juillet de cette même année à Memphis). Milt Gabler est aux consoles (il a déjà produit Louis Jordan et Billie Holiday). Il souhaite mettre en boîte le titre « Thirteen Women (And Only One Man In Town) » qu'il destine à la face A. Ce n'est qu'en fin de séance que le futur standard du rock est enregistré. Joey D'Ambrosio est au saxophone et Danny Cedrone exécute parfaitement le solo de guitare. La première prise est bonne mais on est obligé de refaire la voix. La séance déborde sur le temps imparti et Sammy Davis Jr, locataire suivant, trépigne derrière la porte. Comme

135 W 70th Street
Pythian Temple

prévu, « Rock Around The Clock » sort en face B, le 20 mai 1954. Sans succès. Il faut attendre un an et l'apparition du titre sur la bande-son du film *Blackboard Jungle* pour que le public le découvre. Le 9 juillet 1955, « Rock Around The Clock » devient le premier disque de rock'n'roll à atteindre le sommet des charts américains. Une autre pointure enregistre ici : Buddy Holly. Le natif de Lubbock, au Texas, s'est installé à New York au 11 5th Avenue avec sa femme Maria Elena. Il tient deux sessions au Pythian Temple Studios. En juin 1958, « Early In The Morning » puis en octobre 1958 « It Doesn't Matter Anymore », « True Loves Way » et le délicieux « Raining In My Heart » avec The Dick Jacob's Orchestra. Ce sera sa dernière séance d'enregistrement officielle avant sa mort dans un accident d'avion le 3 février 1959 : « *the day the music died* ». Aujourd'hui, le lieu est une luxueuse résidence The Pythian. La preuve : les parents de Lady Gaga y ont vécu...

### 210 W 70th STREET / AMSTERDAM AVENUE

UNGANO'S / Le collier d'Iggy assorti à son string

En l'honneur de la sortie de leur nouvel album *Fun House*, les Stooges jouent trois soirs consécutifs dans ce club. Iggy porte son fidèle collier de chien rouge assorti à son string. Torse nu, le sexe à l'air libre, il plonge dans le public, il court dans la salle, il est en sang. Il repousse toutes les limites que le rock a pu dépasser jusqu'alors. Dans la salle, Miles Davis est conquis par la folle énergie déployée par le groupe de Détroit. Patti Smith aussi. Alan Vega dira que c'est le plus grand concert qu'il ait vu de toute sa vie. Johnny Winter est plus dubitatif. Leur manager, Danny Fields (futur promoteur des Ramones) décide d'enregistrer le set du 17 août 1970 : il faudra attendre quarante ans pour que l'album *Live At Ungano's* se décide à sortir dans le commerce légal. MC5, autre originaire de Motorcity découvert par Danny Fields, fait ses débuts new-yorkais, le 6 mai 1969, sur cette même scène. Comme Allman Brothers Band, le 4 août.

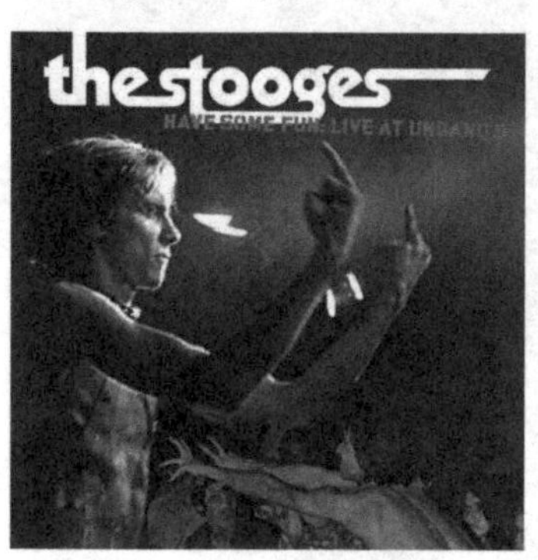


### 69 W 71th STREET / COLUMBUS AVENUE

CAFÉ LA FORTUNA / La cantine de John Lennon

John et Yoko qui habitent à côté, viennent souvent déjeuner dans cette cantine italienne qui ne paie pas de mine avec son petit jardin au frais.

Une photo du couple attablé sert de couverture au single *Nobody Told Me* en 1984 (le propriétaire du café offrira cette table à Yoko quand il fermera les lieux). Le matin de son assassinat, le chanteur est venu y petit-déjeuner avant d'aller chez le coiffeur. Le changement de propriétaire de l'immeuble et la flambée du prix du bail qui en découle ont raison de ce lieu paisible qui ferme en 2008. C'est aujourd'hui un coiffeur nommé Drybar dont le slogan est « *love, peace and blowouts* ». La pharmacie préférée de l'ex-Beatle, West Side Pharmacy, existe toujours. Elle se situe au 255 Colombus Avenue.

### 1 W 72th STREET / CENTRAL PARK WEST

THE DAKOTA / The dream is over

Les cinéphiles connaissent bien The Dakota Building grâce au film *Rosemary's Baby*. C'est ici que le réalisateur Roman Polanski a hébergé Rosemary Woodhouse, son bébé et leurs inquiétants voisins. Mais il y a également de véritables personnalités qui ont habité l'immeuble au fil du temps : Lauren Bacall, Leonard Bernstein, Judy Garland ou encore Roberta Flack. Les plus illustres d'entre elles étant John Lennon et Yoko Ono. Amoureux de New York, le couple s'est installé en avril 1973 dans un appartement de douze pièces, au sixième étage, avec vue incroyable sur Central Park. Le 8 décembre 1980, John Lennon est en plein milieu de la

promotion de son nouvel album *Double Fantasy*. Ce matin-là, il décompresse un peu, il prend le temps de déguster un petit-déjeuner à La Cantina et passe chez son coiffeur situé à deux pas du Dakota. De retour chez lui, il reçoit Annie Leibovitz qui vient shooter la couverture du prochain numéro du magazine *Rolling Stone*. L'ancien Beatles insiste pour que Yoko figure également sur la photo. Un peu avant 13 heures une équipe de la radio RKO de San Francisco prend le relais pour une interview puis, à 16 heures, John et Yoko se rendent au studio Record Plant, mettre une dernière touche au prochain single de la chanteuse « Walking On A Thin Ice ». À 22 h 30, ils rentrent au Dakota retrouver leur fils Sean. Yoko descend en premier de la limousine. À peine John a-t-il franchi le porche à son tour qu'un homme en manteau noir l'interpelle : « *Mister Lennon?* » Au même instant, il tire à cinq reprises sur l'ancien Beatles qui s'écroule devant le portier de l'immeuble. À 22 h 50, les policemen Steve Spiro et Peter Cullen sont les premiers sur place. Spiro : « J'ai vu un homme les mains levées que le portier pointait du doigt. J'ai plaqué le type contre le mur et j'ai entendu le portier crier "il a tiré sur John Lennon" ». Le blessé est transporté dans une voiture de police jusqu'au Roosevelt Hospital près de Columbus Circle. Mais il a perdu trop de sang et le docteur Lynn a la lourde tâche d'annoncer à Yoko que John Lennon est mort. Dès la nouvelle connue, une foule de plus en plus dense se rassemble spontanément devant le Dakota. Elle ne fait que grossir au fil des heures et des jours. Dans le monde entier, le choc est immense. En Angleterre on ressort le single *Imagine* qui atteint instantanément la première place. Dans la foulée, « Happy Christmas War Is Over » est n° 2 puis « Woman », n° 1. Aux USA, « Starting Over » reste cinq semaines n° 1 au même moment que « Woman » n° 2. La fameuse photo d'Annie Leibovitz fait la couverture d'un numéro hommage de *Rolling Stone*. John et Yoko sont enlacés sur leur lit. Il est nu, en position de fœtus, elle est vêtue de noir, protectrice. L'homme joufflu habillé d'un long manteau échappera à la peine capitale qui n'existe pas dans l'état de New York. Il purge une peine de prison à vie, à Alden dans l'état de New York. Ses différentes demandes de liberté conditionnelle ont systématiquement été rejetées.

### 72th STREET W & COLOMBUS AVENUE

CHARIVARI 72 / Le blouson de Lennon

Selma Weiser et ses deux enfants dirigeaient avec flair plusieurs magasins dans l'Upper West Side, allant dénicher à Paris et en Asie, les couturiers les plus branchés. Bien avant l'éclosion de Barney's, Charivari faisait connaître Yamamoto, Miyake, Kenzo, Versace, Prada, Jean-Paul Gaultier ou, plus tard, l'école d'Anvers aux New-Yorkais friqués. (Au milieu des années quatre-vingt, l'un de ses jeunes employés s'appelait Marc Jacobs). Malgré l'ouverture d'une boutique à l'angle de 5th Avenue et de W 57th Street, les Weissel finiront par jeter l'éponge, à la fin des années quatre-vingt-dix, vaincus par la puissance de feu de Bloomingdale's, Bergdorf Goodman et autres Barneys. En voisin et en homme de goût, John Lennon aimait s'habiller chez Charivari 72. L'histoire retiendra que le blouson de la marque lyonnaise Zilli porté par John Lennon, le soir de son assassinat, venait de là.

**CENTRAL PARK WEST** – Défilé de stars

Tout au long de l'avenue qui longe la partie ouest de Central Park, se dressent quelques imposants immeubles pied-à-terre new-yorkais de stars planétaires d'hier et d'aujourd'hui.

**65** : Madonna quand elle était mariée avec Sean Penn.

**88 The Brentmore** : Billy Joel / Sting

**135 The Langham** : Carly Simon et James Taylor quand ils étaient mariés / Mia Farrow (l'immeuble apparaît dans *Hannah et ses sœurs* de Woody Allen)

**145 The San Remo** : Bono a pris la suite de Steve Jobs pour 14,5 millions de $ / Paul Simon / Dustin Hoffman / Rita Hayworth jusqu'à sa mort / Bruce Willis / Diane Keaton / Steven Spielberg / Donna Karan

**211 Beresford Residence** : Diana Ross / John McEnroe / Elisabeth Taylor / Calvin Klein / Meryl Streep / Rock Hudson / Jerry Seinfeld

**300 El Dorado** : Bono a vendu son appartement à Moby / Faye Dunaway a pris la suite de sa mère Maureen O'Sullivan / Michael J. Fox

**253 W 72th STREET / WEST END AVENUE** – Doc Pomus

Originaire de Brooklyn, Doc Pomus a hanté les couloirs du Brill Building à la grande époque. Victime de la polio dans sa jeunesse, il se déplace avec des béquilles et plus tard, son poids l'oblige même à utiliser une chaise roulante. Avec son compère Mort Shuman, il a écrit quelques pépites inoubliables pour Elvis Presley (« Little Sister », « His Latest Flame ») et pour les Drifters (« Save The Last Dance For Me », « This Magic Moment », « Sweets For My Sweets »). En solo, il a composé, pour Ray Charles « Lonely Avenue ». Il collaborera même avec Willy DeVille sur l'album *Le Chat bleu*. Doc Pomus a passé une bonne partie de sa vie au onzième étage de cet immeuble avant sa mort, le 14 mars 1991.

**2124 BROADWAY / 74th STREET W** – BEACON THEATRE / Shine A Light

À l'origine, en 1929, c'est un grand cinéma comme il y en a tant sur Broadway. À partir de 1974, The Beacon devient une salle de concert, principalement rock. Grateful Dead ouvre le bal avant tout le gratin. Les

plus assidus étant, sans conteste, les infatigables Allman Brothers Band qui ont joué, chaque printemps, une série d'une dizaine de shows pendant vingt ans ! En tout, ils ont dépassé les 200 concerts jusqu'au dernier de leur carrière, donné ici même, en octobre 2014. Une flopée d'artistes a défilé en ce lieu y compris Kraftwerk, le 5 avril 1975, pour un concert fondateur et... Johnny Hallyday en 2012 et 2014. Patti Smith a fait la première partie de Dylan le 11 décembre 1995. C'est un événement car la chanteuse s'était retirée de la vie publique pendant plusieurs années. Elle vivait à Détroit avec son mari Fred "Sonic" Smith, le guitariste de MC5. À la mort de celui-ci, elle enregistre un nouvel album et remonte sur scène pour quelques concerts. Dylan lui donne un coup de main pour ce retour, l'invitant dans sa tournée des villes de la côte Est. Ils chantent même en duo ce soir-là, sur « Dark Eyes ». Patti dira plus tard qu'il s'agit de l'une des plus belles expériences de sa vie. D'excellentes vibrations ont fait frissonner la soirée du 4 mai 1975. Ce soir-là, on décerne les Latin Music Awards. La crème de la crème de la musique latine se rassemble et Stevie Wonder monte sur la scène exprimant à quel point il a été influencé par cette musique. L'année suivante, lors de la même cérémonie, on assiste à une formidable jam-session menée par Eddie Palmieri élu musicien de l'année. Le grand public a pu découvrir la très belle salle au décor gréco-romain du Beacon Theatre dans le film *Shine A Light* (1978) concert des Rolling Stones, filmé par Martin Scorsese. À la fin du fameux concert, le vieil Ahmet Ertegun, créateur d'Atlantic Records et géniteur de Rolling Stones Records, fait une bien mauvaise chute dans les coulisses. Elle lui sera fatale. The Beacon Theatre qui appartient au groupe Madison Square Garden est toujours l'une des salles de concert les plus vigoureuses de la ville.

**312 W 77th STREET / WEST END AVENUE** – La genèse de *Kind Of Blue*

Quand Miles Davis achète ce brownstone en 1958, il est l'un des rares résidents afro-américains du très chic Upper West Side. (Harlem n'est cependant qu'à quelques blocs de là). Voici déjà dix ans qu'il contribue à changer la face du jazz avec une capacité de renouvellement hors des normes : be-bop, cool jazz, hard bop. Après des années cinquante marquées par son addiction à la drogue, il semble en meilleure forme que jamais et s'apprête à sortir son classique : *Kind Of Blue*. C'est ici que le trompettiste conçoit les bases de l'album le plus populaire de l'histoire du jazz. Il prend l'habitude de s'enfermer au sous-sol avec Bill Evans et quelques autres avant de rejoindre le studio Columbia de 30th Street. *Bitches Brew* sera conçu sur le même tempo. Miles Davis quitte cette adresse en 1983 pour vivre un temps à Long Island avant de s'installer en Californie à Malibu jusqu'à sa mort le 28 septembre 1991.

**55 W 86th STREET** – L'assassinat de King Curtis

King Curtis est un saxophoniste de studio hypra demandé dans les années soixante et soixante-dix (sur « Respect » d'Aretha Franklin, « Yakety Yak » des Coasters et sur l'album *Imagine* de John Lennon). Son propre groupe connaît sa petite heure de gloire avec le hit « Soul Twist », il ouvre le mythique concert des Beatles au Shea Stadium et, un temps, compte même un guitariste nommé Jimi Hendrix en son sein. En 1971, sur les escaliers de cet immeuble, King Curtis est poignardé après une courte dispute avec un dealer qui squatte les lieux. Aretha Franklin, Duane Allman, Brook Benton assistent aux funérailles. Stevie Wonder chante « Abraham, Martin And John ». Le révérend Jesse Jackson officie.

## 26 W 87th STREET / CENTRAL PARK WEST

La dernière demeure de Lady Day

À l'époque ou Billie Holiday occupe l'appartement 1B au rez-de-chaussée de cet immeuble, le quartier n'est pas aussi rutilant qu'aujourd'hui, néanmoins mille fois plus confortable que les différentes adresses qui l'avaient hébergée jusqu'alors dans le Harlem voisin. (En 2014, ce brownstone s'est vendu… 13 millions de $ !) C'est ici que Lady Day célèbre son dernier anniversaire, le 7 avril 1959, entourée de quelques amis dans le petit jardin derrière l'immeuble, *on the sunny side of the street*. Elle quitte cette demeure le 31 mai pour se rendre au Metropolitan Hospital afin de soigner sa cirrhose et ses problèmes cardiaques. Elle ne devait jamais y revenir. Usée par la vie, l'alcool et les drogues, elle s'éteint le 17 juillet au matin à quarante-quatre ans. Bizarrement, aucune plaque ne mentionne la dimension historique du lieu.

## 98 / 99th STREET W / AMSTERDAM AVENUE

HAPPY WARRIOR Playground / Rock steady park

À la fin des années soixante-dix, le breakdance né dans les soirées du DJ Kool Herc commence à s'étendre au-delà des frontières du Bronx. Quelques mouvements occupent le devant de la scène. Le plus populaire étant Rock Steady Crew qui fait des émules dans tout New York. Il compte jusqu'à 500 b-boys à travers les différents quartiers de la ville. À Manhattan, c'est dans ce *playground* que le Rock Steady Crew installe son QG avec le bien nommé Richard "Crazy Legs" Cólon à sa tête. C'est l'ensemble du monde occidental, à commencer par l'Europe, qui sera contaminé par le breakdance. Crazy Legs faisant partie des ambassadeurs du Rock Steady Crew en Angleterre et en France. L'Anglais Malcom McLaren, qui n'est pas à une récupération près, tourne une partie du clip de l'hyper scratché « Buffalo Gals » dans ce parc en 1982 avec le Rock Steady Crew et le graffeur Dondi White (l'autre partie étant shootée devant l'arche de Greenwich Park). Bientôt le breakdance sera discipline olympique, mais, ça, c'est une autre histoire…

**2641 BROADWAY / 100th STREET W** – Premier concert de Beastie Boys

À l'occasion des dix-sept ans d'Adam Yauch, le 5 août 1981, les Beastie Boys jouent leur premier concert dans le loft de John Berry (au passage, nous aurons une pensée pour les voisins de John Berry). Dave Parsons, patron de Rat Cage Records, magasin de disques de Lower East Side assiste à l'évènement et leur propose d'enregistrer leur premier disque dans son studio. Ce sera le hardcore EP *Polly Wog Stew* avec la guitare de John Berry. John Berry (c'est lui qui a trouvé le nom du groupe : Boys Entering Anarchistic States Toward Internal Excellence) quitte les Beastie Boys en 1982, avant le succès. Il décède à cinquante-neuf ans en 2016.

**501 W 110th STREET** – Rhapsody in blue

George Gershwin vit avec sa famille dans ce bel immeuble construit en 1910 quand il compose *Rhapsody In Blue* en 1924. Commandée par le chef d'orchestre Paul Whiteman, l'histoire veut que le compositeur mette seulement cinq semaines à composer son œuvre qui est présentée le 12 février 1924 au Aeolian Hall New York, 33 W 42th Street.





**2880 BROADWAY / 112th STREET W**

TOM'S RESTAURANT / Suzanne Vega boit un café

« *I am sitting in the morning at the diner on the corner.* » Étudiante à l'université voisine, Suzanne Vega vient régulièrement boire un café dans le restaurant de Tom. Il lui inspire son classique « Tom's Diner » sorti en avril 1987. L'original ne fait pas d'étincelles jusqu'à une version remixée

par un duo anglais, DNA, qui la propulse en haut des charts près de trois ans plus tard (n° 2 en UK, n° 5 aux USA). Le *diner* de Tom existe toujours, intact dans son jus. Les fidèles de la série *Seinfield* reconnaîtront les lieux sans peine. Sous le nom de Monk's Café, c'est ici que le héros a l'habitude de venir déjeuner.

### 116th STREET / MORNINGSIDE DRIVE

CARL SCHURZ MONUMENT / The kids are alright

L'une des photos les plus iconiques de l'esprit mod incarné par les Who a été prise par Art Kane ici même. (Art Kane est aussi l'auteur de la fameuse photo *A Great Day In Harlem* regroupant la fine fleur des musiciens jazz des années cinquante). Le groupe est assoupi (la nuit a dû être difficile). Il pose, recouvert de l'Union Jack, devant la partie gauche du monument dédié à Karl Schurz. Cette photo servira à illustrer l'affiche du documentaire *The Kids Are Alright* en 1979.

### 1130 AMSTERDAM AVENUE – COLUMBIA UNIVERSITY

Quelques-uns de nos héros ont fréquenté Columbia, l'une des plus importantes universités de la ville, intra-muros. Le cœur de la beat generation a commencé à battre ici. Les murs sont encore témoins des interminables discours d'Allen Ginsberg et William Burroughs. (La cérémonie bouddhiste lors de la crémation de Ginsberg se tiendra dans la cathédrale voisine Saint John the Divine en présence de Patti Smith, plusieurs décennies plus tard). Art Garfunkel qui était, au début des *sixties*, un étudiant studieux de l'université revient en 1969, couvert de gloire. Avec son compère Paul Simon il enregistre les « *la la la* » du titre « The Boxer » dans la St. Paul's Chapel. Alicia Keys étudie ici lorsque le succès s'empare d'elle. Lauryn Hill et Suzanne Vega aussi. Plus récemment Ezra Koenig, Chris Tomson et Chris Baio se rencontrent sur les bancs de cette université. C'est là qu'ils forment Vampire Weekend. Il faut également évoquer la radio WKCR hébergée dans l'université. Deux DJs de cette radio, Stretch et Bobbito sont les premiers à programmer du hip-hop de façon intensive au début des années quatre-vingt-dix. N'hésitant pas à diffuser des démos de parfaits inconnus. Donnant ainsi un sacré coup de projecteur aux disques et donc à la carrière de Jay-Z, Fugees, Nas, Wu-Tang et même Eminem. Leur programme de nuit devient vite un rendez-vous incontournable bien au-delà de l'université. WKCR émet toujours depuis Columbia University sur 89.9 FM mais Stretch Armtrong et Bobbito Garcia n'y sont plus.

**490 RIVERSIDE DRIVE** – RIVERSIDE CHURCH / Dylan rencontre Suze

Le 29 juillet 1961, Bob Dylan, encore inconnu, participe à un festival folk organisé pour le lancement de la radio WRVR. Les concerts se tiennent dans l'église Riverside Church, pas loin de Columbia University. C'est lors de cette journée caniculaire qu'il rencontre une étudiante, Suze Rotolo. Celle-ci le trouve « drôle, charmeur, intense et obstiné », « débraillé mais charmant ». Elle devient plus que sa compagne des années bohème. Elle lui ouvre de nouveaux horizons, artistiques d'abord (visite des musées de la ville dont le MOMA). Mais aussi politiques, même si Dylan commence déjà à montrer une certaine conscience sociale. Joan Baez mettra fin à leur idylle.

**180-198 FORT WASHINGTON AVENUE**

NEW YORK PRESBYTERIAN HOSPITAL / Joey Ramone 4-3-2-1

Le leader des Ramones (Jeffrey Ross Hyman) souffrait depuis plusieurs années d'un lymphome quand il rend les armes dans cet hôpital le 15 avril 2001. La légende raconte qu'il écoutait un morceau de U2 « In A Little While » au moment de son dernier souffle. Pas très inspirés, *Rolling Stone* France titre : « Joey ne ramone plus » et *Libération* : « Joey Ramone part en fumée ». Peut mieux faire non ?

# HARLEM

*du sud au nord et d'ouest en est*

Pour le monde entier, Harlem est synonyme de jazz. La légende a la vie dure, car voilà déjà pas mal d'années que le jazz a déserté le quartier pour se répandre dans tout Manhattan. Les traces laissées par les glorieux clubs des années trente et quarante disparaissent les unes après les autres au rythme de la gentrification galopante. Il est loin le temps où il ne fallait pas se risquer au-dessus de 125th Street, quand seuls les bus à touristes pouvaient sillonner silencieusement les façades ravagées des brownstones éventrés. Les bobos redessinent la carte de Harlem en fonction des travaux de rénovation qui font grimper les prix et s'exiler les moins chanceux plus au nord où vers le Bronx voisin. Dans les *playgrounds*, les chères têtes blondes se balancent tranquillement cohabitant plutôt harmonieusement avec des stars en herbe de la NBA. Restaurants gastronomiques, boutiques hôtel, épicerie Whole Foods, la situation semble irréversible. L'Apollo Theater fait partie des rescapés. Il n'est certes plus le fringuant passage obligé des stars du jazz et de la soul, mais sa visite nous plonge dans une atmosphère d'authenticité non feinte. La façade, la salle, les loges, la scène n'ont pas trop changé. Restent aussi, en cherchant bien, le souvenir d'une partie de l'histoire du jazz, du rap et de la naissance de la salsa.

**1 E 104th STREET** – CAPITAL PREP HARLEM / L'école de Puff

Mogul de l'entertainment, producteur, manager, patron d'un label, rappeur et producteur de vodka, Sean Combs, plus connu sous le pseudo de Puff Daddy ou Diddy, n'a pas oublié d'où il venait. En 2006, il investit un million de $ dans la création d'une école, à l'entrée de Harlem, Capital Prep Harlem. Et comme tout ce qu'il touche ; ça marche ! Aux dernières nouvelles, une troisième école vient d'ouvrir dans le Bronx. Outre Puff Daddy, 2Pac (Spanish Harlem) Kurtis Blow (140th Street/Amsterdam), ASAP Rocky et Mase ont grandi à Harlem.

**3rd AVENUE / 110th Street E** – East Side Story

Il ne reste rien de la majeure partie des décors naturels de *West Side Story*, le classique de 1961 mis en scène par Robert Wise sur une musique de Leonard Bernstein. Il a fait place au Lincoln Center. Par contre, une autre partie du film a été tournée dans… East Side à cet endroit qui est resté intact. Le *playground* existe toujours et on s'attend à tout moment à voir surgir un *Shark* ou un *Jet* d'une des rues adjacentes.



**210 W 118th STREET** – MINTON'S PLAYHOUSE / Survivant

Voici le dernier club survivant de la grande époque : mais pas n'importe lequel. Minton's Playhouse a vu naître le be-bop dans les années quarante. Monk, Parker, Gillespie, Clarke et surtout l'incroyable guitariste Charlie Christian ont fait vibrer le lieu. Le lundi, c'était Celebrity Night organisée en partenariat avec l'Apollo. Un gigantesque bœuf avec tous les musiciens réunis (le buffet était bien garni et complètement gratuit, ce qui ne gâchait rien). Les murs pourraient raconter ces fameuses soirées des années qua-

rante, quand Gillespie et Parker (à une époque le Minton's était le QG de Bird) faisaient le bœuf. Ou bien les furieuses batailles de saxos lors de légendaires jam sessions. Le jeune Miles Davis était devant la scène avec sa trompette et parfois Parker l'invitait à monter auprès de lui. Davis racontera qu'il avait plutôt intérêt à être à la hauteur ! Plus tard, dans les années soixante, le club n'était plus que l'ombre de ce qu'il avait été. Il finira par fermer avant de rouvrir trente ans plus tard, en 2006. Aujourd'hui, on peut encore (pour combien de temps ?) sentir la vibration des murs du Minton's.

### 6316 Mt MORRIS PARK WEST / 124th STREET W

MARCUS GARVEY PARK / Le Woodstock noir

À trente-neuf ans, Marcus Garvey quitte sa Jamaïque natale et s'installe aux États-Unis en 1916. Déjà très impliqué dans la lutte contre l'oppression régnant dans son pays, il s'engage pour la cause noire et fonde UNIA (United Negro Improvement Association) à Harlem. De plus en plus populaire mais dangereux politiquement, il est obligé de s'exiler en Jamaïque où il devient un héros jouant un rôle de premier plan. Dans l'île, il est même considéré comme un prophète. C'est lui qui avait prédit l'avènement du roi des rois en Éthiopie. Banco. Le 2 novembre 1930, Haïlé Sélassié est couronné en Éthiopie. C'est le Ras Tafari. Les musiciens reggae vouent un culte à Marcus Garvey et à travers lui, à Haïlé Sélassié. Les chansons faisant référence au prophète sont nombreuses de Bob Marley à Burning Spear (qui lui consacre un album) en passant par les Skatalites, U Roy, Big Youth et beaucoup d'autres. C'est naturellement pour son engagement dans la cause noire qu'un joli parc lui est dédié à Harlem en 1973. Quand ce parc s'appelle encore Mount Morris, il accueille un festival de musique noire, Harlem Cultural Festival, du 29 juin au 24 août 1969. L'ampleur de l'événement, la qualité des musiciens et la date lui valent le surnom de Woodstock noir. Il faut dire que le générique n'est pas mal non plus : Stevie Wonder, Sly & The Family Stone, Nina Simone (sa version de « Ain't Got No... I Got Life » est sublime), B.B. King, les Fifth Dimension, les Staple Singers et autres Gladys Knight & The Pips. À l'époque, on fait difficilement mieux. L'événement est fortement politisé, un an après les assassinats de Martin Luther King et de Bob Kennedy. Les Black Panthers assurent la sécurité et l'incontournable révérend Jesse Jackson est le Master of Ceremony. Aujourd'hui, le parc a retrouvé toute sa tranquillité.

**LEXINGTON AVENUE / 125th STREET EAST** – Waiting for my man

À ce carrefour, on ne manquera pas d'avoir une pensée pour Lou Reed. Dans « I'm Waiting For The Man » sur le premier album du Velvet Underground c'est à l'angle de Lexington et de 125th Street qu'il attend son dealer : « *Twenty-six dollars in my hand, up to Lexington 125, feel sick and dirty, more dead than alive, I'm waiting for my man* ». À l'époque, en 1967, le quartier était particulièrement mal famé et ce carrefour était effectivement un lieu tenu par les dealers d'héroïne. Aujourd'hui, il est devenu plutôt calme et les 26 $ de l'époque équivaudraient à environ 200 $.

**LENOX AVENUE / 125th STREET W** – LENOX LOUNGE

Lui aussi a fini par lâcher prise. Depuis 1939, Lenox Lounge résistait héroïquement à la désertification des clubs de jazz à Harlem. Miles Davis, John Coltrane ou Billie Holiday lui donnant un sacré coup de main en s'y produisant à plusieurs reprises. Madonna avait redonné un lustre de gloire au club en le choisissant pour filmer son clip « Secret » en 1994 tout comme la série *Mad Men* dans une scène de son pilote. En 1999, on le croit définitivement sauvé lorsque des travaux lui redonnent ses couleurs d'origine à l'intérieur, avec la fameuse Zebra Room, et à l'extérieur avec ses fameux néons art déco. Victime de la flambée du prix de l'immobilier dans ce coin de Harlem, Lenox Lounge baisse pavillon définitivement en 2012.

## 328 LENOX AVENUE / 125th STREET W

SYLVIA'S SOUL FOOD / La cantine de l'Apollo

Si les musiciens jouant à l'Apollo dormaient souvent à l'Hotel Theresa, ils venaient dîner à côté, chez Sylvia's. Depuis 1962, Sylvia Woods concoctait l'une des meilleures soul food de la ville dont raffolaient Aretha Franklin, James Brown ou Diana Ross. Les politiques étaient également amateurs : Nelson Mandela, Bill Clinton (il avait ses bureaux de post-présidence à côté), Barack Obama ou encore Bernie Sanders. Puff Daddy se rappelle aujourd'hui que sa première rencontre avec Notorious B.I.G. s'est faite ici : « La première chose dont je me souviens c'est à quel point il était imposant et foncé, très foncé de peau. Ensuite il s'est assis, et il n'avait rien à dire. Il avait cette attitude rap et calme. » Le contrat entre les deux hommes est signé sur ces nappes à carreaux. Sylvia est décédée en 2012 mais le restaurant continue de faire le plein, et pas seulement avec des touristes.

## 2070 7th AVENUE / 125th STREET W

HOTEL THERESA / Fidel Castro et Jimi Hendrix

En 1913, le promoteur Gustavus Sidenberg (sa femme s'appelait Theresa) a eu l'ambition de construire le Waldorf de Harlem avec un certain succès. Avec treize étages, une silhouette imposante, il reste le deuxième immeuble le plus haut du quartier derrière le très laid State Office Building qui lui fait face. Hotel Theresa fut le point névralgique de la vie sociale de Harlem jusqu'à sa transformation en immeuble de bureaux en 1966. Parmi ses nombreux faits de gloire : le séjour de Fidel Castro en 1960. Invité par l'assemblée des Nations unies, il s'installe ici avec toute sa délégation (80 chambres !) se sentant à l'aise au milieu d'une population noire en affinité avec sa cause. À quelques mois du débarquement de la baie des Cochons et de la crise des missiles qui va entraîner la planète au bord du précipice nucléaire, le Leader

Maximo y rencontre son ami Nikita Khrouchtchev (ils auraient même pu croiser John Kennedy qui est venu faire campagne pour la présidentielle cette même année). Castro rencontre également l'Égyptien Nasser et l'Indien Nehru. Et aussi Malcom X à la tête d'une délégation de Noirs qui souhaite tisser des relations privilégiées avec Cuba et les pays africains. Ce même Malcom X croise souvent Cassius Clay à l'hôtel Theresa et l'accompagne même dans sa conversion à l'Islam sunnite et son changement de nom en Cassius X puis en Mohammed Ali. Bien sûr, quand les musiciens viennent jouer à l'Apollo Theater voisin, c'est au Theresa qu'ils descendent. Little Richard, Ray Charles, Dinah Washington, Josephine Baker sont des habitués. Jimi Hendrix y passe plusieurs mois avant la gloire. Enfin, c'est d'ici que WLIB la principale radio noire de New York des *fifties* émet avec les DJs Al Jackson et Phil Gordon.

**253 W 125th STREET** – APOLLO THEATER / Showtime!

Les bus de touristes ne ralentissent que quelques secondes et l'on peut entendre les guides lister les grandes voix du jazz et de la soul qui ont foulé cette scène mythique. Impossible de toutes les citer, le bus est déjà reparti. On a déjà beaucoup écrit sur l'Apollo Theater, y compris à propos de tous les grands de la musique noire qui ont joué ici. Et c'est vrai. Bessie Smith, Billie Holiday, Count Basie, Miles Davis, Ella Fitzgerald, Louis Jordan, Dinah Washington à la grande époque. Puis Little Richard, Chuck Berry, Ray Charles, Aretha Franklin, Marvin Gaye, les Supremes, Otis Redding, Tina Turner, Michael Jackson, Prince, Lauryn Hill, Jay-Z et tant d'autres. Mais, la renommée du théâtre s'est mondialement installée grâce à James Brown. Et la renommée mondiale de James Brown, s'est mondialement installée grâce à l'Apollo. « *Show time at the Apollo!* » Cette phrase qui ouvrait chacun des dizaines de concerts donnés par Mr Dynamite ici, a été immortalisée sur l'un des plus célèbres albums live de tous les temps: *James Brown, Live At The Apollo*. Un brûlot incendiaire. Quelques jours après le décès du *harder working man in show-business*, le jour de Noël 2006, son corbillard blanc a descendu l'avenue applaudi par des milliers de New-Yorkais qui ont pu se recueillir devant le cercueil ouvert sur la scène du fameux théâtre. Mais ce qui rend l'Apollo encore bien vivant s'appelle Amateur Night. Depuis 1933, de façon imperturbable, les soirées du mercredi se transforment en radio crochet haut

253 W 125th Street
Apollo Theater

en couleur. Les candidats, très doués, sont ultra-motivés sachant qu'avant eux, Ella Fitzgerald, Sarah Vaughan, Dionne Warwick, Joe Tex, Gladys Knight ou encore Jimi Hendrix se sont frottés à l'exercice et pour certains révélés. L'ambiance vaut le détour, même si les soirées sont devenues très touristiques. Il faut imaginer *La Nouvelle Star* ou *The Voice* en plein Harlem, le studio de la Plaine Saint-Denis transformé en un adorable petit théâtre rococo et le public aseptisé remplacé par des Blacks chauffés à blanc, hurlant, criant, gesticulant, tapant des pieds et des mains pour plébisciter ou huer les candidats. Certains se faisant salement jeter au bout de quelques secondes seulement. Capone, et son intarissable bagout, et C.P. Lacey mènent le show n'hésitant pas à virer *manu militari* les losers. Ambiance. Pour les maniaques, signalons que John Lennon a joué ici le 17 décembre 1971 en faveur des familles des prisonniers d'Attica. Aretha Franklin était présente. Yoko ? Oui Yoko Ono aussi…

**92 MORNINGSIDE AVENUE / 122th STREET W** – Tupac was here

Tupac Shakur est né dans Spanish Harlem le 16 juin 1971. Ses parents Afeni Shakur et Billy Garland sont des activistes des Black Panthers. Ils choisissent son prénom en hommage au révolutionnaire péruvien Tupac Amaru (ambiance). Le couple se sépare. Le *kid* grandit au milieu de réunions fumeuses et enfumées, dans la crainte de voir surgir le FBI à tout instant. Sa mère est particulièrement en première ligne, inculpée pour cent cinquante accusations de complot contre le gouvernement (ambiance). Avant de déménager à Baltimore, il vit ici quelque temps avec sa mère en face de Morningside Park. Il partage une petite chambre avec sa demi-sœur Sekyiwa qui raconte qu'il ne pouvait pas s'endormir sans musique, notamment « Just Once » de James Ingram (un puissant somnifère, en effet). 2Pac devient l'une des grandes personnalités du rap avec 75 millions de disques vendus. Sans renier d'où il vient, écrivant des textes souvent engagés, il est assassiné à Las Vegas le 13 septembre 1996 à vingt-cinq ans, victime collatérale de la guerre du rap.



**17 E 126th STREET / MADISON AVENUE** – Un sacré jour à Harlem

Devant ce brownstone (intact), le photographe Art Kane a shooté l'un de ses chefs-d'œuvre : A Great Day In Harlem pour le numéro du magazine *Esquire* de janvier 1959. Le 12 août 1958 à dix heures du matin, il a réussi à réunir la fine fleur du jazz pour un shooting de légende, du genre qui reste pour la postérité. Parmi les cinquante-sept musiciens on reconnaît Count Basie, Lester Young, Dizzy Gillespie, Charles Mingus, Thelonious Monk, Gerry Mulligan ou encore Sonny Rollins. On n'a pas pu empê-

cher (et c'est tant mieux) des enfants du quartier de s'installer au premier rang ! Cette photo est le point de départ du film de Spielberg *Le Terminal* dans lequel le héros veut se rendre aux États Unis pour obtenir le seul autographe qui lui manque parmi les musiciens de la photo : celui de Benny Golson. Le photographe Gordon Parks, réalisateur de *Shaft*, a eu l'excellente idée de célébrer les quarante ans de ce cliché en regroupant deux cent des grandes figures de la scène rap pour le numéro de décembre 1998 du magazine de rap XXL. The Greatest Day In Hip Hop History a été shootée le 29 septembre 1998 à la même adresse. On reconnaît Russell Simmons, Wyclef Jean, Jermaine Dupri, Grandmaster Flash, Kool Herc, A Tribe Called Quest, Slick Rick, Fab 5 Freddy, Naughty by Nature, The Roots et plein d'autres (dont Debbie Harry).

**55 W 129th STREET / LENOX AVENUE** – La marraine du rock'n'roll

Rosa Tharpe coche toutes les cases de ce qu'on aime dans la mythologie rock'n'roll. Née dans une plantation de coton de l'Arkansas en 1915, elle chante, très jeune et plutôt bien, dans une chorale gospel. Elle se met à la guitare, pas banal pour une fille, et suit sa mère dans des tournées locales. La famille s'installe à Chicago, Rosetta teinte son gospel de blues et perfectionne sa technique à la guitare qui devient électrique. Encore moins banal. Repérée par Decca, ses premiers disques sont des succès dépassant les frontières des *race records*. Elle déteste s'enfermer dans des cases, alors elle s'essaie à tous les genres, gospel, blues, jazz et n'hésite pas à les mixer. À New York, au Cotton Club, c'est avec des big bands qu'elle fait un malheur. On l'applaudit aussi à Carnegie Hall, à l'Apollo, au Cafe Society et au Paramount Theater de Brooklyn. Une chanteuse gospel qui joue de la guitare blues (son jeu préfigure nos riffs adorés) avec un orchestre jazz : voilà bien le grand brassage qui conduit directement au rock'n'roll. Pour certains, « That's All » (1938) pourrait bien être le premier rock'n'roll de l'histoire. À moins que ce ne soit « Rock Me » ? Elvis Presley ne s'y trompe pas, lui vouant une adoration sans borne et la classant en tête de ses inspirations. Quand elle s'installe à New York en 1938, elle habite à cette adresse avant de s'installer en Virginie dix ans plus tard. L'immeuble est toujours debout. Elle décède le 9 octobre 1973 à Philadelphie.

### 148 W 133rd STREET

MONETTE'S SUPER CLUB / Hammond découvre Billie Holiday

L'épicentre du jazz à la grande époque de Harlem, celle de la prohibition, tournait autour de 133rd Street W. On a du mal à imaginer la folle ambiance qui devait régner dans la Harlem Swing Street des années trente quand on passe aujourd'hui devant ces bâtisses bien sages. Au 134 se tenait Tillie's Chicken Shack, au 136, The Clam House, au 140 Mexico's, au 148 Monette's Super Club, au 152 Basement Brownie's, au 168, Pod's & Jerry puis The Categonia et au 169 successivement The Nest Club,

Dicky Well's et Shim Sham Club. En pleine prohibition, tous ces clubs, clandestins, étaient relégués aux sous-sols que peu de gens se risquaient à contrôler. Le n° 148 de cette rue est redevenu un club où l'on peut écouter du très bon jazz : Bill's Place. En 1933, le lieu s'appelait Monette's Super Club et la légende y situe la découverte de Billie Holiday par le *talent scout* de Columbia John Hammond (une plaque marque l'endroit).

### 151 W 140th STREET

Billie Holiday arrive à New York

On se doute que pour chanter avec une telle profonde émotion, la jeunesse de Billie Holiday n'a pas dû être facile. La réalité dépasse tout ce que l'on peut imaginer de pire. Début 1929, à treize ans, celle qui s'appelle encore Eleanora Fagan vient rejoindre sa mère à New York. Celle-ci se prostitue dans cet immeuble de sept étages où elles habiteront ensemble quelque temps. Eleanora s'essaie à de petits boulots mais finit, à son tour, par vendre son corps pour quelques dollars. Le 29 mai, elles sont toutes les deux arrêtées et envoyées en prison. La petite est libérée en octobre et commence à chanter dans quelques clubs du quartier. Elle a quatorze ans et se fait dorénavant appeler du prénom d'une actrice qu'elle aime bien, Billie et du nom de son supposé père, Holiday. À dix-sept ans, sa réputation est en train de grandir quand elle effectue un remplacement au Monette's Super Club où, selon la légende, le légendaire *talent scout* de Columbia John Hammond l'aurait découverte. Juste à côté, au 150 W 138th Street se dressaient voici encore peu de temps les vestiges de l'imposant temple du charleston, Renaissance Ballroom. Détruit, malgré la pétition de 4 500 signataires il ne fêtera pas ses cent ans !

### 596 LENOX AVENUE / 140th STREET WEST – SAVOY BALLROOM

« *The home of happy feet.* » S'il n'y avait une plaque commémorative, on aurait du mal à croire que le Savoy Ballroom, un club dédié aux danses les plus enfiévrées se tenait ici dans les années trente et quarante. Swing, swing,

swing et encore swing, sont les mots d'ordre du *h* *of happy feet* et les rois lindy hop (un rock'n'roll a l'heure en beaucoup plus loupé et sensuel) virevolten dessus des planches. Co le club est ouvert aux N comme aux Blancs (peu h tuel à l'époque), l'ambian à la fois authentique et p laire. Et folle aussi. Rien à avec son voisin Cotton qui est réservé aux Blan seuls Noirs étant les musi Comme deux scènes se face, on assiste à d'infe *battles* entre big bands. Basie, Benny Goodm Chick Webb (avec les d'Ella Fitzgerald) éta plus fidèles. Le Ba ferme en octobre 1958 aujourd'hui un en d'immeubles qui se no Savoy.

**644 LENOX AVENUE / 142nd STREET W** – COTTON CLUB / Duke

Dans les années trente, Cotton Club est l'un des hauts lieux de tainment new-yorkais. Étrangement, ses plus belles heures date prohibition, la police étant peu regardante, pour ne pas dire c Peut-être que son propriétaire Owney Madden n'est pas étrange situation. Madden, chef de gang notoire répondant au doux su "The killer" dirige le club depuis sa prison de Sing Sing. Rés Blancs en mal d'exotisme, le club ouvre quand même ses portes a ciens noirs qui possèdent leur propre revue. D'abord Duke Elli lascif « Creole Love Call » date de cette époque), puis Bill "B Robinson, infernal danseur de claquettes. Et bien sûr Cab Callo De Ho ») et sa revue Brown Sugar au sein de laquelle se niche Lena Horne. Le dimanche soir, c'est Celebrity Night, et l'esta

Dicky Well's et Shim Sham Club. En pleine prohibition, tous ces clubs, clandestins, étaient relégués aux sous-sols que peu de gens se risquaient à contrôler. Le n° 148 de cette rue est redevenu un club où l'on peut écouter du très bon jazz : Bill's Place. En 1933, le lieu s'appelait Monette's Super Club et la légende y situe la découverte de Billie Holiday par le *talent scout* de Columbia John Hammond (une plaque marque l'endroit).

## 151 W 140th STREET

Billie Holiday arrive à New York

On se doute que pour chanter avec une telle profonde émotion, la jeunesse de Billie Holiday n'a pas dû être facile. La réalité dépasse tout ce que l'on peut imaginer de pire. Début 1929, à treize ans, celle qui s'appelle encore Eleanora Fagan vient rejoindre sa mère à New York. Celle-ci se prostitue dans cet immeuble de sept étages où elles habiteront ensemble quelque temps. Eleanora s'essaie à de petits boulots mais finit, à son tour, par vendre son corps pour quelques dollars. Le 29 mai, elles sont toutes les deux arrêtées et envoyées en prison. La petite est libérée en octobre et commence à chanter dans quelques clubs du quartier. Elle a quatorze ans et se fait dorénavant appeler du prénom d'une actrice qu'elle aime bien, Billie et du nom de son supposé père, Holiday. À dix-sept ans, sa réputation est en train de grandir quand elle effectue un remplacement au Monette's Super Club où, selon la légende, le légendaire *talent scout* de Columbia John Hammond l'aurait découverte. Juste à côté, au 150 W 138th Street se dressaient voici encore peu de temps les vestiges de l'imposant temple du charleston, Renaissance Ballroom. Détruit, malgré la pétition de 4 500 signataires il ne fêtera pas ses cent ans !

## 596 LENOX AVENUE / 140th STREET WEST – SAVOY BALLROOM

« *The home of happy feet.* » S'il n'y avait une plaque commémorative, on aurait du mal à croire que le Savoy Ballroom, un club dédié aux danses les plus enfiévrées se tenait ici dans les années trente et quarante. Swing, swing,

swing et encore swing, tels sont les mots d'ordre du *home of happy feet* et les rois du lindy hop (un rock'n'roll avant l'heure en beaucoup plus chaloupé et sensuel) virevoltent audessus des planches. Comme le club est ouvert aux Noirs comme aux Blancs (peu habituel à l'époque), l'ambiance est à la fois authentique et populaire. Et folle aussi. Rien à voir avec son voisin Cotton Club, qui est réservé aux Blancs, les seuls Noirs étant les musiciens. Comme deux scènes se font face, on assiste à d'infernales *battles* entre big bands. Count Basie, Benny Goodman et Chick Webb (avec les débuts d'Ella Fitzgerald) étant les plus fidèles. Le Ballroom ferme en octobre 1958, c'est aujourd'hui un ensemble d'immeubles qui se nomme… Savoy.





**644 LENOX AVENUE / 142nd STREET W** – COTTON CLUB / Duke & Cab

Dans les années trente, Cotton Club est l'un des hauts lieux de l'entertainment new-yorkais. Étrangement, ses plus belles heures datent de la prohibition, la police étant peu regardante, pour ne pas dire complice. Peut-être que son propriétaire Owney Madden n'est pas étranger à cette situation. Madden, chef de gang notoire répondant au doux surnom de "The killer" dirige le club depuis sa prison de Sing Sing. Réservé aux Blancs en mal d'exotisme, le club ouvre quand même ses portes aux musiciens noirs qui possèdent leur propre revue. D'abord Duke Ellington (le lascif « Creole Love Call » date de cette époque), puis Bill "Bojangles" Robinson, infernal danseur de claquettes. Et bien sûr Cab Calloway (« Hi De Ho ») et sa revue Brown Sugar au sein de laquelle se niche la jeune Lena Horne. Le dimanche soir, c'est Celebrity Night, et l'establishment blanc de la ville vient parader dans les travées: George Gershwin, Al Jolson, Irving Berlin, Judy Garland, Mae West, Jimmy Durante et... le maire de New York. Le club ferme en 1936, pour ouvrir quelque temps plus tard à Broadway, pour mieux tirer sa révérence en 1940. Aux dernières nouvelles, il y a encore un établissement portant le nom de Cotton Club sur 125th Street W, mais il n'est qu'une pâle copie de son glorieux ancêtre. Francis Ford Coppola rend un bel hommage au *Cotton Club* en 1984 avec Richard Gere, Diane Lane et Bob Hoskins dans le rôle de Owney Madden. Plus rien ne subsiste aujourd'hui du club d'origine.

**405 W 149th STREET** – L'enfance d'une Ronette

Ici, les Bennett élèvent deux filles. On a l'impression que Ronnie et Estelle accompagnées de leur cousine Nedra Talley, chantent depuis toujours, tant leurs voix sont harmonieuses. Elles font un sacré effet, avec leur coiffure choucroutée et leur eye-liner ondulant. Elles se font appeler les Ronettes en l'honneur de leur chanteuse Ronnie et elles se frottent à l'Amateur Night de l'Apollo. Vite repérées, elles sortent un premier disque, mais sans succès. Alors elles dansent le twist au Peppermint Lounge et hantent les couloirs du Brill Building. Jusqu'au jour où, n'écoutant que son culot, Estelle appelle le producteur Phil Spector qui accepte de les auditionner. Début d'une fructueuse collaboration qui les conduit à Los Angeles et au sommet des charts: « Be My Baby », « Baby I Love You », « Walking In The Rain ». Ronnie se marie avec Phil Spector et devient Ronnie Spector. Puis, Ronnie divorce de Phil Spector. Bonne idée.

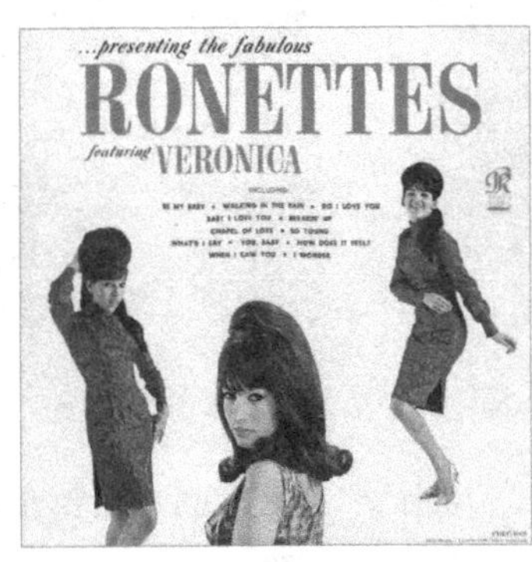


**935 ST NICHOLAS AVENUE / 156th STREET W** – L'appartement du Duke

Né à Washington, Edward Kennedy Ellington est arrivé à New York en 1923. Elvis Presley est "The King", Aretha Franklin est "The Queen". Ellington est humblement "The Duke", mais la trace qu'a laissée cet élégant personnage dans l'histoire de la musique n'en est pas moins

importante. Fidèle à Harlem, il a vécu pendant vingt-deux de ses plus glorieuses années dans ce très bel immeuble. Quand il aménage en 1939, appartement 4A, « Caravan » est sorti depuis deux ans et, avec The Duke Ellington Orchestra, il rentre d'une tournée européenne qui l'a durablement installé comme l'une des grandes personnalités du jazz. L'époque du Cotton Club, qui lui a mis le pied à l'étrier, paraît déjà loin. Après un court passage à vide après la guerre, il revient sur le devant de la scène dans les années cinquante pour ne plus la quitter. Sa renommée est mondiale. "Sir Duke" comme l'a surnommé Stevie Wonder est mort le 24 mai 1974 dans le pavillon Harkness du Columbia Presbyterian Medical Center d'un cancer des poumons. L'appartement existe toujours. Pour s'y rendre prendre le... « A » train...



**470 W 165th STREET** – Vie et mort de Frankie Lymon

À quatorze ans, en 1956, Frankie Lymon connaît le succès avec son groupe vocal The Teenagers. « Why Do Fools Fall In Love » est le sommet de sa carrière. Après quelques autres hits, il tente une carrière solo avec un succès moindre. Accro à l'héroïne depuis ses quinze ans, Frankie Lymon décède logiquement d'une overdose dans la maison de sa grand-mère, celle-là même où il avait grandi. Il n'a que vingt-six ans mais laisse derrière lui trois veuves !

**549 AUDUBON AVENUE / 193th STREET W**

GEORGE WASHINGTON HIGH SCHOOL / Kissinger and The Ronettes

Si cette école peut s'enorgueillir d'avoir accueilli Henry Kissinger et Alan Greenspan (ancien gouverneur de la Fed) sur ses bancs, nous sommes plus sensibles à la présence de Harry Belafonte et des sœurs Ronnie et Estelle Bennett plus connues sous le nom de The Ronettes.

# BROOKLYN

*quartier par quartier*

Brooklyn, est le plus peuplé des cinq arrondissements de New York avec plus de 2,6 millions d'habitants. Le fameux Brooklyn Bridge enjambe l'East River pour le relier à Manhattan et le Verrazano Bridge lui permet de rejoindre Staten Island. Depuis quelques années Brooklyn connaît une mutation profonde attirant une population aisée fuyant les prix de Manhattan et séduite par les coquets brownstones. Mais il reste aussi un véritable melting-pot regroupant des communautés juives orthodoxes, russes, italiennes, chinoises et mexicaines. Si le rap n'est pas né ici, certains de ses plus illustres représentants y ont grandi. Jay-Z revendique haut et fort ses racines locales comme les Beastie Boys, Notorious B.I.G., le Wu Tang Clan et Spike Lee. Au fil de notre promenade dans Brooklyn, on croisera les fantômes de Michael Jackson, d'Amy Winehouse et de Curtis Mayfield.

**I UNIVERSITY PLAZA CLINTON HILL**

BROOKLYN PARAMOUNT THEATER

Alan Freed invente le rock'n'roll

Quand on évoque l'époque sucrée des teenagers américains façon *American Graffiti*, ces années d'insouciance se balançant aux rythmes du rock'n'roll, jupes virevoltantes et bananes gominées, on ne peut qu'évoquer les shows du DJ Alan Freed au Brooklyn Paramount Theater. Drôle de type, ce Freed. DJ star sur WJW à Cleveland au début des *fifties*, il est le premier à inventer et à utiliser le mot rock'n'roll dans son émission. Et à diffuser cette « musique de sauvages », n'hésitant pas à promouvoir les musiciens noirs. La majorité silencieuse et blanche le hait. Mais il est tellement populaire auprès des teenagers que les annonceurs le soutiennent un maximum. Indéboulonnable. Sur sa lancée, il organise des concerts avec les jeunes pousses de l'époque, notamment, à partir de 1954, à New York, dans cet immense théâtre. Depuis le Paramount Theater, il diffuse son émission en direct proposant de formidables shows à Noël et à Pâques. Tout le haut du panier du rock'n'roll répond présent : Chuck Berry, Jerry Lee Lewis, Little Richard, Fat Domino, j'en passe et des moins bons. Mais la brave société des braves gens, qui en rêvait, a fini par avoir la peau de Freed. Il se retrouve au centre d'un énorme scandale de pots-de-vin connu sous le nom de Payola : les maisons de disques qui versent de l'argent aux radios pour intensifier les rotations de leurs poulains (ah bon ça existe ?) Condamné, discrédité, usé, il décède en 1965. Le Paramount Theater est toujours debout, entre les mains d'une université qui l'a transformé en gymnase et auditorium. Le DJ Murray The K, l'homme qui proclame qu'il a propulsé la carrière des Beatles aux USA, crée son propre show au Brooklyn Fox 20 Flatbush Avenue (aujourd'hui disparu) sur le même modèle.



**560 STATE STREET PROSPECT HEIGHTS** – La planque de Jay-Z

« *Took it to my stashbox, 560 State St.* » scande Jay-Z dans le monstrueux hit « Empire State Of Mind ». À cette adresse, l'icône de Brooklyn habitait un petit duplex (N°10C, un salon et deux chambres en haut) quand il n'était encore que simple DJ à la fin des années quatre-vingt-dix. Quand il revient, bien plus tard, l'immeuble et le quartier auront bien changé. De la terrasse (du haut de cette pyramide…), il contemple le chemin parcouru. À ses pieds, s'étend l'énorme Barclays Center, la salle dont il est co-actionnaire et où il se produit régulièrement.

## ATLANTIC AVENUE 620 PROSPECT HEIGHTS

BARCLAYS CENTER / Jay-Z investit

Cette gigantesque salle de 19 000 places a d'abord été conçue pour accueillir l'équipe de basket des Brooklyn Nets qui menaçait de disparaître. Jay-Z, originaire de Brooklyn (fier de l'être) et grand fan des Nets, n'hésita pas à mettre au pot pour que le projet devienne réalité. Lors de l'inauguration, le 28 septembre 2012, c'est donc lui qui, logiquement, officie. Depuis, l'enceinte a connu de nombreux et glorieux concerts. Citons Beyoncé, bien sûr, à plusieurs reprises. Coldplay qui voit Jay-Z les rejoindre sur scène pour le réveillon 2012 et Bruce Springsteen qui rend hommage à Prince quelques jours après sa disparition avec une émouvante reprise de « Purple Rain ».



## 735 DEAN STREET PROSPECT HEIGHTS

FIREWORKS STUDIOS / La caserne du Wu Tang Clan

Une petite caserne de pompiers sur deux étages dans le quartier tranquille de Boerum Hill s'est transformée en studio d'enregistrement à la fin des *eighties*. Yoram Vazan, l'ingénieur qui l'a créé et dirigé raconte qu'au début, il passait des annonces dans *The Village Voice* afin de faire connaître Fireworks Studios et son tarif horaire à 20 $. McLyte, l'une des toutes premières femmes rappeuses vient y enregistrer son album du début. Comme c'est un succès, des personnalités du hip-hop rappliquent : Guru, Gang Starr (des pionniers qui ont introduit du jazz dans le hip-hop) et surtout Wu Tang Clan qui vient juste de se former. Ils gravent dans l'ancienne caserne de pompiers leur premier single *Protect Ya Neck*. Comme ils ont du mal à payer la facture, Vazan leur en fait cadeau. Du coup, la bande à RZA, qui a de la mémoire, enregistrera ses futurs albums chez Fireworks qui aura déménagé, entre-temps, à Manhattan. Yoram Vazan est toujours à la tête de Fireworks Studios mais... à Tel Aviv.

**27 STATE STREET BROOKLYN HEIGHTS**

ADAM YAUCH PARK / Beastie Boy playground

Ce parc se nommait Palmetto Playground jusqu'au 3 mai 2013. Ce jour-là, Adam Horovitz et beaucoup d'autres ont dévoilé sa nouvelle identité. Celle d'Adam Nathaniel Yauch membre fondateur des Beastie Boys. Plus connu sous le pseudo de MCA, mort des suites d'un cancer à quarante-sept ans en 2002.

**SCHERMERHORN STREET / HOYT STREET BROOKLYN HEIGHTS**

HOYT-SCHERMERHORN STREETS SUBWAY STATION / I'm bad



En descendant sur la grande plateforme de cette station de métro qui dessert les lignes A, C et G, rien. Pas un seul *bad boy*. Pas un seul passager s'exerçant au *moon walk*. Pas de Wisley Snipes. Pas même de Martin Scorsese pour filmer. On nous aurait menti en affirmant que c'est ici que le clip « Bad » de Michael Jackson a été tourné par le talentueux metteur en scène en 1987 ?

### 66 N 6th STREET WILLIAMSBURG

MUSIC HALL OF WILLIAMSBURG / Dernière soirée d'Elliott Smith

Ouvert en 2001 sous le nom de Northsix, ce club est l'un des premiers de Brooklyn à accueillir des concerts indies jusqu'alors cantonnés à Manhattan. Sa popularité a rapidement explosé. En juin 2003, Elliott Smith enchaîne trois soirées, sa dernière apparition sur une scène new-yorkaise avant sa mort en octobre de cette année-là. En 2007, Northsix prend le nom de Music Hall of Williamsburg. Il est toujours très actif.

### 140 HAVEMEYER STREET WILLIAMSBURG

OSCILLOSCOPE LABORATORIES / Le rêve d'Adam Yauch

En 2002, le regretté Beastie Boy, Adam Yauch construit son propre studio d'enregistrement ici. Étrangement, il faut attendre la disparition de Yauch pour voir le groupe y enregistrer deux albums : *To The Five Boroughs* et *Hot Sauce Committee Part Two*. À sa mort, en 2012, ses associés prennent le relais faisant muter progressivement la production en multi canal : musique, cinéma, vidéos etc. Depuis 2015, l'université de New York utilise les lieux pour délivrer des cours de techniques d'enregistrement.





### 115 TROUTMAN STREET BUSHWICK

DAPTONE HOUSE OF SOUL / L'âme noire d'Amy Winehouse

En voyant ces deux minuscules maisons qui ne paient vraiment pas de mine, comment penser qu'elles cachent, au sous-sol, un studio d'enregistrement dont les murs suintent littéralement la soul et le funk ? En fondant le label Daptone en 2001, Bosco Mann et Neal Sugarman ont rapidement opté pour posséder leur propre studio avec un groupe résident : les Dap-Kings. Comme ils sont intégristes, ils décident d'enregistrer tous les instruments dans la même pièce, le plus souvent en live, profitant de l'excellente acoustique du studio. Ils évitent aussi la technique numérique jugée trop froide. En rajoutant le son rétro *sixties* des Dap-Kings, ils obtiennent un résultat plutôt bluffant. Cela n'a pas échappé à Mark Ronson le producteur d'Amy Winehouse. En 2006, il amène la jeune Londonienne pour enregistrer l'album *Back To Black* étant certain que l'alchimie va faire merveille. Pari réussi, c'est un triomphe mondial. Sharon Jones a été la première pépite enregistrée chez Daptone en 2002. Après des années de galère, cette ancienne gardienne de prison a finalement

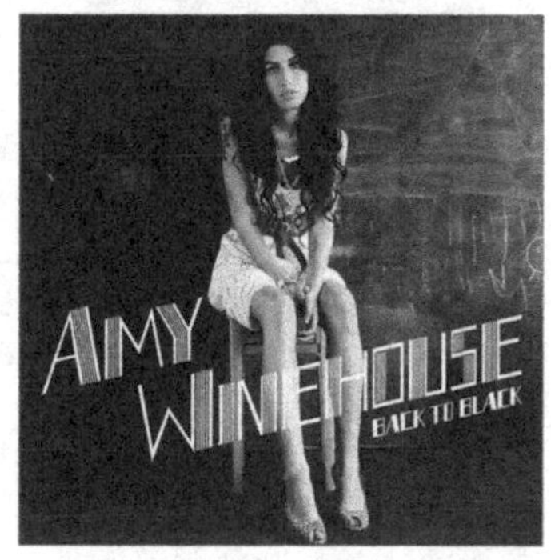

vu son talent reconnu à quarante-cinq ans. Ceux qui ont pu voir cette chanteuse exceptionnelle tenir la scène du Stade de France, en première partie de Prince, avec les fidèles Dap-Kings, ont ressenti des frissons qu'ils croyaient définitivement disparus. Malgré le succès de ses albums, elle reste fidèle à Daptone jusqu'à sa mort en 2016 laissant derrière elle un bel héritage. En 2011, Charles Bradley utilise la même recette. Après avoir vu James Brown à l'Apollo dans ses jeunes années, il décide de se consacrer à la musique. Comme Sharon Jones, c'est sur le tard qu'il collabore avec Daptone. Dès lors, sa musique qui respire la bonne vieille soul du Sud connaît enfin le succès. Malheureusement, il décède, un an après Sharon Jones, de la même maladie. Du coup, ce n'est pas simple pour les équipes

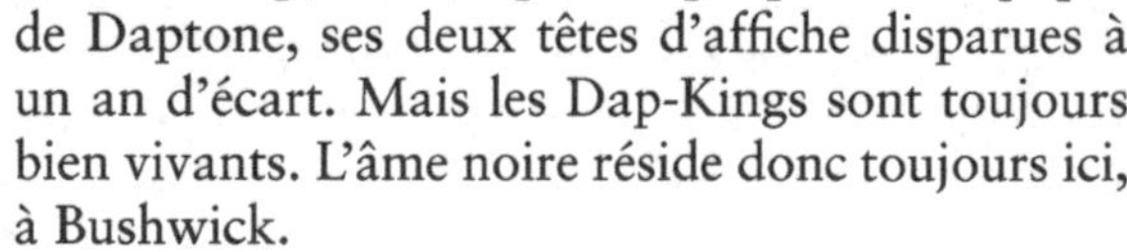

de Daptone, ses deux têtes d'affiche disparues à un an d'écart. Mais les Dap-Kings sont toujours bien vivants. L'âme noire réside donc toujours ici, à Bushwick.

**STUYVESAND AVENUE BEDFORD STUYVESAND** – Do The Right Thing Way

La partie de Stuyvesand avenue située entre Lexington Avenue et Quincy Street, se nomme dorénavant Do The Right Thing Way. C'est dans ce quartier que Spike Lee a tourné la totalité de son film en 1989. On se rappelle, l'histoire de Mookie qui bosse chez Sal's Pizzeria dans l'étouffante chaleur estivale qui fait éclater les tensions raciales. Et l'incroyable bande-son emmenée par le « Fight The Power » de Public Enemy. (Le titre « Do The Right Thing » par Redhead Kingpin & "The FBI" a bien été créé pour le film mais pas utilisé). Le siège de la société de production de Spike Lee, 40 Acres And A Mule est située 75 South Eliott Avenue à Fort Green. C'est ici qu'il a organisé une énorme et joyeuse *party* en l'honneur de Prince quelques jours après sa mort en avril 2016.

### 126 PUTNAM AVENUE BEDFORD STUYVESAND

Le mural d'Ol' Dirty Bastard

Ce mural représente la photo de couverture du premier album solo d'un des membres fondateurs de Wu Tang Clan, "Ol' Dirty Bastard". On est au cœur du quartier qui a connu une partie de l'enfance du rappeur mort en novembre 2004.

### WINTROP STREET / BROOKLYN AVENUE FLATBUSH

WINGATE FIELD / L'accident de Curtis Mayfield

En 1980, Curtis Mayfield a quarante-huit ans. Sa carrière est en perte de vitesse. On est loin des *sixties* qui l'ont porté sur le devant de la scène soul. D'abord avec les Impressions, où sa voix divine mêlée à celle de Jerry Butler fait merveille. Des titres comme « People Get Ready » ou « Keep On Pushin' » ne sont pas seulement des délices soul, leurs paroles mobilisatrices deviennent la bande-son des marches pour les droits civiques de la première partie des années soixante. Plus tard, en solo, Curtis Mayfield choisit de s'engager de façon encore plus radicale. Son album de 1972, *Superfly*, bande originale du film, le propulse au premier rang de cette nouvelle génération de chanteurs soul, emmenée par Marvin Gaye, qui ne se contentent plus de faire couler un délicieux miel dans les sillons de leurs singles. Le 13 août 1980, il est tête d'affiche d'un concert en plein air que le sénateur Markowitz organise, chaque année, pour ses concitoyens, sur le Wingate Field. Il fait un méchant orage sur Brooklyn. Dix mille personnes essaient de s'abriter des bourrasques. Pour le sénateur, pas question d'annuler le concert. Juste après la prestation d'Harold Melvin and The Blue Notes, il monte sur scène pour introduire la star du jour. Il n'a pas le temps de finir son discours qu'un coup de vent particulièrement brutal déstabilise quelques éléments de la scène. Des câbles et des projecteurs tanguent dangereusement au-dessus des planches, forçant Markowitz à se coucher sur le ventre. Un projecteur s'abat alors sur le dos de Curtis Mayfield alors qu'il entre en scène. Quand il reprend ses esprits, il se rend compte que ses bras, ses jambes ne répondent plus. Au Kings County Hospital, les médecins lui sauvent la vie mais pas ses fonctions motrices. Il restera paralysé. Son falsetto heureusement resté intact, il enregistre encore quelques disques. Introduit au Rock'n'roll Hall of Fame en mars 1999, il ne pourra pas se déplacer. Mais Paul McCartney, Bruce Springsteen, George Martin et Billy Joel tiendront à être présents. L'une des voix les plus soyeuses de la soul s'éteint le 26 décembre 1999.

## 555 CHURCH AVENUE / REMSEN AVENUE FLATBUSH
BOB MARLEY BOULEVARD

Le 1er juillet 2006, à ce carrefour, le consul général de la Jamaïque dévoile une plaque révélant le Bob Marley Boulevard. La portion de Church Avenue qui va de Remsen Avenue jusqu'à 98th Street s'appelle dorénavant du nom de la star du reggae. Le 6 février 2008, jour anniversaire du créateur d'*Exodus*, on remet ça avec une deuxième partie de Church Avenue rebaptisée au nom du Jamaïcain mort en 1981 à Miami. Cette fois, c'est la sénatrice Yvette D. Clarke qui est la Master of Ceremony.



## 500 25th STREET SOUTH SLOPE – GREENWOOD CEMETARY

Ce cimetière est la dernière demeure de Jean-Michel Basquiat. De Leonard Bernstein. De Henry Steinway. Et de Samuel Morse (oui, l'inventeur du morse).

**524 MARCY AVENUE BEDFORD STUYVESAND**

MARCY HOUSES / L'enfance de Jay-Z

Shawn Corey Carter est né et a grandi au milieu de cet imposant ensemble de vingt-sept HLM de six étages baptisé Marcy Houses. Dans l'appartement 5C, la vie n'a pas toujours été simple. Le père s'en va vite, la mère Gloria élève seule ses quatre enfants en écoutant Marvin Gaye et Donny Hathaway. Shawn est du genre turbulent. Il faut dire que ses copains de lycée s'appellent The Notorious B.I.G. et Busta Rhymes, ce qui n'aide pas à la placidité. Adolescent, c'est un petit dur comme le quartier en produit des tonnes : du deal de crack, des bagarres, des armes à feu aussi. Et la musique. Dans le quartier, on le surnomme Jazzy. Lui préférera Jay-Z. En 2017, superstar, couvert d'honneurs et de dollars, il rend un bel hommage à sa maman dans la vidéo du titre « Smile », où elle apparaît, rayonnante.

**160 HALL STREET CLINTON HILL** – Premier appartement pour Patti Smith

En 1967, Patti Smith et Robert Mapplethorpe font des petits boulots par-ci par-là pour payer les 80 $ de loyer mensuel de cet appartement. Certes il est immense, occupant tout le deuxième étage, avec les fenêtres qui donnent à l'Est et à l'Ouest, mais l'environnement est déplorable. La chanteuse essaie de cacher les immondes taches sur les murs par des photos de ses favoris : Rimbaud, bien sûr, Dylan, Piaf, Genet. Mais c'est toujours mieux qu'un squat. Prochaine étape : Manhattan.

**BEDFORD AVENUE 1091 BEDFORD STUYVESAND** – BIGGIE MURAL

Voici un imposant (forcément imposant) mural figurant The Notorious B.I.G. connu également sous le nom de Biggie Small. *King Of New York* est une œuvre impressionnante signée Naoufal "Rocko" Alaoui et Scott "Zimer" Zimmerman. Mais les vautours rôdent, et un comité de défense lutte pour que les promoteurs ne mettent pas à terre l'un des symboles du quartier de naissance d'une des grosses personnalités de l'histoire du rap.

**226 SAINT JAMES PLACE CLINTON HILL** – L'enfance de Biggie

Christopher George Latore Wallace, futur Notorious B.I.G. a grandi ici dans un petit appartement. Ses parents d'origine jamaïcaine, se séparent quand il a deux ans, sa mère Violetta l'élèvera seul. C'est un excellent élève jusqu'à ce qu'il passe dans l'école supérieure. Là, il côtoie quelques calibres du genre Jay-Z et Busta Rhymes. L'histoire retient qu'il commence à dealer à l'âge de douze ans. À peu près l'époque où il fait ses premiers pas dans le rap.

### 899-925 FLATBUSH AVENUE FLATBUSH

ERASMUS HALL HIGH SCHOOL / Pépinière

Parmi les étudiants qui ont usé leurs fonds de Levi's sur les bancs de cette école, on trouve un véritable *who's who* musical. Mark Bell, plus connu sous le nom de Marky Ramone (batteur remplaçant des Ramones), Barbra Streisand, Neil Diamond (« Sweet Caroline »), Jeff Barry (inoubliable auteur de « Da Doo Ron Ron » et de « River Deep Mountain High ») et Dave Getz futur batteur de Big Brother & The Holding Company. Dans un autre style, citons le vénéré auteur de romans policiers Mickey Spillane.

### 1027 FLATBUSH AVENUE FLATBUSH

KINGS BROOKLYN / Vive le roi

Complètement abandonné pendant des années, Kings a repris des forces en 2015. Depuis, un chapelet de personnalités s'est retrouvé sur les planches de ce joli théâtre. Une programmation nickel : Nick Cave and The Bad Seeds, Wilco, TV on the Radio, Father John Misty, Andrew Bird, etc.

### 1546 62nd STREET BOROUGH PARK

L'AMOUR / The rock capital of Brooklyn

À Brooklyn, il n'est pas trop facile de se faire entendre pour les groupes de heavy métal, malgré leurs grosses guitares. Heureusement, il y a L'Amour. Metallica, Guns N' Roses, Anthrax, Suicidal Tendencies ou encore Slayer ont pu faire péter un maximum de décibels avant que le club ne ferme les portes.

### 172 PACIFIC STREET COBBLE HILL

Norah Jones a habité ici

On a aperçu cette ancienne caserne de pompier, bâtie en 1840, dans le film *Mange, prie, aime* (avec Julia Roberts). La jolie petite maison est devenue la propriété de Norah Jones en 2015. La fille de Ravi Shankar l'a rénovée puis habitée avec son mari (qui est aussi son producteur) et son fils.

**160 HENRY STREET BROOKLYN HEIGHTS** – Le refuge de Björk

Björk a occupé la totalité du dernier étage de cet immeuble entre 2009 et 2017. La chanteuse islandaise qui vivait alors avec l'artiste Matthew Barney (dont elle a eu une fille, Isadora) pouvait profiter de la belle terrasse privée.

**30 LAFAYETTE AVENUE PROSPECT HEIGHTS**

BROOKLYN ACADEMY OF MUSIC / Le cœur artistique de Brooklyn

Brooklyn Academy of Music (BAM), institution vieille de cent cinquante ans, est le cœur artistique de Brooklyn. La programmation mixe la danse moderne (Pina Bausch, Merce Cunningham), le théâtre (Robert Wilson, Peter Brook) et la musique contemporaine (Philip Glass, Laurie Anderson, Steve Reich). Le mélange des genres est d'ailleurs sa marque de fabrique. Par exemple, Bob Dylan a joué pour un concert hommage à George Gershwin en mars 1987 et Sonic Youth pour le quatre-vingt-dixième anniversaire du chorégraphe Merce Cunningham en avril 2009. La BAM est également liée à l'histoire du Velvet Underground. Ils y jouent le 15 mai 1968 et le 3 décembre 1989, l'occasion d'une mini reformation Reed / Cale / Tucker. Le 17 novembre 2017, John Cale célèbre les cinquante ans du groupe avec quelques *guest stars* de la nouvelle génération : MGMT, Kurt Vile, TV on the Radio, Connan Mockasin et Animal Collective. Belle soirée.

### 157 MONTAGUE STREET BROOKLYN HEIGHTS

ST. ANN AND THE HOLY TRINITY CHURCH / Où le théâtre rencontre le rock

Voilà une église qui attire la curiosité et la sympathie. Pendant vingt-cinq ans, elle a accueilli un projet artistique sous le nom de Arts At St Ann's. Au programme : le théâtre et la musique souvent entremêlés. Et des concerts rock, jazz ou world music à l'occasion d'hommages ou de causes caritatives. Les anciens du Velvet Underground, Lou Reed et John Cale ont présenté ici leur opéra dédié à Andy Warhol *Songs For Drella* en 1986 et Marianne Faithfull est venue célébrer Bertolt Brecht et Kurt Weill en 1989. Aaron Neville a joué pour la première fois en solo, sans ses frères, et David Byrne est souvent venu sans ses Talking Heads. Jeff Buckley a fait quelques-unes de ses premières prestations scéniques. Au début des années deux mille, le projet déménage dans une ancienne usine près du Brooklyn Bridge (45 Water Street sous le nom de St. Ann's Warehouse). La programmation théâtrale est d'un niveau exceptionnel. Et l'aspect musical n'est pas mal non plus. David Bowie est venu. Joe Strummer a joué ses derniers concerts new-yorkais. Lou Reed a créé son spectacle *Berlin* inspiré du fameux album. Lou Reed fut d'ailleurs un habitué des lieux, notamment avec sa femme Laurie Anderson et Debbie Harry pour les vingt-cinq ans de St. Ann. Qui se porte toujours bien, merci.

## 12020 FLATLANDS AVENUE CANARSIE

CHRISTIAN CULTURAL CENTER/Obsèques d'Ol' Dirty Bastard

L'un des personnages les plus cinglés de l'histoire du rap est mort subitement dans un studio d'enregistrement de Manhattan le 13 novembre 2004. Les funérailles de Russell Tyrone Jones, membre du Wu Tang Clan plus connu sous le sobriquet de Ol' Dirty Bastard, se tiennent au Christian Cultural Center, une imposante église moderne, pas loin du quartier de son enfance. 3 000 personnes assistent à la cérémonie après être passées entre les détecteurs de métaux de l'entrée. Une section est réservée aux VIP parmi lesquels on reconnaît Mariah Carey, lunettes et robe noires. Elle vient se recueillir devant le cercueil, à demi ouvert, orné de fleurs. La fille du rappeur, Taniqua Jones explique que son père n'était qu'un grand enfant et RZA, membre du Clan, se rappelle qu'en dehors de ses excès, il était un brave mec. Il avait trente-cinq ans et sept enfants.

## 1310 SURF AVENUE CONEY ISLAND

Patti et Robert à Coney Island

Dans sa biographie *Just Kids*, Patti Smith raconte ce jour où elle a pris la ligne D avec Robert Mapplethorpe jusqu'à Coney Island. Sur la jetée, un vieil homme a proposé de les prendre en photo avec un appareil rudimentaire pas loin du restaurant Nathan's où le couple aimait manger un hot dog arrosé de Coca. Patti Smith raconte que c'est l'un de ses endroits préférés. Cette photo illustre l'une des éditions de *Just Kids*. *Coney Island Baby* est le titre d'un des albums de Lou Reed : « *Oh, my Coney Island baby, now, I'm a Coney Island baby, now* ». Nathan's existe toujours.

5POINTZ
PAINTING WITH A
PERMIT ONLY!!!
WEEKENDS
WEEKDAYS BY
NO
OR
WITHOUT
FOR INFO
CHECK OUR
NIGGA
MAKE A
LEAVE
KNEE
COP
BETWEEN
MATTER
GOOD
STILL STICK
HER SHIT!
WORD!

## QUEENS

*quartier par quartier*

Entre Brooklyn et le Bronx, se trouve le Queens, moins connu mais tout aussi intéressant. Là se côtoient des quartiers très populaires qui ont produit des personnalités du rap comme Run-DMC, Nas, 50 Cent, Mobb Deep, A Tribe Called Quest, et des quartiers résidentiels où Louis Armstrong, James Brown, John Coltrane et nombre de stars du jazz ont élu domicile. Certaines ont aussi choisi le Queens comme dernière demeure, le quartier regroupant les plus importants cimetières de New York. Ici, on a également entendu les premiers cris des faux frères Ramones et ceux des fans des Beatles lors de leur fameux show au Shea Stadium.

## 97th STREET / ROCKAWAY BEACH BLVD / ROCKAWAY BEACH

### Rock, rock Rockaway Beach

À quarante-cinq minutes de métro de Manhattan, il y a une plage. Rockaway Beach n'est pas seulement de magnifiques scènes de *Radio Days* rappelant la jeunesse de Woody Allen c'est aussi le titre d'un morceau des Ramones « *Rock, rock Rockaway Beach, we can hitch a ride to Rockaway Beach* » souvenir de jeunesse de Dee Dee Ramone. Le plus gros hit de leur carrière. Patti Smith possède une petite maison ici sur 97th Street, « à quelques pas du métro, sur la droite et de la mer, sur la gauche ». Elle a beaucoup souffert lors du terrible ouragan Sandy en 2012.

## VAN WICK AND JFK EXPRESSWAY / JAMAÏCA





### JOHN FITZGERALD KENNEDY INTERNATIONAL AIRPORT (JFK)

### Atterrissage de la beatlemania

Le Boeing 707 du vol 101 de la PanAm s'est posé à JFK en provenance de Londres. Nous sommes le 7 février 1964, il est 13 h 20, heure locale. Malgré le froid, plus de dix mille teenagers trépignant accueillent les Beatles depuis la terrasse de l'aéroport. Même si la beatlemania fait déjà des ravages en Europe, même si ce matin à Heathrow, les adieux des fans anglais ont tourné au délire, même si le pilote de l'avion les a prévenus qu'une foule énorme se formait à JFK, les quatre garçons ne s'attendaient pas à un tel engouement. Et voilà qu'ils sortent de l'appareil, chacun porte une petite sacoche PanAm. Voici George. Voici John, Voici Paul. Voici Ringo. Ils saluent les fans qui redoublent de hurlements, qui agitent des pancartes aux slogans amoureux. Ils savourent cet instant. Brian Epstein, Mal Evans et Neil Aspinall descendent à leur tour les escaliers. Ils n'en croient pas leurs yeux et leurs oreilles. Le disc jockey Murray the K, qui n'est pas pour rien dans la mobilisation des fans, est en bas de la passerelle. Il ne les quittera pas de tout leur séjour. Et voici que

Rockaway Beach

la conférence de presse commence déjà, les logos de la PanAm comme seul décor. Plus de deux cents journalistes ! Un brouhaha constant accompagne les réponses enjouées de John, Paul, George et Ringo, en pleine forme. Q. : « Aimez-vous Beethoven ? » Ringo : « Oui beaucoup, surtout ses poèmes. » Maintenant direction Manhattan, Ritz Hotel. La British Invasion vient de commencer. Cinquante ans plus tard une plaque commémorant l'évènement sera apposée dans l'aéroport. U2, un autre *british* envahisseur fait référence au célèbre aéroport dans les premières lignes de « Angel Of Harlem » « *It was a cold and wet December day when we touched the ground at JFK* ».

### 161st STREET / JAMAÏCA – Le quartier de 50 Cent

La jeunesse de Curtis James Jackson III, plus connu sous le surnom de 50 Cent, n'est pas un long fleuve tranquille. Sa mère, trafiquante de drogue, est assassinée quand il a huit ans. Il part vivre chez ses grands-parents sur 161st Street dans ce quartier glauque de Jamaïca. La suite est assez classique : trafic de drogue, armes à feu, prison, etc. Au moment où sa carrière décolle, en 1998, il est arrêté sur Rockaway Boulevard puis sur Brewer Boulevard. En mai 2000, alors qu'il est tranquillement assis devant la maison de ses grands-parents, on lui tire dessus. Touché aux jambes et au visage, il s'en remet. C'est en 2003 que ses différentes rencontres avec Eminem lui ouvrent les portes de la gloire. Le succès du single « In Da Club » marquant le début d'une grosse carrière.





### 126-28 150th STREET / JAMAÏCA

PS 45 CLARENCE WITHERSPOON / Queen of the Queens

Si Nicki Minaj est née à Port d'Espagne, dans les îles de Trinité-et-Tobago, elle a grandi à South Jamaïca. Le succès venant, la rappeuse n'a pas oublié son quartier d'enfance qui se souvient aussi très bien d'elle ! En novembre 2012, celle que l'on surnomme Queen of the Queens est revenue dans son école élémentaire de façon presque anonyme (il y avait quand même deux cents personnes qui patientaient devant le bâtiment). En 2018, elle renouvelle l'opération de façon plus grandiose avec distribution de cinq cents dindes (pas de mauvais esprit s'il vous plaît) thanksgiving oblige. Cardi B. n'était pas invitée.

### 90-10 MERRICK BLVD / JAMAÏCA

24/7 STUDIOS / Assassinat de Jam Master Jay

Jason Mizell est né à Brooklyn, mais c'est dans le Queens qu'il apprend, très jeune, l'art du DJ. En 1982, il rejoint les membres de Run-DMC

(Run Simmons (le frère du fondateur de DefJam) et DMC McDaniels) dans le rôle de DJ du groupe. Il devient Jam Master Jay. En 1983, le groupe connaît un énorme hit avec « It's Like That » qui réussit le mix entre rock et rap suivi de leur version parfaite de « Walk This Way » avec Aerosmith qui boucle la boucle. MTV les adore et leurs clips tournent en *heavy rotation* sur l'antenne. Bientôt, ils dépassent le cadre de la musique pour devenir des tendanceurs avant l'heure. Ils adorent les marques et les marques les adorent. Adidas qui les paie 1 million de $, retrouve une seconde jeunesse grâce à eux, zappant du sport au lifestyle. Le single *My Adidas* escalade les charts. Ils sont au sommet. Les années quatre-vingt-dix sont plus difficiles pour le groupe qui se cherche quelque peu, sans se trouver. Chacun des membres s'occupant de son côté. Le 30 octobre 2002 vers 18 heures, Jam Master Jay, resté fidèle au Queens, quitte sa maison du quartier de Hollis pour rejoindre le studio 24/7 qu'il a créé avec quelques amis. Il salue Lydia qui est à la réception et ses copains Tony Rincon et Randy Allen. Il est en plein milieu d'une partie de jeu vidéo de football US Madden 2002 avec Tony quand deux hommes cagoulés font irruption dans le studio, des armes à la main, demandent à Lydia de se coucher par terre, entrent dans le salon et tirent sur Rincon puis sur Jam Master Jay qui est mortellement touché. Les hommes s'enfuient poursuivis en vain par Randy Allen. Quinze ans plus tard, l'affaire est définitivement classée sans avoir identifié les coupables. Jason Mizell est enterré au Perncliff Cemetery de Greenbugh à une quarantaine de kilomètres de New York. Ce cimetière est fameux pour abriter les dernières demeures de Malcom X, James Baldwin, Judy Garland, Joan Crawford, le pilote de F1 Peter Revson (et son père créateur de Revlon) et Béla Bartók. Mais aussi Thelonious Monk, Cab Calloway, Aaliyah et Ed Sullivan, l'homme qui a fait découvrir Elvis et les Beatles à l'Amérique. Le cimetière est également réputé pour son crématorium que John Lennon, Nelson Rockfeller, Diane Arbus, le DJ Alan Freed et le Superman Christopher Reed ont fréquenté.



**9-01 44th / LONG ISLAND CITY** – Le loft de Talking Heads

Alors que Talking Heads s'est fait une belle réputation sur la scène rock new-yorkaise et vient d'enregistrer son premier album, le groupe cohabite dans un minuscule appartement de Lower East Side tout près du CBGB. Quand le frère de la bassiste Tina Weymouth lui indique qu'un loft vient de se libérer dans un immeuble calme de Long Island City, elle n'hésite pas et s'installe avec son copain le batteur Chris Frantz. Troisième étage, juste sous la belle terrasse avec vue panoramique sur Manhattan (ils sont aux premières loges pour observer la fameuse panne d'électricité qui frappe l'île le 13 juillet 1977). Le groupe au complet, avec David Byrne et Jerry Harrison, va bientôt passer de plus en plus de temps dans ce loft qui devient même sa salle de répétition. Commence alors la période la plus fertile de l'histoire du groupe. Lorsque vient le temps d'enregistrer le troisième album, Talking Heads décide de s'installer dans un studio de Manhattan. Mécontent du résultat David Byrne rapatrie tout le monde dans le confortable loft. Record Plant leur fournit un camion studio mobile qui est garé en bas de l'immeuble. Et là, enfin, avec Brian Eno venu en renfort, du 22 avril au 6 mai 1979, Talking Heads commence à enregistrer *Fear Of Music* qui sera complété dans plusieurs studios de la ville. Le bâtiment existe toujours.

### 21-07 41st AVENUE / LONG ISLAND CITY

SADOWSKY GUITARS / Le luthier magicien

Le métier d'origine de Roger Sadowsky est réparateur de son instrument favori, la guitare. D'abord à New York puis à Philadelphie. Sa réputation de génial luthier grandissant, il revient à Manhattan et se spécialise dans la rénovation des guitares de professionnels sur W 33th Street. Marcus Miller le challenge en lui demandant de perfectionner sa basse pour la faire sonner de façon unique. C'est une réussite. Au début des *eighties*, il décide de fabriquer ses propres guitares, des Sadowsky. Paul Simon, Sting, Lou Reed et Bruce Springsteen passent commande. Walter Becker de Steely Dan devient un client régulier. Et Prince lui fait des demandes un peu spéciales. D'abord une réplique parfaite de sa vieille Hohner modèle MadCat que l'artiste adore et qui donne des signes de fatigue. Puis, une autre guitare qui doit trouver le moyen... d'éjaculer. Un artifice destiné au film *Purple Rain*. Plus tard, il lui commande encore deux très belles six-cordes avec des motifs floraux. En 2011, Sadowsky Guitars s'installe ici, à Long Island City au quatrième étage. Si vous passez un jour choisir l'une de ses fameuses basses (sa spécialité) ou simplement pour visiter, il y a de fortes chances que Roger Sadowsky, qui est resté un artisan, vous reçoive en personne. Il a soixante-dix ans.

### 66-36 YELLOWSTONE BOULEVARD / FOREST HILLS

THE BEL AIR / L'enfance de Ramones

Dans l'appartement 22 F de cet immeuble, Joey Ramone (Jeffrey Hyman) a grandi. Plutôt classe pour le quartier, il fait partie d'un ensemble appelé Birchwood Towers. En fait, tous les faux frères Ramone ont grandi dans le coin. Tommy (Tamás Erdélyi, originaire de Hongrie) était basé au

65-35 Yellowstone Boulevard, Johnny (John Cummings) à Thorneycroft Apartments, 99th Street et Dee Dee (Douglas Colvin), qui s'est installé sur le tard en provenance de Berlin où son alcoolique de père était militaire, au 66-25 103rd Street.

### 99th STREET / 66th ROAD & 66th AVENUE

THE THORNEYCROFT RAMP / Le mural des Ramones

Adolescents, les quatre Ramones ont l'habitude de venir zoner à cet endroit, pas très loin de chez Johnny Ramone. En hommage, l'artiste new-yorkais Ori Carino a peint un mural qui les représente à l'endroit même d'après une photo de Bob Gruen.

### 40-15 81th STREET / JACKSON HEIGHTS – How high the moon

Les Paul n'est pas seulement le génial créateur d'une génération de guitares Gibson. Il a aussi interprété des hits avec sa femme Mary Ford. Notamment la reprise de « How High The Moon » en 1951. Énorme succès : neuf semaines en haut des charts. Ce titre a été enregistré ici, dans son appartement. Il expliquait que c'était très difficile de chopper une prise sans sirènes de police ou bruit de tuyauterie chez les voisins.



### 1 STEINWAY PLACE / ASTORIA

STEINWAY & SONS / Une touche de légende

La firme Steinway & Sons a été créée en plein Soho au 85 Varick Street par un immigré allemand, Heinrich Steinweg et ses trois fils. Le succès grandissant, ils ont déménagé dans plusieurs quartiers de la ville avant

de s'installer dans le Queens en 1880. Aujourd'hui alors que Steinway a fêté son 600 000ᵉ piano en 2015, la production est assurée à la fois à Hambourg et ici. La famille Steinway a habité au XIXᵉ siècle, pas très loin, dans une magnifique demeure 18-33 41st Street qui s'appelle toujours Steinway Mansion.

### 34-12 36th STREET / ASTORIA

KAUFMAN ASTORIA STUDIOS / Noix de coco

Le lieu n'est pas forcément très rock'n'roll, mais on le cite car c'est ici que les Marx Brothers ont tourné leurs deux premiers films. Ce qui n'est pas rien. À l'époque, c'était les studios Paramount qui n'allaient pas tarder à rejoindre Hollywood en 1932. Après guerre et toujours aujourd'hui, des tas de films et de séries sont tournés ici (sachant que le plus grand et le plus beau studio de la côte Est restera toujours les rues de Manhattan). En ce qui nous concerne, pas grand-chose à nous mettre sous la dent, si ce n'est le clip des Jacksons « Torture », le concert unplugged de Mariah Carey pour MTV et le film *The Wizz* dans lequel Diana Ross tient le rôle principal.





### 10th STREET / 40th AVENUE ASTORIA

QUEENSBRIDGE HOUSES / Une couverture de Nas

Nasir Bin Olu Dara Jones, autrement dit Nas, est né à Brooklyn, mais ses parents ont rapidement déménagé ici, près du Queensboro Bridge, au sein du groupe d'immeubles Queensbridge Houses, le plus grand ensemble de logements sociaux des États Unis. Son cursus est largement différent du commun des rappeurs. Ses parents sont cultivés, son père est musicien de jazz originaire de Natchez, au cœur du Mississipi. Seule fausse note d'une adolescence harmonieuse, l'assassinat de son ami Willy Graham, celui qui lui a fait découvrir le rap. En 1994, sa carrière

décolle vraiment avec son premier album *Illmatic*, devenant alors le rappeur le plus respecté du métier (seul Jay-Z lui conteste méchamment ce titre). Sur l'iconique couverture du disque on aperçoit les Queensbridge Houses de son enfance. Deux autres personnalités du rap ont grandi dans ce quartier : Prodigy et Havoc, le duo de Mobb Deep, l'un des groupes de rap le plus influent de la seconde partie des *nineties*. Avec leurs disques décrivant crûment la violence urbaine quotidienne, ils deviennent des symboles du gangsta rap. « Shook Ones Part. II » est généralement considéré comme l'un des titres les plus importants du rap. Avec eux et Nas, le quartier de Queensbridge est devenu une place forte de l'histoire du hip-hop.



**163-6 46th AVENUE / FLUSHING** – FLUSHING CEMETERY

Louis Armstrong (mort en 1971), Dizzy Gillespie (1993), Johnny Hodges (1970) et Charlie Shavers (1971) sont inhumés dans ce cimetière.

**172-00 BOOTH MEMORIAL AVENUE / FLUSHING**

MOUNT ST. MARY CEMETERY / Cimetière de poupées

Pour saluer Johnny Thunders, (Section 9, Grave R78 / Nicoletti) guitariste et Jerry Nolan (Section 24, Grave A89 / Nolan) batteur des New York Dolls, il faut se rendre dans l'imposant cimetière de Flushing Meadows. Johnny Thunders est décédé à trente-huit ans en 1991 et Jerry Nolan, à quarante-cinq ans en 1992. Leurs destins se sont croisés plusieurs fois.

D'abord au sein des New York Dolls, dans les années soixante-dix. Vêtus en drag-queens, les membres du groupe suivant à la lettre le marketing de leur manager Malcom McLaren. Quand Johnny Thunders quitte le groupe, il crée un excellent combo The Heartbreakers proposant un rock pur et vrai. Quand Jerry Nolan vient le rejoindre s'ouvre alors une fructueuse période créative. Les années qui suivent sont une longue descente infernale pour Thunders usé par l'abus de drogues, mais consacré légende vivante par les *rock critics*. Sa mort, à New Orleans, serait sans doute un crime crapuleux.

### 1 TENNIS PLACE / FOREST HILLS

FOREST HILLS STADIUM / Lennon bat Newcombe

L'hélicoptère des Beatles s'est posé le 28 août 1964 sur le court G5 du stade de tennis de Forest Hills. Pour la seconde visite du groupe aux USA, la beatlemania est à son paroxysme. Dès que John Lennon entame le premier titre, « Twist And Shout », les cris hystériques des fans couvrent sa voix sans discontinuer jusqu'à la fin du concert et… jusqu'à la fin de la tournée. Pourtant, habituellement, à Forest Hills, l'ambiance est plutôt feutrée. Ce stade a bâti sa réputation en accueillant chaque année le championnat américain de tennis, bientôt plus connu sous le nom d'US Open. Les délicieux revers de Rod Laver ou les élégants smashs d'Arthur Ashe ne provoquent manifestement pas les mêmes émois que les cris de Paul McCartney ou les riffs de George Harrison. Le calme est seulement troublé chaque été par le festival de musique qui attire quelques grands noms du rock. Les Doors, Bob Dylan (avec Joan Baez en 1963 et lors de la tournée polémique électrique le 28 août 1965), Jimi Hendrix (en première partie des Monkeesen juillet 1967 !), Marvin Gaye, Sly and The Family Stone, et, bien sûr, les locaux Simon & Garfunkel à plusieurs reprises. Et puis, les Talking Heads qui ont joué ici pour la dernière fois à New York le 21 août 1983. En 1976, l'US Open émigre vers Flushing Meadows (également dans le Queens qui, lui aussi, organisait régulièrement des concerts rock avec Jimi Hendrix, les Who ou encore les Doors). À partir de 2013, les festivités reprendront à Forest Hills avec Tom Petty & The Heartbreakers, Van Morrison et The National.

### 67-01 110th STREET / FOREST HILLS

FOREST HILLS HIGH SCHOOL / Les Ramones à l'école

Ah bon ? Qu'est-ce que j'apprends ? Les Ramones sont allés à l'école ? Oui. John Cummings (Johnny), Jeffrey Hyman (Joey), Douglas Colvin (Dee Dee) et Tamás Erdélyi (Tommy) ont tous scarifié les tables de cet établissement. C'est d'ailleurs ici que les Daltons du punk se sont rencontrés. Le profil des élèves était alors assez hétéroclite, puisque Paul Simon et Art Garfunkel étudiaient également ici entre deux compositions de chansons imitant les Everly Brothers. Comme Burt Bacharach. Comme Leslie West l'imposant guitariste de Mountain. Le petit bout de la rue juste en face de l'entrée s'appelle désormais « The Ramones Way ».

### 66-36 YELLOWSTONE BLVD / FOREST HILLS

THE BEL-AIR / La jeunesse d'un Ramone

Joey Ramone a grandi ici dans l'appartement 22 F de cet élégant immeuble. Avec sa mère et son frère. Tommy Ramone habitait le même boulevard.



### 66-07 99th STREET / FOREST HILLS

THORNEYCROFT APARTMENTS / La jeunesse d'un autre Ramone

Johnny Ramone, ne vivait pas très loin de son pote Joey. C'est autour de cette adresse qu'ils préféraient zoner avec leurs copains Dee Dee et Tommy.

### 123-01 ROOSEVELT AVENUE / CORONA

SHEA STADIUM / Ringo, tu m'entends ?

Avec le Madison Square Garden, nous voici dans l'un des plus grands temples de l'histoire du rock à New York. Dédié en priorité au baseball et au football dès son ouverture en 1964, le Shea Stadium fut la maison des

New York Mets et des New York Jets pendant plusieurs décennies. Ce qui ne l'empêchait pas de tolérer quelques rock stars de temps en temps. Les concerts des Beatles, en 1965 et en 1966 resteront, pour toujours, dans les annales de l'*entertainment*. À défaut d'y rester pour leur qualité musicale. Les enregistrements de ces évènements regroupant 55 000 personnes (un record pour l'époque) témoignent de la folie du moment. Des cordons de policiers empêchant les jeunes filles en pleurs de franchir les pauvres barrières. Des Fab Four venus en hélicoptère traversant en courant le terrain de baseball, la tête dans les épaules, remplis d'effroi. Rêvant de retrouver au plus vite l'hélicoptère salvateur du retour. Ce samedi 15 août 1964, le Shea Stadium a sans doute inauguré la vogue des méga concerts de stade. D'ailleurs les rois de l'exercice, Bruce Springsteen, les Rolling Stones, Grand Funk Railroad ont tous passé et réussi l'examen battant chacun à leur tour des records d'affluence. On a également applaudi de fantastiques affiches : Jimi Hendrix et Janis Joplin le 6 août 1970 (pour un *remake* de Woodstock), les Who et Clash le même jour le 13 octobre 1982 ! Le New-Yorkais Billy Joel a assuré la fermeture des lieux le 18 juillet 2008, aux côtés de quelques *guest stars* émues (Paul McCartney, Roger Daltrey) avant que le stade ne soit démonté et remplacé par un nouveau, rutilant et totalement consacré aux sports.

**34-56 107th STREET / CORONA**

LOUIS ARMSTRONG HOUSE MUSEUM

Louis Armstrong a habité cette maison pendant près de trente ans avec sa femme Lucille (de 1943 à sa mort le 6 juillet 1971). C'est maintenant un joli musée qui retrace la vie de Satchmo depuis la Nouvelle Orleans jusqu'à la gloire. C'est aussi un lieu qui délivre des programmes éducatifs et organise même des concerts.

**205-16 109th AVENUE / HOLLIS** – L'enfance du rap

Le co-fondateur de Def Jam Records Russell Simmons (avec Rick Rubin) a grandi dans cette maison. Avec son frère Joseph, plus connu sous le pseudo de Reverend Run au sein de Run-DMC. Leur frère aîné, Daniel, est un artiste peintre reconnu.

**109-74 203th STREET / HOLLIS** – La maison de DJ Jam Master Jay

Jason William Mizell, plus connu sous le nom de Jam Master Jay, a passé sa jeunesse dans cette maison. Il a définitivement tout fait avant les autres. Trompettiste à trois ans, il apprend dans la foulée la guitare, la basse et la batterie. À treize ans, il est déjà un DJ reconnu avec sa paire de Technics SL1200. Membre officiel de Run-DMC, il est mort, assassiné, à trente-sept ans. Là encore, avant les autres.

**205th STREET / HOLLIS AVENUE / HOLLIS**

HOLLIS *Playground* / Run-DMC *playground*

Le *playground* est toujours là. Dans les années quatre-vingt, pas mal de groupes hip-hop avaient pris l'habitude de venir zoner ici. Run-DMC, en voisins et les Fat Boys (oui les auteurs de la calamiteuse reprise de « Wipe Out » avec les faux Beach Boys) depuis Brooklyn. Qui sait ? Ces balançoires ont peut-être connu le premier concert de Run-DMC. Depuis, l'intersection de Hollis et 205th Street a été officiellement baptisée Run-DMC JMJ Way. Tout près, un mural dédié à Jam Master Jay est même resté intact depuis son assassinat en 2002.



**192th STREET / LINDEN BLVD / St. ALBANS**

MALIK "PHIFE DAWG" TAYLOR WAY / A Tribe Called Quest

La légende du rap raconte qu'à ce carrefour Q-Tip a rencontré le minuscule (en taille) Phife Dawg pour la première fois avant de créer ensemble A Tribe Called Quest. Dawg, MC du groupe, auteur d'introductions aussi célèbres que « *Microphone check, one two, what is this?* » est mort (du diabète, dans son lit !) en 2016. Depuis, l'intersection se nomme Malik "Phife Dawg" Taylor Way.

**175-19 LINDEN BOULEVARD / St. ALBANS**

ADDISLEIGH PARK / Chez the Godfather of Soul

James Brown fut propriétaire de cette drôle de maison au style néo-médiéval de 1962 au début des *seventies*. À cette époque, elle ressemblait (encore) plus à un château. L'autoproclamé « *hardest working man in show-business* », tout le temps sur la route, n'a pas dû enfiler souvent

ses pantoufles dans cette demeure. Addisleigh Park est un lieu fortement résidentiel au cœur du quartier de St. Albans. Pas mal de stars du jazz ont élu domicile dans ce havre de paix :





Count Basie : 174-27 Adelaine Road / 175th Street
Ella Fitzgerald : 179-07 Murdock Avenue / 179th Street
Fat Waller : 173-19 Sayres Avenue / 174th Street
John Coltrane : 116-60 Mexico Street
Lena Horn : 178th Street entre 112th Avenue et Murdock Avenue
Milt Hinton : 113rd Avenue et Marne Place

## 79-25 WINCHESTER BOULEVARD / BELLEROSE

CREEDMOOR PSYCHIATRIC HOSPITAL / La fin de Woody Guthrie

Au sein de ce gigantesque centre hospitalier dédié aux maladies psychiatriques Woody Guthrie est mort le 3 octobre 1967 après une longue hospitalisation. Dès son arrivée à New York, Bob Dylan avait rendu visite à l'une de ses inspirations majeures déjà malade. L'histoire ne dit pas s'il s'est aussi rendu ici. Lou Reed a raconté qu'il avait fréquenté les lieux, interné par ses parents lorsqu'il était étudiant suite à une dépression nerveuse. Il affirmait avoir subi une série d'électrochocs. Il évoque ce souvenir douloureux dans le titre « Kill Your Sons » en 1974.

## 137-62 70th ROAD / KEW GARDENS HILLS – Le petit Paul

Paul Simon a grandi dans cette maison. Son futur compère Art Garfunkel habitant à deux pas 136-58 72th Avenue. Ils entreront dans la même école primaire et ne se quitteront que quelques décennies plus tard.

# THE BRONX

*quartier par quartier*

La mauvaise réputation du Bronx était bien méritée mais aujourd'hui, on préférerait que ce soit l'origine du hip-hop qui fasse sa gloire. En effet, c'est là, le 11 août 1973 sur Sedgwick Avenue, qu'est né officiellement ce mouvement propagé par Kool Herc, Afrika Bambaataa et Grandmaster Flash. Block party, Zulu Nation, Rock Steady Crew. Tout vient d'ici. Plus beaucoup de traces subsistent des clubs fondateurs comme Club 371 et Disco Fever mais les *playgrounds* des premières *block parties* sont encore là. Ce n'est pas le cas du vieux Yankee Stadium qui avait connu le fameux concert salsa d'août 1973, remplacé par un nouveau, rutilant. Et on attend avec impatience le premier grand musée dédié au hip-hop dont la date d'ouverture ne cesse d'être repoussée.

**371 E 166th STREET – CLUB 371** – Le royaume de DJ Hollywood

Kurtis Blow l'évoque dans son single *The Bronx* : « *In 76 we used to have big fun chilling at the Club 371* ». Si l'on s'amuse autant au Club 371, c'est avant tout grâce à un phénomène qui répond au surnom flamboyant de DJ Hollywood. DJ Hollywood ? Oui, pas mal de gens s'accordent sur un fait : il fut le vrai premier MC de l'histoire. Et le plus grand aussi, sans doute. Déjà, au début des *seventies*, gamin dans les bars de Harlem, sapé comme un mac, son flow, jeté d'une voix qui fait passer celle de Wolfman Jack pour fluette, provoque de méchants attroupements. (Cela dit, écouter Wolfman et Frankie Crocker à la radio lui a sûrement beaucoup appris). Plus tard, en passant le fleuve vers le Bronx, il devient l'attraction n° 1 du Club 371. On entend sa voix dès l'entrée et on est comme aimanté, une seule envie, descendre les escaliers pour se ruer sur la piste de danse. Si l'on reste assis quand DJ Hollywood est aux manettes, on est soit sourd, soit mort. Il lance : « *Get the bone out your back, boy!* » et la foule répond « *Get the bone out your back, girl!* ». Cette foule, il la soumet. Sa voix possède ce pouvoir, on la suit les yeux fermés. Parfois, ses compères Lovebug Starski et Eddie Cheeba, qui ne sont pas les plus mauvais, se joignent à lui. Alors, les grandes références hip-hop de l'époque Kool Herc, Afrika Bambaataa viennent voir le phénomène. Ils sont estomaqués. Et puis, souvent il monte sur la scène de l'Apollo Theater pour chauffer le public. On aurait aimé être là ! À partir des années quatre-vingt-dix, DJ Hollywood (de son vrai nom Anthony Holloway) se retire des platines. Il flirte avec la drogue et monte un groupe avec son vieux pote Lovebug Starski. Aujourd'hui, il ne reste rien de l'immeuble qui hébergea le Club 371 mais son esprit a inspiré la série *The Get Down* sur Netflix.

**2600 LAFAYETTE AVENUE**

ST. RAYMOND CEMETERY / Lady Day se repose

Billie Holiday est inhumée le 21 juillet 1959, dans ce cimetière (Row 56-Grave 29). Elle repose à côté de sa mère. Dans ce même cimetière, on trouve les tombes de Frankie Lymon, le créateur de « Why Do Fools Fall In Love » en 1956 (Row 13-Grave 70) et de Jackie Jackson membre des Chantels (« Maybe » en 1957). L'histoire retient que c'est dans ce cimetière qu'a été versée (en vain) la rançon de 50 000 $ pour la libération du fils de Charles Lindbergh.

**4199 WEBSTER AVENUE**
THE WOODLAWN CEMETERY / Jazz Hall of Fame

Il est l'un des plus grands cimetières de la ville, il recèle de magnifiques tombes, il abrite un monument à la mémoire des victimes du *Titanic* et, surtout, il héberge la dernière demeure d'un nombre impressionnant de musiciens. Les jazzmen Duke Ellington, Miles Davis, Lionel Hampton, Max Roach, Coleman Hawkins, Milt Jackson et Illinois Jacquet sont enterrés ici. Aux côtés du père du blues WC Handy, des seigneurs de la musique latine, le percussionniste Tito Puente et la chanteuse Celia Cruz, et de Felix Pappalardi, producteur de Cream et bassiste de Mountain.

**749 E 183rd STREET** – La maison de Dion

Dion Di Mucci est un survivant. Le 3 février 1959, au cours d'une tournée américaine, il doit embarquer dans l'avion affrété par Buddy Holly pour rejoindre la prochaine étape. Trouvant le prix de la place trop élevé, il préfère le bus de la tournée. On connaît l'histoire. L'avion se crashe tuant tous les passagers. Ce *lucky guy* venait de connaître une série de hits avec son groupe vivant autour de Belmont Avenue dans le Bronx : The Belmonts. Des titres plutôt doo wop mais magnifiés par la voix magique de Dion : « Teenager In Love » et « I Wonder Why ». Le succès déclinant au début des *sixties*, Dion (aucun lien de parenté avec une sémillante chanteuse canadienne) entame une fructueuse carrière solo, alignant une cascade de hits : « The Wanderer », « Runaround Sue ». Les années suivantes, il gère tranquillement sa carrière avec toutefois un point culminant en 1975, quand Phil Spector produit son album *Born To Be With You* truffé de merveilles du Brill Building. Dans cette maison de son Bronx natal, Dion a enregistré les premières démos des Belmonts juste avant le succès.

**1520 SEDGWICK AVENUE / 181st STREET** – Le Bethleem du hip-hop

Voici un lieu sacré. Voici le Graceland, le Grand Ole Opry, l'Apollo Theater du hip-hop. Voici l'adresse exacte de l'invention du hip-hop. Le 11 août 1973, alors qu'il est déjà un DJ reconnu dans son quartier sous le nom de Kool Herc, Clive Campbell, dix-huit ans, organise une *party* dans la salle de jeu, au rez-de-chaussée de cet immeuble. Né à Kingston en Jamaïque (dans le même quartier que Bob Marley), ce grand type baraqué (Herc-ules) a eu le temps de connaître les sound systems de Kingston avant d'immigrer dans le Bronx à douze ans. Tout le quartier est présent, car on commence à savoir que les sons produits par ce garçon rendent dingues.

Deux platines connectées à deux amplis McIntosh avec un système Shure Vocal Master PA et deux colonnes d'enceintes. Sa façon très spéciale de jouer avec les vinyles sur les platines, s'arrêtant sur des passages en avant/en arrière, recréant ainsi de nouvelles percussions scandant parfaitement le rythme des danseurs ! Et puis, grâce à ses deux platines, DJ Kool Herc mixe plusieurs morceaux entre eux, zappant de James Brown (« Give It Up Or Turn It Loose ») à Booker T. & The MG's (« Green Onions »), de Jimmy Castor Bunch (« It's Just Begun ») à Babe Ruth (« The Mexican ») et inversement. Plus tard, son pote Coke La Rock vient scander ses mots. Bon sang, nous ne sommes qu'en 1973 ! C'est une première. Non, c'est une révolution. Bientôt on se précipite sur Sedgwick Avenue pour découvrir le premier DJ de l'histoire du rap. Grandmaster Flash, KRS-One, quelques autres veinards et surtout Afrika Bambaataa n'en perdent pas une miette. Et le font savoir. L'été venu, DJ Kool Herc s'installe dans un parc voisin, Cedar *Playground*, inventant les premières *block parties*. Aujourd'hui, cette partie de Sedgwick Avenue s'appelle Hip-Hop Boulevard.

## 1890 CEDAR AVENUE / SEDGWICK AVENUE

### CEDAR PLAYGROUND / Les premières block parties

Ce parc a connu les premières *block parties* hip-hop en plein air organisées par Kool Herc au début des *seventies*. Dès que son sound system, qu'il baptise Herculoïds, est en place, il lance la session traditionnellement avec la version d'« Apache » par Incredible Bongo Band, où les guitares de Hank Marvin sont remplacées par des cuivres bien gras et des percussions nerveuses (Grandmaster Flash en fera un remix impeccable). Ensuite, il propose sa recette infaillible de salade mélangée à base de funk, reggae, salsa et soul. Plus tard, il invitera d'autres DJs à venir animer le *playground* et inventer leur propre toasting. Bientôt DJ Hollywood, qui n'a rien loupé, va prendre sa part de gloire.



## 1605 E 174th STREET

### BRONX RIVER HOUSES
La capitale de la Zulu Nation

3 000 personnes vivent dans cet ensemble de neuf immeubles construit en 1951. Une véritable ville et l'une des places les plus chaudes du Bronx des années soixante / soixante-dix (avec sa voisine Monroe House) qui est patrouillée et surveillée par des caméras 24h/24, une première pour New York. C'est dans cet environnement que grandit Lance Taylor, futur Afrika Bambaataa. En 1969, à douze ans, il entre dans l'un des plus importants gangs du Bronx, The Black Spades, dont il gravit les

échelons pour en devenir l'un des boss. Il finit par repousser cette violence (son cousin est assassiné lors d'un affrontement) en découvrant le hip-hop grâce au légendaire Kool Herc (il est présent ce fameux 11 août 1973). À son tour, il lance ses propres *block parties* qui, vu sa popularité et sa tchatche, font un malheur. Il devient bientôt l'une des plus fortes personnalités du hip-hop et son principal ambassadeur. Il signe chez Tommy Boy Records en 1982 et, produit par Arthur Baker, réalise le déterminant *Planet Rock* étendard du hip-hop, de la breakdance et de la musique électronique (sample de Kraftwerk). En réaction à son passé ultra-violent, il crée le mouvement Universal Zulu Nation qui a la haute ambition de canaliser la violence grâce à la musique, le breakdance et les graffitis, de regrouper au-delà des races, des quartiers, des frontières, tous les gens épousant les valeurs du hip-hop. Bambaataa n'en reste pas aux intentions, il agit vraiment, notamment en essayant de pacifier certains conflits entre gangs grâce à son expérience. Pour certains, appartenir à la Zulu Nation devient alors l'ultime voie pour devenir un être humain respecté. Bronx River Houses est le QG du mouvement qui s'étend au-delà de New York pour atteindre la côte Ouest, l'Europe et notamment la France. Et le berceau d'autres personnalités du hip-hop comme le producteur DJ Jazzy Jay et le radio DJ Kool Red Alert (sur WRKS).



### 450 ST. ANN'S AVENUE / SOUTH BRONX

ST. MARY'S PARK / Kool DJ Aj

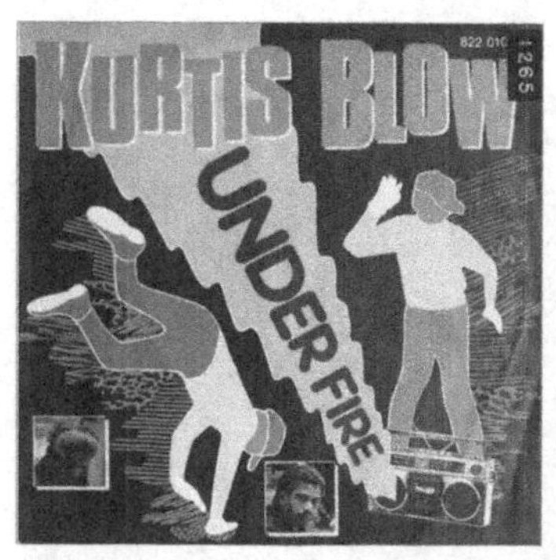


Peu de gens connaissent Kool DJ Aj, il joue pourtant un vrai rôle dans les premières années du hip-hop. Son quartier général se tient ici dans ce parc aujourd'hui tellement tranquille. À l'époque, des dizaines de gamins viennent assister à ses *block parties*. Très respecté de la scène hip-hop, Aj a coécrit l'un des plus gros succès de Kurtis Blow « If I Ruled The World » et imposé le « Give It Up Or Turn It Loose » de James Brown comme un standard de la culture hip-hop. Son ami Kurtis Blow lui a dédié un titre « Aj Scratch » : « *Yes, yes,*

*y'all and just shake butt, because Aj is gonna cut it up.* » Il est mort en 2015.

### 2730 DEWEY AVENUE / BALCON AVENUE

Les premiers flashs de Grandmaster

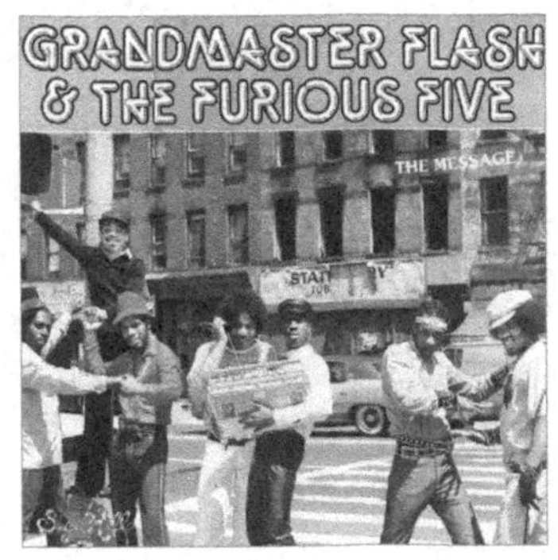


Joseph Saddler est né à La Barbade mais sa famille a émigré dans le Bronx, à cette adresse de Throggs Neck, pas vraiment le plus chic quartier du coin. Son père adore la musique, sa collection de disques comprend aussi bien Duke Ellington que James Brown. Le jeune Joseph n'a pas le droit d'y toucher et quand il se fait pincer, il reçoit une sanglante raclée. Le père violent quitte la maison quand il a huit ans et sa mère ne s'en remet pas. Quand elle est internée dans un hôpital, Joseph est ballotté de foyers d'accueils en foyers d'accueils. Sa mère revenue, ils s'installent à l'angle de 163rd Street/Fox Street. Là encore, pas vraiment le coin le plus chic du quartier. Joseph a deux passions: la musique et l'électronique qu'il apprend à l'école. Il passe son temps à bricoler des appareils audio. À treize ans, alerté par la rumeur, Joseph se rend à une *block party* de DJ Kool Herc et comme d'autres, il est contaminé. Il perfectionne ses techniques de scratching, invente de nouveaux trucs et devient vraiment très très doué. Le jour où il se sent prêt, début juillet 1975, il joue devant plein de monde au 23 Park (166th Street/Tinton Avenue). Le public sidéré par la technique arrête de danser pour observer l'équilibriste. Celui-ci désappointé, est à deux doigts de tout plaquer mais des observateurs le convainquent de continuer. Devenu DJ sous le pseudo de Grandmaster Flash, il devient une référence aux côtés de DJ Hollywood et bien sûr de Afrika Bambaataa. En 1980, avec son groupe The Furious Five (Cowboy, Melle Mel et The Kidd Creole) ils signent chez Sugar Hill Records et sortent l'un des fondements de l'histoire du rap *The Message*.



### 161st STREET EAST 1 – YANKEE STADIUM / La capitale de Porto Rico

Vendredi 24 août 1973. Yankee Stadium. Ce jour-là, l'équipe de baseball joue à Oakland. La place est libre. Libre pour une célébration de Porto Rico, libre pour le plus grand événement de l'histoire des musiques latines. Ce soir, le Yankee Stadium devient la capitale de Porto Rico. 45 000 spectateurs chauffés par Manu Dibango et Andy Montanez sous les drapeaux

de Puerto Rico qui claquent au-dessus du vieux stade. Il fait vraiment, vraiment très chaud. Et voici que Jerry Masucci introduit chacune des All Stars de son écurie Fania. Comme les Beatles au Shea Stadium dix ans plus tôt, chacun traverse la pelouse en courant sous les vivats hurlés des tribunes. Johnny Pacheco. Willie Colon. Ray Barretto. Ruben Blades. Larry Harlow. Bobby Valentin. Celia Cruz. Mongo Santamaria. Ils sont tous là, rivalisant de dextérité pour livrer le meilleur concert de leur histoire. Les barrières finissent par céder, la foule, exaltée, se rue vers la scène. Les musiciens battent en retraite. Le concert est stoppé. Heureusement, deux albums Live rendront compte de l'importance de l'événement. Dans quelques jours, les Yankees reprendront possession de leur stade pour une glorieuse fin de saison. Le vieil édifice, celui du triomphe de Babe Ruth, n'existe plus. Depuis 2009, un nouveau Yankee rutilant domine l'Harlem River, même si les New York Yankees ne sont plus aussi rutilants. Pourtant résonnent encore quelques-uns des plus glorieux concerts de la ville. Écoutez. 10 juin 1966 : sur la même scène, Ray Charles, Stevie Wonder, The Byrds, The Beach Boys. Écoutez : Paul McCartney, Madonna, Billy Joel, James Brown, U2 ou encore Pink Floyd. Écoutez, le 14 septembre 2011 : Metallica, Slayer, Megadeth, Anthrax. Écoutez : Eminem et Jay-Z, ensemble sur la scène.

**65 E 149th STREET** – UNIVERSAL HIP HOP MUSEUM / Save the date…

À cette adresse, un serpent de mer nous promet le plus grand musée du monde dédié au hip-hop, mais pas avant… 2023. *Save the date!*

**1027 MANOR AVENUE** – Les premiers sons de Phil Spector

La vie de Phil Spector risque bien de s'achever dans la prison de Stockton en Californie. Elle a pourtant commencé dans le Bronx. Le génial producteur a passé les premières années de sa vie dans cette maison avant d'émigrer en Californie au suicide de son père. Il revient dans la Grosse Pomme à la fin des *fifties* dans le Brill Building pour composer et produire quelques premières merveilles. Il est alors basé 440 E 62nd St. Il repart en Californie au début des *sixties*.

### 1218 JEROME AVENUE / 167th STREET

DISCO FEVER / Le grand soir du hip-hop

De disco, ce club n'a que le nom. Après quelques années de galère, le propriétaire Sal Abbatiello a flairé le bon filon. Pour décoller, c'est le hip-hop qu'il faut. Au début, ce n'est que le mardi. Mais un beau soir, le 15 août 1977, il programme Grandmaster Flash qu'il a entendu dans un parc. Devant plus de 700 personnes surchauffées, le groupe se révèle. C'est le grand décollage pour Grandmaster Flash qui entraîne Disco Fever dans son sillage. Dorénavant, le hip-hop, ce sera tous les soirs. La rumeur comme une traînée de poudre proclame : le vrai hip-hop, c'est ici. Run-DMC, alors inconnu, s'y produit pour la première fois en public. Cela suffit presque pour que Disco Fever devienne comme l'écrit *People Magazine* avec un certain enthousiasme : « *The Rap Capital Of The Solar System* ». La dope circule à plein régime mais Abbatiello est un malin. Le club étant au deuxième étage, le caissier basé au rez-de-chaussée a le temps de prévenir quand la police se pointe et les nombreuses substances illégales ont le temps de disparaître. Disco Fever disparaît, lui, en 1986.

### 1020 GRAND CONCOURSE – Flavor Flav est passé par ici

Ces dernières années, William Drayton (plus connu sous le pseudo de Flavor Flav), l'un des créateurs de Public Enemy aux côtés de Chuck D., se retrouve plus souvent dans les pages Faits divers des journaux qu'à la rubrique Musique. Certes, il a toujours été un peu turbulent. Petit, il a brûlé une maison en jouant avec un briquet avant d'être arrêté pour cambriolage. Après le succès de Public Enemy, il s'est reconverti dans la téléréalité. Dès lors pour le trouver, il est préférable de fréquenter les tribunaux plutôt que les salles de concert. En 1993, il est arrêté pour avoir agressé un voisin, ici, dans cet immeuble de Grand Concourse (la grande artère du Bronx) où il habite. L'année suivante, le motif est la conduite sans permis et en 1995, toujours devant son immeuble, c'est le port d'arme prohibé avec possession de crack qu'on lui reproche. Turbulent donc.

# SOURCES

## SITES INTERNET

http://www.nysonglines.com/
https://popturf.com/
http://www.popspotsnyc.com/
http://rockandrollroadmap.com/
https://www.villagevoice.com/2013/10/31/lou-reeds-guide-to-new-york-city/
https://www.villagevoice.com/2015/10/09/a-step-by-step-walk-through-just-kids-and-patti-smiths-new-york/
https://www.villagevoice.com/2017/03/17/velvet-wonderland-rediscovering-the-velvet-undergrounds-new-york/
https://www.villagevoice.com/2016/11/02/when-bob-dylan-practiced-downstairs/
https://www.rockcellarmagazine.com/
http://nymag.com/anniversary/40th/50665/
https://www.google.com/maps/d/viewer?mid=1kuydpN34qqnbxN7BitvtCt8rIDc&ie=UTF&msa=0&ll=40.75206939309256%2C-73.97461250000003&z=13
https://www.mixonline.com/
http://righttherenyc.com/index.html
https://untappedcities.com/
http://davesmusicdatabase.blogspot.com/

## LIVRES

Bangs, Lester, *Psychotic Reactions & autres carburateurs flingués*, Tristram, 2006
Bertot, Sylvain, *Rap, hip-hop, 30 années en 150 albums de Kurtis Blow à Odd Future*, Le mot et le reste, 2013
Bon, François, *Bob Dylan*, Albin Michel, 2007
Clapton, Eric, *Clapton*, Buchet-Chastel, 2007
Cléraux, Pierre-Jean, *New York State Of Mind*, Le mot et le reste, 2017
Cogan, Jim & Clark, William, *Temples of Sound, Inside The Great Recording Studios*, Chronicle book, 2003
Davis, Miles, Troupe, Quincy, *Miles L'autobiographie*, Infolio, 2007
Delcourt, Maxime, *2Pac, Me against the world*, Le mot et le reste, 2016
Deniau, Christophe, *Downtown Manhattan 78-82*, Le texte vivant, 2015
Dylan, Bob, *Chronicles Vol.1*, Fayard, 2005

Egan, Bob, *Pop Culture New York City*, Applause, 2018
Fox, Ted, *Showtime At The Apollo – Holt*, Rinchart & Winston, 1983
Gillett, Charlie, *Making Tracks*, Souvenir press, 1988
Goldman, Albert, *John Lennon, Une vie avec les Beatles*, Stock, 1988
Graham, Édouard, *Joni Mitchell, Songs are like tattoos*, Le mot et le reste, 2017
Greenfield, Robert, *The Last Sultan: The Life and Time of Ahmet Ertegun*, Simon & Schuter, 2012
Herman, Gary, *Rock'N'Roll Babylone*, Denoël, 2005
Hermes, Will, *New York 73/77*, Rivages rouge, 2014
Hook, Peter, *Substance*, Le mot et le reste, 2017
Hynde, Chrissie, *Reckless: My Life as a Pretender*, Doubleday, 2015
Jezo-Vannier, Steven, *Grateful Dead*, Le mot et le reste, 2013
Kristal, Hilly & Byrne, David, *CBGB & OMFUG*, Abrams, 2005
Kulkarni, Neil, *The Periodic Table Of Hip-Hop*, Ebury press, 2015
Manœuvre, Philippe, *James Brown*, Chêne, 2007
McNeil, Les & McCain, Gillian, *Please Kill Me*, Allia, 2006
Norman, Philip, *John Lennon, Une vie*, Robert Laffont, 2010
O'Neal, Hank, *The Ghosts Of Harlem*, Filipacchi,1997
Pinn, Bobby, *Rockjunket New York City*, Dog near, 2009
Ramone, Dee Dee, *Mort aux Ramones !*, Au diable Vauvert, 2002
Rotollo, Suze, *Le Temps des possibles*, Naïve, 2009
Shapiro, Peter, *Turn The Beat Around*, Allia, 2008
Shapiro, Peter & Caipirinha Productions, *Modulations*, Allia, 2004
Simons, David, *Studio Stories*, Backbeat books, 2004
Skinner Sawyers, June, *Bob Dylan: New York*, Roaring forties, 2012
Smith, Patti, *Just Kids*, Denoël, 2010
Springsteen, Bruce, *Born to Run*, Albin Michel, 2016
Stanton, Scott, *The Tombstone Tourist*, Pocket books music, 1998
Thibault, Matthieu, *David Bowie, L'avant-garde pop*, Le mot et le reste, 2016
Unterberger, Richie, *White Light White Heat, Le Velvet au jour le jour*, Le mot et le reste, 2015
Van Ronk, Dave, *Manhattan Folk Story*, Robert Laffont, 2013

# INDEX

## CRÉDITS PHOTO

**Sauf mention contraire, les photographies sont de Philippe Brossat.**

**Downtown / Tribeca** Chambers Street, Jim Henderson

**Lower East Side** Chinatown, Bryan Ledgard

**Soho** Jon Evans / Hommage Bowie, David Shankbone / Sob's, Standlabels I

**Noho / East Village** The Gene Frankel Theater, Beyond My Ken / Tower Records, Nicholas Marchildon / Anderson Theatre, Beyond My Ken / Public Theatre, Hdanirwin / Pyramid Club, Americasroof / Trash and Vaudeville, Beyond My Ken / Tompkins Square Park, David Skankbone / Strand, Brianne.sperber

**Greeenwich Village / West Village** Sam McIntosh

**Chelsea / Union Square / West Village** Angellosloannis / Saint-Vincent-de-Paul, Mike Peel / The Tunnel, Beyond My Ken / Washington Square Arch, Isabella Ruffalo-Burgat

**Midtown East** Billie Grace Ward / Palladium, Bekamancer / Grammacy Hotel, Eden, Janine and Jim / PJ Clarkes, Jazz Guy / Paramont, Tony Hisgett / Manhattan Plazza, Michael Bednarek / Carnegie Hall, Yair Haklai

**Midtown West** Dimitri B.

**Upper East Side** Hornswoggle

**Central Park** Daniel Case / Wollman Rink, Tomás Fano

**Upper West Side** Danielmill / Lincoln Center, Matthew_Bisanz / Sherman Square, Janine & Jim Eden / Miles Davis Way, Billy Hathorn / Tom's Restaurant, Christophe Gevrey / Karl Schurz Monument, Bob Burkhardt / Riverside Church, Gryffindor / Columbia University, CyberCop

**Harlem** Great Day in Harlem, Airman St Class Philip Bryant

**Brooklyn** Adamsofm / 560 State St., Ph Kevin Dooley / Adam Yauch Park, Sam Beebe / Hoyt Schermerhorn Street Station, Gryffindor, Akrabbim / Music Hall of Williamsburg, Jim Henderson / Ol' Dirty Bastard Mural, Mark Hogan / Greenwood Cemetery, Paul Lowry / Kings Brooklyn Theater, Beyond My Ken / Brooklyn Academy of Music, Ajay Suresh / St Ann and the holy Trinity Church, Beyond My Ken / Nathan's Coney Island, Jim Henderson

**Queens** P. Lindgren / Rockaway Beach, Urielevy / Angle de Rockaway Beach et 59th St., Sbazzone / JFK Airport, Doug Letterman / Steinway & Sons Astoria, Jim Henderson / Steinway Mansion, Jim Henderson / Queensbridge Houses, Metro Centric / Forest Hills Stadium, Jim Henderson / Louis Armstrong House, Joe Mabel / Shea Stadium, Metsfan84 / Forest Hills High School, Rags 80

**Bronx** Siddarth Hanumanthu / Bronx, Siddarth Hanumanthu / St. Raymonds Cemetery, Jim Henderson / Tombe Miles Davis Woodland Cemetery, Anthony22 / 1520 Sedgwick Avenue, Stephanie Morillo / Bronx River Houses, Jim Henderson / Forest Hills High School, Jim.henderson

# TABLE DES MATIÈRES